NOUVEAU PROGRAMME 2019

Géographie 2ᵈᵉ

Sous la direction d'**Éric Janin**

Coordinateur pédagogique : **Patrick MARQUES**
Professeur au lycée Anita Conti à Bruz (35)

Lisa ADAMSKI
Professeure au lycée Paul Eluard à Saint-Denis (93)

Viviane BORIES
Professeure dans l'académie de Montpellier (34)

Sandrine CALVEZ
Professeure au lycée Bertrand d'Argentré à Vitré (35)
et formatrice ESPÉ de Bretagne, à Rennes (35)

Thomas CHOQUET
Professeur au lycée Albert Châtelet à Saint-Pol-sur-Ternoise (62)

Lise FOURNIER
Professeure au lycée Saint-John Perse et en classes préparatoires
au lycée Louis Barthou à Pau (64)

Éric JANIN
Professeur en classes préparatoires au lycée Lakanal à Sceaux (92)

Heinrich JANNOT
Professeur au lycée Etienne Bézout à Nemours (77)

Nicolas LE BRAZIDEC
Professeur en classes préparatoires
au lycée Georges Clemenceau à Nantes (44)

Christophe LEON
Professeur au collège Max Bramerie à La Force (24)
et enseignant à l'Université Bordeaux Montaigne
et à Sciences Po Bordeaux à Pessac (33)

Antoine MARIANI
Professeur en classes préparatoires
au lycée Fénelon à Paris (75)

Christian NOËL
Professeur au lycée Jacques Prévert à Savenay (44)

Nathan

À LA DÉCOUVERTE DE VOTRE MANUEL

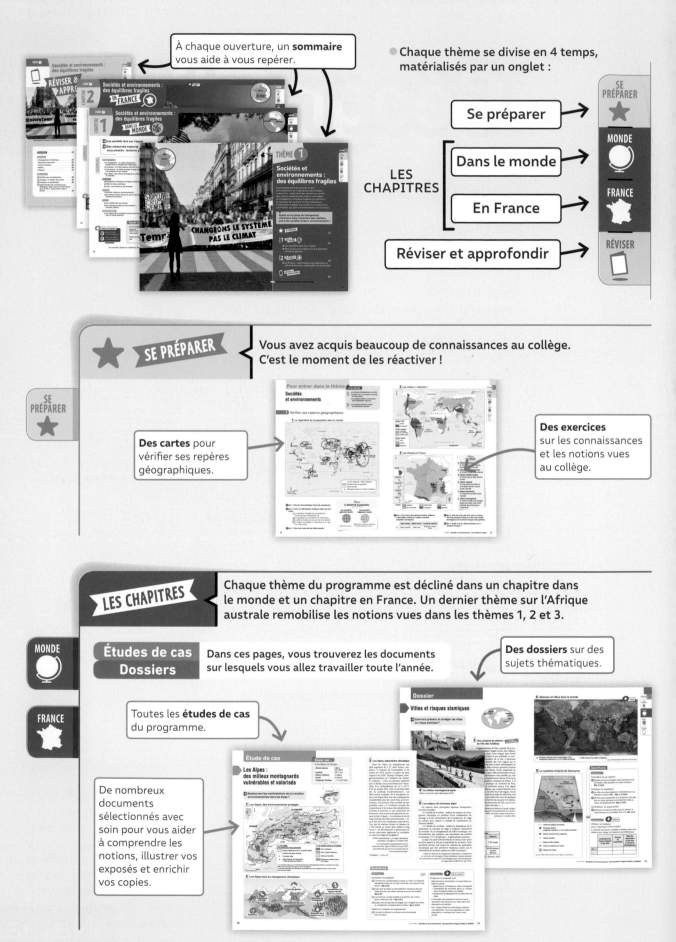

À chaque ouverture, un **sommaire** vous aide à vous repérer.

Chaque thème se divise en 4 temps, matérialisés par un onglet :

LES CHAPITRES

Se préparer → SE PRÉPARER

Dans le monde → MONDE

En France → FRANCE

Réviser et approfondir → RÉVISER

SE PRÉPARER

Vous avez acquis beaucoup de connaissances au collège. C'est le moment de les réactiver !

Des cartes pour vérifier ses repères géographiques.

Des exercices sur les connaissances et les notions vues au collège.

LES CHAPITRES

Chaque thème du programme est décliné dans un chapitre dans le monde et un chapitre en France. Un dernier thème sur l'Afrique australe remobilise les notions vues dans les thèmes 1, 2 et 3.

Études de cas Dossiers

Dans ces pages, vous trouverez les documents sur lesquels vous allez travailler toute l'année.

Des dossiers sur des sujets thématiques.

Toutes les **études de cas** du programme.

De nombreux documents sélectionnés avec soin pour vous aider à comprendre les notions, illustrer vos exposés et enrichir vos copies.

Cartes / Cours

Vous trouverez dans ces pages tous les repères et connaissances indispensables.

Géo Autrement / Géo Débat

Des pages pour faire de la géographie de façon originale et active : débattez, créez des affiches publicitaires, des BD...

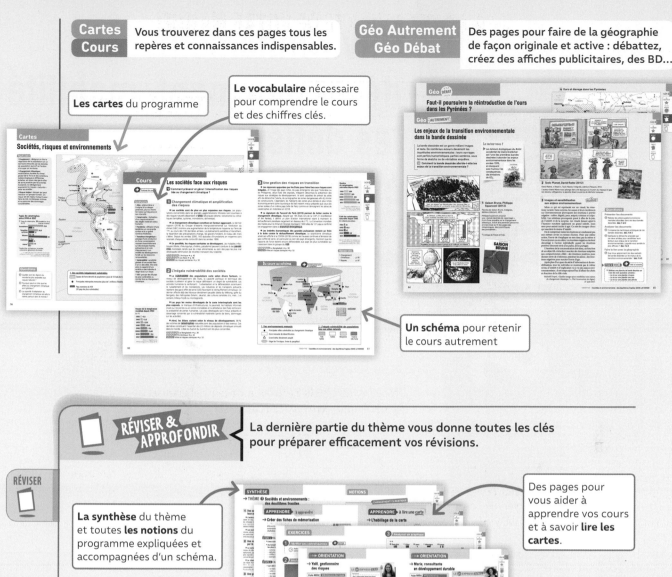

Les cartes du programme

Le vocabulaire nécessaire pour comprendre le cours et des chiffres clés.

Un schéma pour retenir le cours autrement

RÉVISER & APPROFONDIR

La dernière partie du thème vous donne toutes les clés pour préparer efficacement vos révisions.

RÉVISER

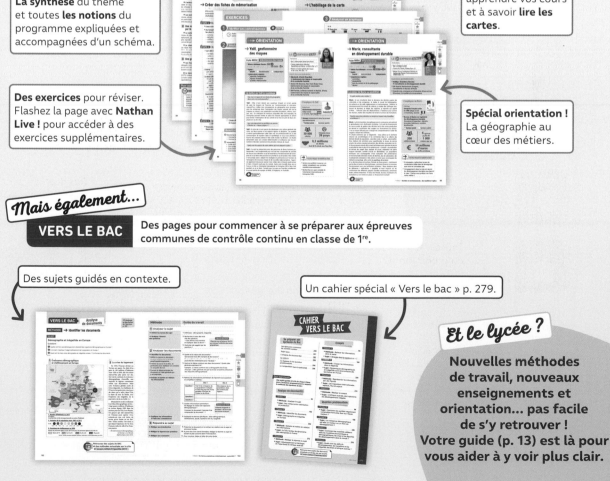

Des pages pour vous aider à apprendre vos cours et à savoir **lire les cartes**.

La synthèse du thème et toutes **les notions** du programme expliquées et accompagnées d'un schéma.

Des exercices pour réviser. Flashez la page avec **Nathan Live !** pour accéder à des exercices supplémentaires.

Spécial orientation ! La géographie au cœur des métiers.

Mais également...

VERS LE BAC

Des pages pour commencer à se préparer aux épreuves communes de contrôle continu en classe de 1re.

Des sujets guidés en contexte.

Un cahier spécial « Vers le bac » p. 279.

Et le lycée ?

Nouvelles méthodes de travail, nouveaux enseignements et orientation... pas facile de s'y retrouver ! Votre guide (p. 13) est là pour vous aider à y voir plus clair.

THÈME 2 Territoires, populations et développement : quels défis ? 100

Pour entrer dans le thème 102

LES MÉTHODES POUR SE PRÉPARER AU BAC

Retrouvez p. 279 un cahier spécial « Vers le Bac » pour commencer à se préparer aux épreuves communes de contrôle continu en classe de 1re.

Découvrez votre manuel augmenté !

PLUS DE 200 RESSOURCES NUMÉRIQUES SUPPLÉMENTAIRES À VOTRE DISPOSITION

▶ Toutes les ressources numériques sont repérables par des pictos qui vous indiquent le type de ressource proposé.

Comment accéder à ces ressources ?

▶ En flashant les pages grâce à l'appli Nathan Live !
▶ Sur le site Nathan du manuel : **lyceen.nathan.fr/geo2de-2019**
▶ Sur votre manuel numérique.
▶ Mode d'emploi des différents accès sur le rabat de couverture, p. I.

LES RESSOURCES À LA LOUPE

DES EXERCICES INTERACTIFS

 Exercices interactifs

▶ Pour s'entraîner facilement et à tout moment, de nombreux exercices pour vous assurer que vous maîtrisez les connaissances de chaque chapitre.

▶ **Rendez-vous sur les pages Exercices !**
p. 88, 158, 228 et 268

TOUS LES COURS EN PODCAST

 Podcast du cours

▶ Tous les cours et les synthèses du manuel sont disponibles en version audio lue par un(e) comédien(e).

▶ **Rendez-vous sur toutes les pages Cours du manuel et sur la synthèse à la fin de chaque thème.**

LES SCHÉMAS DES COURS À COMPLÉTER

 Schéma interactif à compléter

▶ Pour comprendre les schémas des cours, entraînez-vous sur la version interactive.

▶ **Rendez-vous sur les pages Cours de chaque chapitre.**

Grâce aux différents outils proposés par Nathan, votre manuel papier prend vie !

LES CARTES INTERACTIVES

▶ Toutes les cartes de ce manuel sont disponibles en version interactive : cliquez sur la légende pour faire apparaître les figurés sur la carte.

LES SCHÉMAS DE NOTIONS

 Schéma interactif

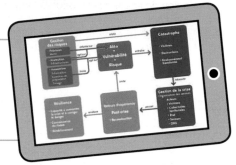

▶ A la fin de chaque thème, les notions du programme sont proposées sous forme visuelle et interactive.

▶ Rendez-vous p. 85, 155 et 225.

DES VIDÉOS

 Vidéo

▶ Des vidéos pour découvrir les notions : actualités, documentaires…

▶ Rendez-vous p. 36, 38, 41, 42, 43, 50, 53, 68, 75, 82, 106, 122, 138, 141, 145, 152, 176, 211, 222, 245.

DES ANIMATIONS SUR LES CROQUIS

 Croquis

▶ Des animations interactives pour s'entraîner pas à pas aux croquis de paysage.

▶ Rendez-vous p. 42, 44, 66, 110, 139, 185, 195 et 251.

SPÉCIAL ACCESSIBILITÉ — LES TEXTES EN VERSION DYS

▶ Tous les documents textes de ce manuel sont disponibles dans une version imprimable adaptée aux DYS (police, interlignage).

▶ Téléchargez-les facilement sur le site
lyceen.nathan.fr/geo2de-2019

« Environnement, développement, mobilité : les défis d'un monde en transition » (48 heures)

● Le monde contemporain se caractérise par de profonds bouleversements qui s'inscrivent dans l'espace : croissance démographique sans précédent, accentuation des écarts socio-économiques entre les territoires, prise de conscience de la fragilité des milieux et accroissement des mobilités. Si les grands repères spatiaux et les grandes lignes de structuration des espaces perdurent, les équilibres et les modèles connus sont mis en question. L'environnement, le développement et la mobilité apparaissent comme des défis majeurs pour les acteurs et les sociétés du monde actuel, même s'ils sont à appréhender de manière différente selon les contextes territoriaux. En effet, en dépit des tendances générales et des dynamiques partagées, les espaces et les sociétés ne sont pas uniformisés : il convient de comprendre la diversité de leurs trajectoires et de leurs modes de développement.

● Pour ce faire, la notion de transition est mobilisée pour rendre compte de ces grandes mutations. Elle est déclinée à la fois à travers l'étude des évolutions environnementales, démographiques, économiques, technologiques et à travers l'étude des mobilités qui subissent les influences de ces évolutions. Cette notion de transition désigne une phase de changements majeurs, plutôt que le passage d'un état stable à un autre état stable. Elle se caractérise par des gradients, des seuils, et n'a rien de linéaire : elle peut déboucher sur une grande diversité d'évolutions selon les contextes. Elle prolonge et enrichit la notion de développement durable, que les élèves ont étudiée au collège. La transition est une clé d'analyse des grands défis contemporains, à différentes échelles, plus qu'un objectif à atteindre. Elle permet d'analyser la pluralité des trajectoires de développement, tout en interrogeant la durabilité des processus étudiés.

 THÈME 1 **Sociétés et environnements : des équilibres fragiles** (12-14 heures)

Questions	Commentaire
· Les sociétés face aux risques. · Des ressources majeures sous pression : tensions, gestion.	Les relations entre les sociétés et leurs environnements sont complexes. Elles se traduisent par de multiples interactions. L'étude des sociétés face aux risques et l'étude de la gestion d'une ressource majeure (l'eau ou les ressources énergétiques) permettent d'analyser la vulnérabilité des sociétés et la fragilité des milieux continentaux et maritimes. Les enjeux liés à un approvisionnement durable en ressources pèsent de manière croissante et différenciée. Ces thématiques s'appuient sur la connaissance de la distribution des grands foyers de peuplement ainsi que des principales caractéristiques des différents milieux à l'échelle mondiale.

Études de cas possibles :
· Le changement climatique et ses effets sur un espace densément peuplé.
· L'Arctique : fragilité et attractivité.
· La forêt amazonienne : un environnement fragile soumis aux pressions et aux risques.
· Les Alpes : des environnements vulnérables et valorisés.

Question spécifique sur la France	Commentaire
La France : des milieux métropolitains et ultramarins entre valorisation et protection.	En France, la richesse et la fragilité des milieux motivent des actions de valorisation et de protection. Ces actions répondent à des enjeux d'aménagement, nationaux et européens, articulés à des défis environnementaux : exploitation des ressources, protection des espaces, gestion des risques.

THÈME 2 **Territoires, populations et développement : quels défis ?** (12-14 heures)

Questions	Commentaire
· Des trajectoires démographiques différenciées : les défis du nombre et du vieillissement. · Développement et inégalités.	Ce thème interroge la notion de transition tant d'un point de vue notionnel (transition démographique, transition économique) que d'un point de vue contextuel, en cherchant à différencier les territoires. Il s'agit de réfléchir aux enjeux liés au développement différencié de la population dans le monde, en questionnant la relation entre développement et inégalités. Une démarche comparative permet de mettre en évidence le fait qu'il n'existe pas un modèle unique de développement, mais une pluralité de trajectoires territoriales démographiques et économiques, liées à des choix différents, notamment politiques.

Études de cas possibles :
· Développement et inégalités au Brésil.
· Les modalités du développement en Inde.
· Développement et inégalités en Russie.
· Les enjeux du vieillissement au Japon.

Question spécifique sur la France	Commentaire
La France : dynamiques démographiques, inégalités socio-économiques.	Au-delà des processus de vieillissement et d'accroissement de la richesse d'ensemble – sensibles à l'échelle mondiale comme à l'échelle nationale – les territoires de la métropole et de l'Outre-mer sont marqués par la diversité des dynamiques démographiques et une évolution différenciée des inégalités socio-économiques. Des actions nationales et européennes sont mises en œuvre pour y répondre.

THÈME 3 — Des mobilités généralisées (12-14 heures)

Questions	Commentaire
• Les migrations internationales • Les mobilités touristiques internationales	Le monde est profondément transformé par les mobilités. Celles-ci peuvent être motivées par de nombreux facteurs (fuir un danger, vivre mieux, travailler, étudier, s'enrichir, visiter…). Les flux migratoires internationaux représentent des enjeux très différents (géographiques, économiques, sociaux ou encore politiques et géopolitiques), tant pour les espaces de départ que pour les espaces d'arrivée. Ils sont marqués par une grande diversité d'acteurs et des mobilités aux finalités contrastées (migrations de travail, d'études, migration forcée, réfugiés…). Ils font l'objet de politiques et de stratégies différentes selon les contextes. Avec le développement et l'évolution des modes de transports, les mobilités touristiques internationales sont en plein essor et se diffusent au-delà des foyers touristiques majeurs.

Études de cas possibles :

• La mer Méditerranée : un bassin migratoire.

• Dubaï : un pôle touristique et migratoire.

• Les mobilités d'études et de travail intra-européennes.

• Les États-Unis : pôle touristique majeur à l'échelle mondiale.

Question spécifique sur la France	Commentaire
La France : mobilités, transports et enjeux d'aménagement.	Quotidiennes, saisonnières ou encore ponctuelles, les mobilités sont multiples en France métropolitaine et ultramarine. Elles répondent à des motivations diverses et rendent compte aussi d'inégalités socio-économiques et territoriales. L'étude de la configuration spatiale des réseaux de transport et des réseaux numériques de communication invite à analyser les formes de la mobilité. Elle met en évidence la mise en concurrence des territoires en fonction de leurs atouts, mais également de la distance-temps qui les sépare des principaux pôles économiques, administratifs et culturels. En jouant avec les échelles, l'étude des transports et des mobilités permet d'appréhender, d'une part, les enjeux de l'aménagement des territoires, de la continuité territoriale et de l'insertion européenne ainsi que, d'autre part, la transition vers des mobilités plus respectueuses de l'environnement.

THÈME 4 — L'Afrique australe : un espace en profonde mutation (8-10 heures)

Questions	Commentaire
• Des milieux à valoriser et à ménager. • Les défis de la transition et du développement pour des pays inégalement développés. • Des territoires traversés et remodelés par des mobilités complexes.	L'objectif est de comprendre comment une aire géographique est concernée par les processus étudiés au cours de l'année de seconde. L'Afrique australe se caractérise par une grande diversité de milieux, exploités pour leurs ressources. Ces milieux sont soumis à une pression accrue liée aux défis démographiques, alimentaires, sanitaires, aux contextes politiques et à certains choix de développement. Les transitions, qu'elles soient démographique, économique, urbaine ou environnementale, y sont marquées par leur diversité et leur rapidité. Le niveau de développement, le niveau d'intégration des territoires dans la mondialisation et les choix politiques influencent les différences de trajectoires de ces transitions. Les inégalités et les logiques ségrégatives y sont particulièrement marquées. Cet espace se caractérise également par des flux migratoires complexes, entre exil, transit et installation pour les migrants internationaux, et affirmation de mobilités touristiques (écotourisme, safaris…), créatrices de nouvelles inégalités territoriales.

Notions et vocabulaire à maîtriser à l'issue de la classe de 2de :

• Acteur, mondialisation, territoire, transition (notions transversales à l'ensemble des thèmes).

• Changement climatique, environnement, milieu, ressources, risques.

• Croissance, développement, développement durable, émergence, inégalité, population, peuplement.

• Migration, mobilité, tourisme.

LE GUIDE DU LYCÉEN

Vous venez d'entrer au lycée. Le changement avec le collège est important : un nouvel environnement, de nouvelles matières et un emploi du temps plus dense. Le lycée, c'est aussi davantage d'autonomie et de liberté. Cette année, votre objectif principal sera de vous adapter à ces nouveautés et de développer très vite de bonnes méthodes de travail.

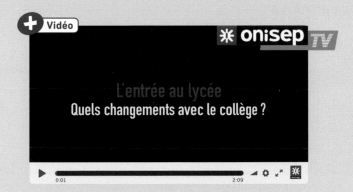

Ce cahier va vous aider à bien entamer cette année de Seconde. Vous y trouverez :

✓ des pages, **réalisées en partenariat avec l'ONISEP**, pour vous présenter l'organisation du lycée el vous aider à vous orienter au lycée : choix de la voie technologique ou générale, choix des spécialités en Première, réflexion sur votre parcours professionnel...

✓ des conseils et des méthodes concrètes pour apprendre à travailler efficacement et de façon autonome au lycée.

Nous vous souhaitons une très bonne année de Seconde !

Sommaire

BIENVENUE AU LYCÉE

VOTRE ANNÉE DE SECONDE

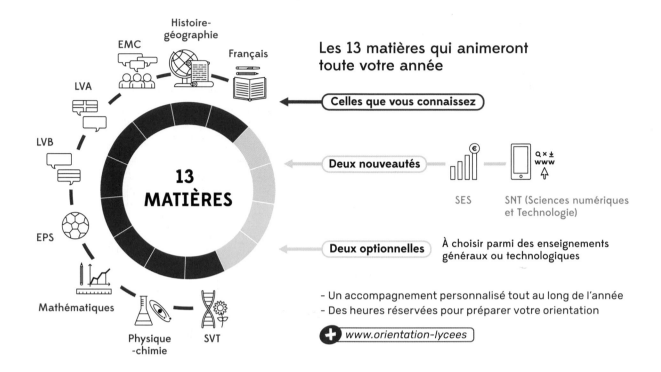

Les 13 matières qui animeront toute votre année

Celles que vous connaissez

Deux nouveautés

SES   SNT (Sciences numériques et Technologie)

Deux optionnelles   À choisir parmi des enseignements généraux ou technologiques

- Un accompagnement personnalisé tout au long de l'année
- Des heures réservées pour préparer votre orientation

 www.orientation-lycees

(Cercle central : 13 MATIÈRES — Histoire-géographie, EMC, Français, LVA, LVB, EPS, Mathématiques, Physique-chimie, SVT)

Préparez vos choix pour la Première

LA VOIE TECHNOLOGIQUE
Les séries technologiques sont organisées autour de grands domaines de connaissances appliquées aux différents secteurs d'activités et proposent l'étude de situations concrètes.

LA VOIE GÉNÉRALE
Un tronc commun et trois enseignements de spécialités qui ouvrent des horizons. Un choix très ouvert : vous poursuivrez deux de ces spécialités en Terminale.

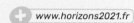 www.horizons2021.fr

Votre Bac démarre dès la Première

BULLETINS

Vos bulletins scolaires de Première et de Terminale seront pris en compte dans la note finale.

ÉPREUVES

En Première et en Terminale, vous serez évalué en contrôle continu dans votre lycée. Vous passerez aussi des épreuves nationales.

GRAND ORAL

Une nouvelle épreuve pour tous en Terminale.

Construisez votre parcours professionnel

VOUS

- Explorez le monde professionnel.
- Découvrez les formations du Supérieur.
- Interrogez-vous sur vos centres d'intérêt et vos atouts.

VOTRE LYCÉE

- Bénéficiez de l'accompagnement personnalisé et des Semaines de l'orientation.
- Adressez-vous à votre professeur principal, aux psychologues de l'éducation nationale (au lycée ou au CIO).

LES OUTILS NUMÉRIQUES

Posez directement vos questions aux conseillers ONISEP sur la plate-forme gratuite et personnalisée Mon Orientation.

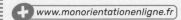 www.monorientationenligne.fr

AUTOUR DE VOUS

Journées portes ouvertes, Salons, stages d'immersion, visites d'entreprise…

DEMAIN, LA PREMIÈRE

Deux voies d'orientation s'offrent à vous

Le conseil de classe du 3ᵉ trimestre étudiera votre choix et le chef d'établissement prendra une décision.

UN BACCALAURÉAT GÉNÉRAL

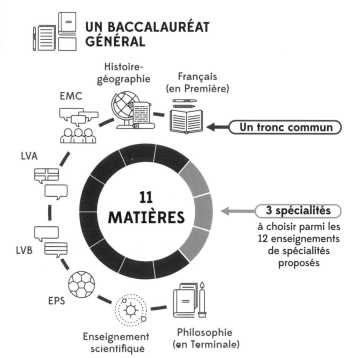

Histoire-géographie

Français (en Première)

EMC

Un tronc commun

LVA

11 MATIÈRES

3 spécialités
à choisir parmi les
12 enseignements
de spécialités
proposés

LVB

EPS

Enseignement scientifique

Philosophie (en Terminale)

UN BACCALAURÉAT TECHNOLOGIQUE

Disciplines communes à tous les Baccalauréats technologiques (sauf TMD) avec des programmes adaptés à chaque série.

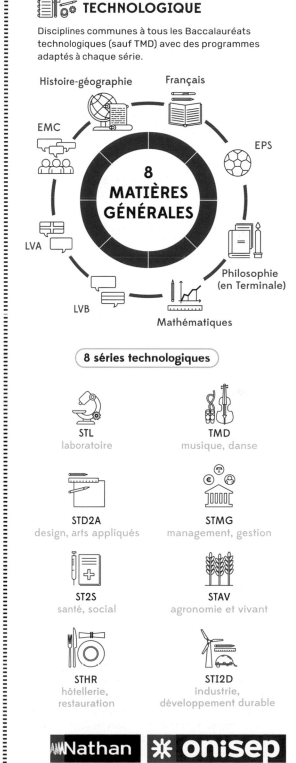

Histoire-géographie

Français

EMC

EPS

8 MATIÈRES GÉNÉRALES

LVA

Philosophie (en Terminale)

LVB

Mathématiques

12 enseignements de spécialités

Histoire-géographie, géopolitique et sciences politiques

Langues, littératures et cultures étrangères

Sciences de la vie et de la Terre

Sciences économiques et sociales

Mathématiques

Numérique et sciences informatiques

Humanités, littérature et philosophie

Sciences de l'ingénieur

Littérature, langues et cultures de l'Antiquité

Physique-chimie

Arts

Biologie-écologie
(dispensé en lycées agricoles)

8 séries technologiques

STL
laboratoire

TMD
musique, danse

STD2A
design, arts appliqués

STMG
management, gestion

ST2S
santé, social

STAV
agronomie et vivant

STHR
hôtellerie, restauration

STI2D
industrie, développement durable

Découvrez les horizons que vous ouvrent vos choix d'enseignement de spécialités  www.horizons2021.fr

SAVOIR S'ORGANISER POUR RÉUSSIR

**Pour réussir sa classe de 2de au lycée, il faut être capable de s'organiser !
Être lycéen, c'est gagner en liberté, mais c'est aussi devoir faire preuve d'autonomie.
Comment faire pour ne pas se laisser déborder par le travail ?
Voici quelques pistes qui pourront vous aider.**

1 ORGANISER SON TEMPS DE TRAVAIL

Imprimez-vous un emploi du temps.
Coloriez les plages horaires selon le code suivant :

Le temps en classe

Le temps réservé aux activités extrascolaires et aux loisirs (musique, sport, sorties...)

Les moments disponibles pour travailler, que ce soit à la maison, au lycée, en bibliothèque...

Emploi du temps

2 PLANIFIER SON TRAVAIL

☑ Une fois que vous aurez déterminé les plages horaires dédiées au travail, il faudra ensuite **planifier,** c'est-à-dire savoir ce que vous avez à faire, quand vous pouvez le faire, tout en étant capable de vous adapter.

☑ Chaque week-end, listez le travail que vous devez effectuer pour la ou les semaine(s) à venir :
▶ Les **devoirs** — exercices, devoirs à la maison, livre à lire...
▶ Les **révisions** pour les évaluations, mais aussi toutes les leçons à revoir, même lorsque le professeur ne le demande pas.

☑ Sur votre planning de la semaine, notez les devoirs et révisions que vous effectuerez au fur et à mesure, afin de ne pas être débordé(e) et pour ne pas avoir à travailler à la dernière minute.

Conseil

Pensez à dégager plusieurs créneaux dans la semaine pour travailler. Il vaut mieux travailler 45 minutes à 1h30 par jour plutôt que 4 heures en une seule fois : on est moins efficace et c'est décourageant.

Les avantages de cette méthode

● Vous apprenez à être organisé(e) et à anticiper : vous êtes capable de vous y prendre à l'avance !
● Vous développez un travail régulier et de bonnes habitudes qui vous permettront de réussir au lycée.

15/11
DM maths à rendre

17/11
évaluation d'anglais

25/11
exposé de français

Conseil

Commencez toujours par le plus important et le plus gros à faire, il sera ensuite plus facile de finir avec des petites tâches, moins importantes.

3 TRAVAILLER DANS DE BONNES CONDITIONS

☑ Travaillez au calme : coupez-vous de toutes sources de distraction (réseaux sociaux, sms, Internet, jeux vidéo, télévision). Soyez reposé et détendu !

☑ Ayez confiance en vous et en vos capacités : la réussite résulte des efforts que vous aurez engagés.

Les avantages de cette méthode

Vous permettez à votre cerveau de se concentrer sur une seule tâche à accomplir, car NON, le cerveau n'est pas multitâche ! Il lui est très difficile de faire 2 choses en même temps.

4 SE FIXER DES OBJECTIFS

☑ Pour vous aider à développer vos capacités et à progresser, vous pouvez créer un « tableau d'objectifs » : chaque mois, évaluez-vous dans chaque matière. Vous pouvez utiliser un code couleur (pastilles, autocollants…).

➕ Tableau à imprimer

	Français	Histoire-géographie	Maths	Anglais	....
Réviser les leçons tous les soirs	●●○○○ ○○○○○ ○○	○●●○○ ○○○○○ ○○	●●○○○ ○○○○○ ○○	○○○○○ ○○○○○ ○○	○○○○○ ○○○○○ ○○
Participer en classe et être attentif	●●●○○ ○○○○○ ○○	●●●○○ ○○○○○ ○○	○●●○○ ○○○○○ ○○	●●●○○ ○○○○○ ○○	○○○○○ ○○○○○ ○○
Faire des fiches de révision	○●●○○ ○○○○○ ○○	○○●○○ ○○○○○ ○○	○●●○○ ○○○○○ ○○	●○○○○ ○○○○○ ○○	○○○○○ ○○○○○ ○○
Soigner le travail maison	○●●○○ ○○○○○ ○○	○●●○○ ○○○○○ ○○	○●●○○ ○○○○○ ○○	●●○○○ ○○○○○ ○○	○○○○○ ○○○○○ ○○

● Très bien　　○ Moyen　　● Attention !

Les avantages de cette méthode

● Vous apprenez à prioriser : repérer et effectuer en priorité les tâches les plus importantes ou celles qui prendront le plus de temps.

● Vous apprenez à avancer « petits pas par petits pas », « sans se stresser ».

5 DÉVELOPPER DIFFÉRENTES MÉTHODES POUR COMPRENDRE ET MÉMORISER

☑ S'organiser au lycée, c'est aussi travailler en équipe ou en binôme, faire des fiches de révision, des tableaux de synthèse ou des cartes mentales pour résumer les chapitres.

☑ Vous pouvez aussi vous entraîner sur des exercices, réaliser des capsules vidéos ou vous enregistrer, travailler votre mémoire…

Les avantages de cette méthode

● Donnez du sens à votre année.

● Trouvez du plaisir à travailler et visualisez vos progrès.

● Acceptez de faire des erreurs et dites-vous que l'on peut toujours recommencer.

● Prenez confiance en vous, en votre potentiel et en vos qualités.

Différentes méthodes pour apprendre sont présentées dans ce manuel. Rendez-vous p. 90, 160, 230 et 270.

SAVOIR PRENDRE DES NOTES

Dans chacune des disciplines au lycée, vous allez être amené(e) très rapidement à organiser votre propre prise de notes dans différentes situations :
- **prendre en notes une synthèse orale faite par le professeur ;**
- **prendre des notes à partir de la lecture d'un document ou d'un dossier documentaire ;**
- **prendre des notes à partir de documents audios et/ou vidéos utilisés dans le cours.**

1 POURQUOI PRENDRE DES NOTES ?

La prise de notes est le résultat d'une démarche intellectuelle que vous allez mener afin de **trier**, **hiérarchiser** et **organiser** les informations qui vous paraissent essentielles à retenir sous une forme **condensée**. **Ce n'est donc pas une synthèse rédigée.**

☑ **Trier**, c'est être capable de sélectionner les informations en distinguant ce qui est important de ce qui l'est moins.

☑ **Hiérarchiser**, c'est classer les informations relevées par ordre d'importance.

☑ **Organiser**, c'est structurer sa prise de notes pour qu'elle soit lisible et rende compte d'une démonstration, d'une argumentation.

Les avantages de cette méthode

- La prise de notes est un outil pour mémoriser.
- La prise de notes est un outil pour réviser.

Une synthèse rédigée :

1. DES MOBILITÉS MULTIPLES
· En France, les mobilités sont très variées. Elles sont quotidiennes et régulières entre le domicile et le lieu de travail (on parle alors de mobilités pendulaires) ou plus ponctuelles (pour les loisirs, faire ses achats, rendre visite à des parents ou amis) · On compte environ 177 millions de déplacements chaque jour en France, soit en moyenne trois déplacements par personne. Les mobilités peuvent être également saisonnières (vacances) ou bien de longue durée, lors d'un changement de résidence.

Une prise de notes :

2 COMMENT PRENDRE DES NOTES ?

Prendre des notes, c'est retranscrire et synthétiser ce que vous avez entendu, mais c'est aussi acquérir des réflexes méthodologiques.

Voici une liste de critères de réussite pour une prise de notes efficace.

▶ Sauter des lignes.

▶ Utiliser des abréviations (exemple : changement = chgt, habitant = hbt).

▶ Ne pas faire de phrases.

▶ Utiliser des signes : tiret, flèche, astérisque, = ...

▶ Organiser en grandes parties (chaque grande partie correspond à une idée principale) puis décomposer en illustrant par des informations.

▶ Noter les références aux documents et aux définitions.

▶ Adopter un code couleur (dates, exemples...).

▶ Être attentif et maintenir son attention.

▶ Prendre l'essentiel en lien avec le sujet.

▶ Distinguer les idées générales des idées secondaires.

▶ Aérer la prise de notes.

 Liste des abréviations

3 COMMENT FAIRE DE SA PRISE DE NOTES UN OUTIL POUR RÉUSSIR ?

La prise de notes vous a permis de trier les informations qui vous ont paru essentielles. Une fois les cours terminés, reprenez votre prise de notes et enrichissez-la de différentes manières :

☑ Utilisez un **code couleur**, toujours le même, et surlignez les idées générales. Faites la même chose avec une autre couleur pour les mots clés, les chiffres clés...

☑ Retrouvez dans le sommaire de votre manuel le chapitre que vous êtes en train d'étudier. Lisez la partie cours et notez en marge de votre prise de notes des **éléments supplémentaires** pour compléter votre propos.

☑ Utilisez **le lexique** (p. 304) de votre manuel pour compléter les définitions qui vous manquent.

Conseil

Posez un diagnostic : où en êtes-vous sur le sujet de la prise de notes ?
• Vous avez déjà appris à prendre des notes au collège.
• Vous n'avez pas appris à prendre des notes mais vous connaissez quelques techniques.
• Vous ne vous êtes jamais posé la question de la méthode de la prise de notes.

Conseil

Dans la liste de critères ci-contre, sélectionnez ceux qui vous semblent les plus pertinents pour réaliser une prise de notes réussie et ceux sur lesquels vous devez être vigilant pour progresser.

L'ENSEIGNEMENT DE SPÉCIALITÉ

HISTOIRE-GÉOGRAPHIE, GÉOPOLITIQUE ET SCIENCES POLITIQUES

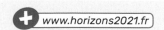

Conseiller/ère en développement local · Analyste risques · Consultant/e stratégique · Commissaire-priseur · Géomètre-topographe · Urbaniste · Géomaticien/ne · Chargé/e de com-munication · Archiviste · Guide-conférencier/ère · Journaliste · Commissaire-priseur · **Enseignant/e** · Webmestre éditorial/e · Archiviste · Analyste risques · Géomètre-topographe · Consultant/e stratégique · Commissaire-priseur/euse · Chargé de veille · Secrétaire des affaires étrangères · **Archéologue** · Conseiller/ère en développement local · Archiviste · **Archiviste** · Consultant/e géopolitique · **Géomaticien/ne** · Consultant/e géopolitique · **Géomaticien/ne** · Chargé/e de veille · Conseiller/ère en développement local · Guide-conférencier/ère · Urbaniste · **Cartographe** · **Journaliste** · Conservateur/trice du patrimoine · Consultant/e géopolitique · Webmestre éditorial/e · Cartographe · Animateur/trice du patrimoine · **Urbaniste** · Archiviste du patrimoine · Enseignant/e · Archéologue · Analyste risques · Cartographe

La spécialité Histoire-géographie, géopolitique et sciences politiques est un enseignement nouveau qui croise quatre disciplines universitaires pour analyser, comparer et comprendre les grands enjeux politiques, sociaux et économiques de notre monde.

1 Quel est l'objectif de ce nouvel enseignement ?

La classe de Première permet d'analyser et d'interroger les fondements de nos sociétés : les fragilités des régimes démocratiques, les fondements des puissances internationales, les enjeux sur les questions de frontières, la construction de l'information et sa manipulation, enfin les rapports entre les États et les religions.

2 Quels sont les attraits de cet enseignement ?

Un des attraits de cet enseignement est le temps qu'il offre pour travailler autrement. Cette spécialité est conçue comme un approfondissement du tronc commun, un temps pour travailler à plusieurs, pour réaliser des productions innovantes et numériques, mener des projets et proposer des exposés oraux dans la perspective de se préparer pour le grand oral de fin de Terminale. Une place conséquente est réservée aux recherches d'informations. Il sera question d'acquérir une progressive autonomie qui sera la clé de la réussite dans ses études supérieures.

3 À quels élèves s'adresse cette spécialité ?

Cet enseignement questionne les sociétés actuelles, au-delà du programme de tronc commun d'histoire et géographie. Il s'adresse bien entendu à tous les élèves qui souhaitent s'engager vers des études en Sciences humaines, mais également à tous ceux qui veulent renforcer leur culture générale et leur compréhension du monde dans lequel nous vivons.

Quelques exemples d'études facilitées par cette spécialité ➕ www.horizons2021.fr

• Licence d'histoire, géographie, sciences sociales, droit, sciences politiques
• Classes préparatoires économiques, littéraires
• Écoles de commerce, Institut d'études politiques

• BTS* tourisme, communication, édition
• DUT* carrières juridiques, information-communication, gestion logistique et transport

*Il existe près d'une centaine de BTS et une vingtaine de DUT dans les domaines de la production et des services.
Les bacheliers professionnels (BTS) et technologiques (DUT) sont prioritaires sur ces formations.

VERS QUELS MÉTIERS ?

Stéphane, journaliste sur une radio musicale

- **Licence** d'histoire (université de Créteil)
- **École de journalisme** (CFJ Paris)

Pourquoi avez-vous choisi des études d'histoire ?

Mon éducation, l'engagement politique de mes parents ont aiguisé mon rapport à l'histoire. Ma famille a également été impactée par elle. Je suis d'origine juive et cela a exposé mes grands-parents à des odyssées particulières. Cela marque.

En quoi vous servent-elles dans votre métier ?

L'histoire est utile dans mon métier de journaliste lorsque je présente des journaux d'information, que je réalise des interviews et que j'anime des magazines. Elle me permet de décrypter certains faits de l'actualité qui demandent d'avoir une culture historique. Si je raconte l'histoire d'un mouvement musical, d'un musicien, d'un album, je dois les replacer dans leur contexte.

Hugo, urbaniste dans une entreprise parapublique

- **Licence 3** de géographie en aménagement du territoire et développement durable (université de Bordeaux-Montaigne)
- **Master 2** en urbanisme et aménagement (université de Bordeaux-Montaigne)

Pourquoi avez-vous choisi des études de géographie ?

J'avais à cœur d'analyser mon environnement pour savoir comment le temps avait, par exemple, forgé les paysages.

En quoi vous servent-elles dans votre métier ?

Concrètement, je fais beaucoup de cartographie via un logiciel qui m'aide à réaliser des calculs précis. Par exemple, si on considère l'emplacement d'une voie ferrée, on peut demander au logiciel d'extraire toutes les habitations qui pourraient être exposées au bruit. Cela permet de construire au meilleur endroit un mur antibruit. Je peux indiquer à un promoteur privé ce qu'il est possible de faire ou pas en termes de développement durable ou d'aménagement du territoire.

Lucie, auto entrepreneure d'une entreprise viti-vinicole

- **Institut d'études politiques** à Lyon
- **Master 2** mention marketing vente, parcours commerce des vins et spiritueux (université de Bordeaux)

Pourquoi avez-vous choisi des études de sciences politiques ?

J'ai toujours été douée en langues et je voulais faire des études à l'international. J'avais l'ambition de passer le concours de cadre d'Orient pour travailler dans la diplomatie, mais je ne pouvais pas financer mes études. Et puis j'ai découvert l'univers du vin…

Portraits et témoignages à retrouver dans leur intégralité sur le site  nathan.fr/orientation

 www.orientation-lycees.fr

En quoi vous servent-elles dans votre métier ?

Je constate que ma formation me permet de réfléchir de manière carrée. Je possède un bon esprit de synthèse et d'analyse que j'ai acquis pendant ces études, une façon de décortiquer un sujet qui est très estampillé « Sciences Po ». Ces méthodes de travail me servent pour être claire lorsque je présente un projet.

Bien entendu, il existe de multiples autres métiers possibles !

La carte : un outil de la géographie

1 ▶ Une projection

● **Une carte est une représentation graphique, en réduction, d'un espace géographique.** Elle représente sur une surface plane (deux dimensions) ce que la réalité propose en volume (trois dimensions). Elle est toujours une version corrigée de la réalité.

● **Pour représenter le monde, une carte dépend d'une projection.**
On distingue les planisphères (ou projections cylindriques), les projections polaires… (**doc. 1**)

1 Différents types de projections

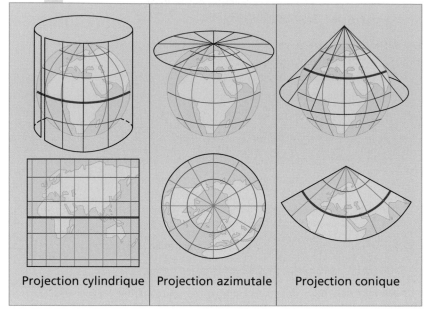

Projection cylindrique | Projection azimutale | Projection conique

2 ▶ Une échelle

● **La carte s'accompagne d'une échelle.** Il s'agit du rapport entre une distance mesurée entre deux points sur la carte et la distance réelle sur le terrain. Elle est représentée soit :

– de manière graphique (ex. : segment gradué) (**doc. 2**)

– de manière numérique (exemple : 1/25 000, soit 1 cm sur la carte représente 25 000 cm ou 250 m sur le terrain).

● **L'échelle de la carte détermine l'espace représenté.** À petite échelle (planisphère) la carte représente des espaces vastes à faible degré de précision. À moyenne échelle (pays, régions), les espaces représentés sont plus restreints et plus précis.
À grande échelle (villes), l'espace cartographié est peu étendu mais le degré de précision est très important.

2 Une carte à moyenne échelle : les investissements étrangers en Inde

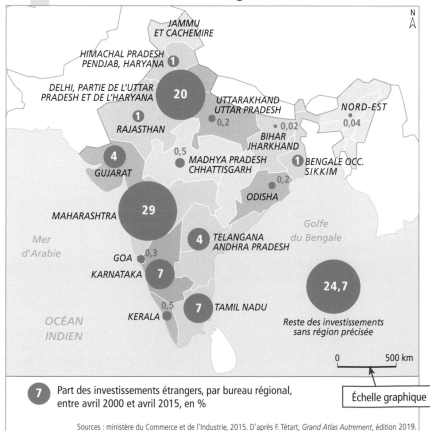

7 Part des investissements étrangers, par bureau régional, entre avril 2000 et avril 2015, en %

Échelle graphique

Sources : ministère du Commerce et de l'Industrie, 2015. D'après F. Tétart, *Grand Atlas Autrement*, édition 2019.

3 Un langage et une légende

● **La carte utilise une variété de figurés qui constituent un langage graphique.**
Les figurés peuvent être ponctuels (ronds, carrés…), linéaires (traits, flèches…), de surface (aplats de couleurs). La taille, la forme, la couleur... permettent de différencier et de hiérarchiser les informations. (**doc. 3**)

→ Voir « Apprendre à lire une carte » p. 271
→ Voir le langage cartographique
   à la fin de votre manuel

● **La carte s'accompagne d'une légende.**
Elle rassemble les figurés utilisés et leur donne du sens. Chaque figuré est indissociable de son texte explicatif.

3 Le langage cartographique : quelques figurés

Types de figurés	Exemples	Représentation des figurés	Exemples
Ponctuels (ronds, carrés, etc.) pour représenter un lieu	● Ville ■ Aéroport ▲ Port	**La taille et la forme** différencient et hiérarchisent les informations.	*Exemple : la taille des villes* ● ● ● peu peuplée ⟶ très peuplée
Linéaires (traits, flèches, etc.) pour représenter des axes ou des flux	⌒ Flux migratoire ⎯ Axe de communication	**La taille et la forme** hiérarchisent les informations.	*Exemple : le trafic des marchandises* ↗ ↗ ↗ faible moyen fort
De surface (aplats de couleur) pour représenter des territoires	▬ Espace peuplé	**La couleur** hiérarchise les informations	*Exemple : densité de population* ▬▬▬ − ⟶ +

4 Un message

● **La carte sert à localiser, à identifier et à expliquer des réalités géographiques, à diffuser des informations.**

● La carte diffuse une information géographique. Par son type de projection, son échelle, ses figurés, elle privilégie une vision au détriment d'une autre. La carte suppose un projet et exprime des choix de la part de celui qui la réalise. (**doc. 4**)

4 Le monde vu d'Australie (1979)

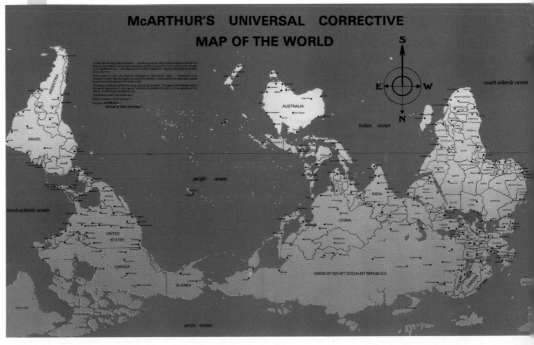

Différents types de cartes

1 La carte descriptive

● **Ce type de carte localise des phénomènes spatiaux identifiables sur le terrain.**

● Il peut s'agir de cartes du relief, de la végétation, des ressources naturelles, mais aussi de cartes montrant des villes, des infrastructures de communication (cartes routières), des territoires agricoles etc. (**doc. 1**)

● La légende n'est pas soumise à des règles d'organisation précises ; il s'agit d'ordonner simplement les figurés utilisés sur la carte.

1 Le relief en Afrique

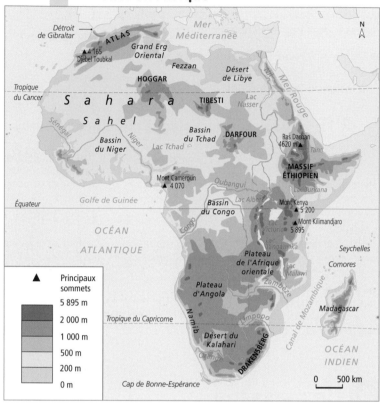

2 La carte analytique

● **La carte analytique représente un phénomène abstrait.** Elle est élaborée à partir de données statistiques : densité de population, IDH, etc. (**doc. 2**)

● Le territoire cartographié devient le support de cette information statistique et permet d'apprécier les différences, les inégalités dans l'espace.

● La légende propose des figurés qui hiérarchisent la variable cartographiée en plusieurs classes. Les cartes par plages de couleurs, les cartes de flux, les cartes à symboles proportionnels... sont des cartes analytiques.

2 L'IDH des États mexicains (2015)

Source : Oficina de Investigación en Desarrollo Humano, PNUD, Mexico, 2015.

Indice de développement humain (IDH)

	De 0,667 à 0,720	De 0,721 à 0,742	De 0,743 à 0,758	De 0,759 à 0,830

3 La carte de synthèse

● **La carte de synthèse sert à représenter des ensembles géographiques à partir de thèmes ou de problématiques énoncés dans la légende : espaces centraux, périphéries, dynamiques des territoires, etc.** (doc. 3)

● La carte de synthèse est le résultat d'une réflexion, d'un raisonnement ou d'une problématique définis au préalable. Elle permet de combiner plusieurs faits géographiques sur un seul support.

● Elle s'accompagne d'une légende organisée.

3 La RUP (Région ultrapériphérique) de Mayotte

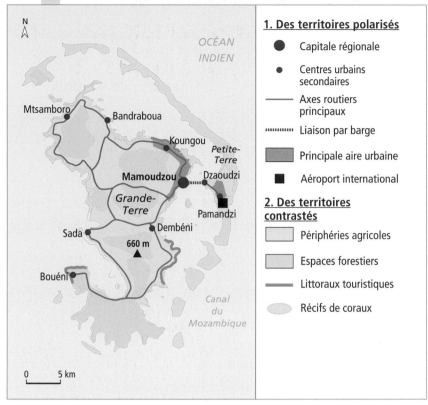

1. Des territoires polarisés

● Capitale régionale

● Centres urbains secondaires

—— Axes routiers principaux

·········· Liaison par barge

▨ Principale aire urbaine

■ Aéroport international

2. Des territoires contrastés

☐ Périphéries agricoles

☐ Espaces forestiers

—— Littoraux touristiques

⬭ Récifs de coraux

4 Le cartogramme

● Le cartogramme (dont le type le plus couramment utilisé est l'anamorphose) est une représentation graphique qui repose sur une modification de la forme initiale du territoire cartographié et du tracé de ses limites. (doc. 4)

● Le cartogramme a pour objectif de représenter des réalités perçues. Les superficies des unités spatiales sont transformées (réduites, agrandies, déformées) de manière proportionnelle à ce qu'elles représentent.

« Les revenus médians » in *Atlas politique de la France, Les révolutions silencieuses de la société française*, sous la direction de Jacques Lévy, Ogier Maitre, Ana Povoas, Jean-Nicolas Fauchille, cartographie Laboratoire Chôros, Éditions Autrement, 2017.

4 Les inégalités de revenus en France

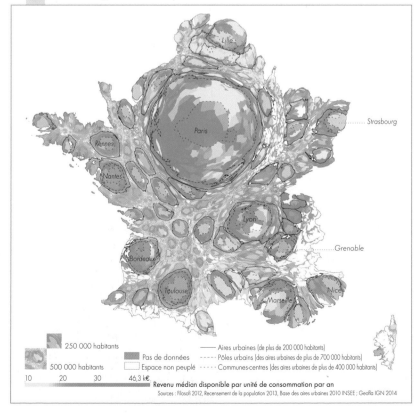

250 000 habitants — Aires urbaines (de plus de 200 000 habitants)

500 000 habitants Pas de données ----- Pôles urbains (des aires urbaines de plus de 700 000 habitants)

Espace non peuplé ····· Communes-centres (des aires urbaines de plus de 400 000 habitants)

10   20   30   46,3 k€

Revenu médian disponible par unité de consommation par an

Sources : Filosofi 2012, Recensement de la population 2013, Base des aires urbaines 2010 INSEE ; Geofla IGN 2014

Carte, croquis, schéma

> Les représentations cartographiques peuvent prendre des formes différentes.
> Il ne faut pas confondre carte, croquis et schéma.

● La **carte** est l'outil graphique qui permet de localiser et de repérer avec le plus de précision possible les lieux et les phénomènes géographiques. Les réalités spatiales sont transposables au moyen d'un langage propre avec des signes et des règles cartographiques (utilisation des pictogrammes : un petit avion pour symboliser un aéroport par exemple). Les cartes sont généralement rassemblées dans un atlas. (**doc. 1**)

● Le **croquis** (qui correspond à la carte synthétique) présente, sur un fond de carte, des informations sélectionnées, hiérarchisées, qui sont mises en relation dans une perspective dynamique. L'essentiel doit être dit, en fonction de la problématique proposée. (**doc. 2**)

● Le **schéma** est plus simple que le croquis dans sa réalisation graphique. Il met en évidence les faits géographiques essentiels en éliminant les données secondaires. Contrairement à la carte ou au croquis, il ne cherche pas à localiser précisément. Le fond de carte est simplifié et réduit à des formes géométriques simples. Il peut être incorporé au sein d'une composition écrite. (**doc. 3**)

1 Une carte de Mumbai

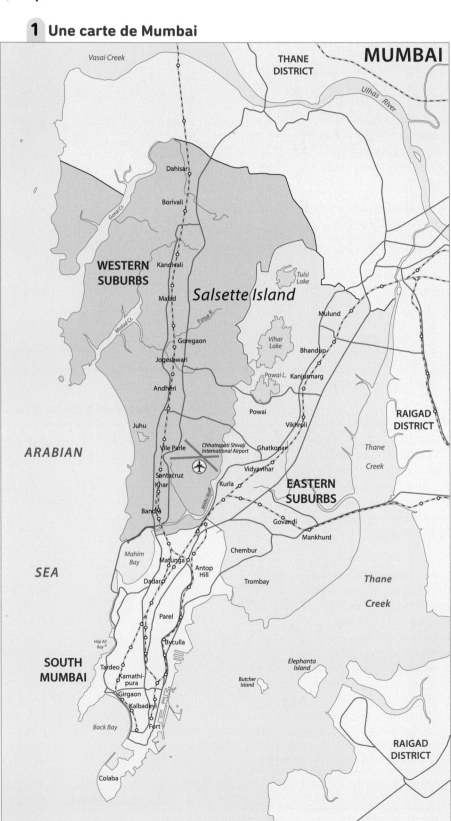

2 Un croquis : l'organisation spatiale du Grand Mumbai

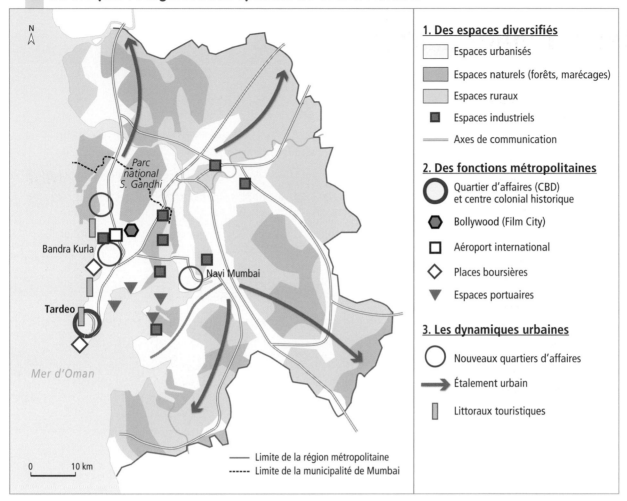

1. Des espaces diversifiés

- Espaces urbanisés
- Espaces naturels (forêts, marécages)
- Espaces ruraux
- Espaces industriels
- Axes de communication

2. Des fonctions métropolitaines

- Quartier d'affaires (CBD) et centre colonial historique
- Bollywood (Film City)
- Aéroport international
- Places boursières
- Espaces portuaires

3. Les dynamiques urbaines

- Nouveaux quartiers d'affaires
- Étalement urbain
- Littoraux touristiques

Parc national S. Gandhi
Bandra Kurla
Tardeo
Navi Mumbai
Mer d'Oman

0   10 km

— Limite de la région métropolitaine
----- Limite de la municipalité de Mumbai

3 Un schéma : l'organisation spatiale du Grand Mumbai

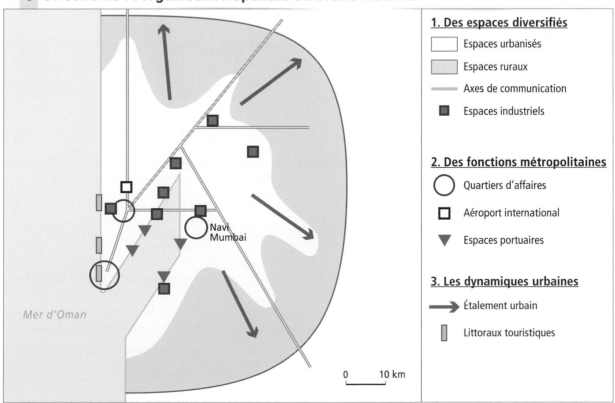

1. Des espaces diversifiés

- Espaces urbanisés
- Espaces ruraux
- Axes de communication
- Espaces industriels

2. Des fonctions métropolitaines

- Quartiers d'affaires
- Aéroport international
- Espaces portuaires

3. Les dynamiques urbaines

- Étalement urbain
- Littoraux touristiques

Navi Mumbai
Mer d'Oman

0   10 km

Regard critique sur les cartes

1 ▶ Analyse critique des modes de représentation cartographique

● Il faut mettre en place une réflexion critique sur les modes de représentation cartographique au moyen d'un questionnement permettant de bien comprendre les enjeux du phénomène cartographié et la représentation elle-même. Ci-contre, les principales questions pouvant répondre à cette démarche.

Méthode

Analyser les informations de la carte et de la légende

1 Quelles sont les informations générales apportées par la carte ?

2 Quel est le titre de la carte ? Quel est le sujet traité par la carte ?

3 Quelles informations plus précises sont apportées par une ou plusieurs parties de la carte ?

4 Comment la légende est-elle organisée ? Quelles informations sont apportées par les titres de chaque partie ?

Porter un regard critique sur la carte

5 Quelle est la source de la carte (auteur, date, éditeur) ?

6 De quel type de carte s'agit-il ? Descriptive, analytique, synthétique ?

7 Quelle est l'échelle de la carte ? Quelle est la projection utilisée ?

8 Quels figurés sont utilisés sur la carte ? Pour quelles raisons ont-ils été choisis ? Quels autres figurés auraient pu être utilisés ?

1 Les ressources du Sahara ← Titre

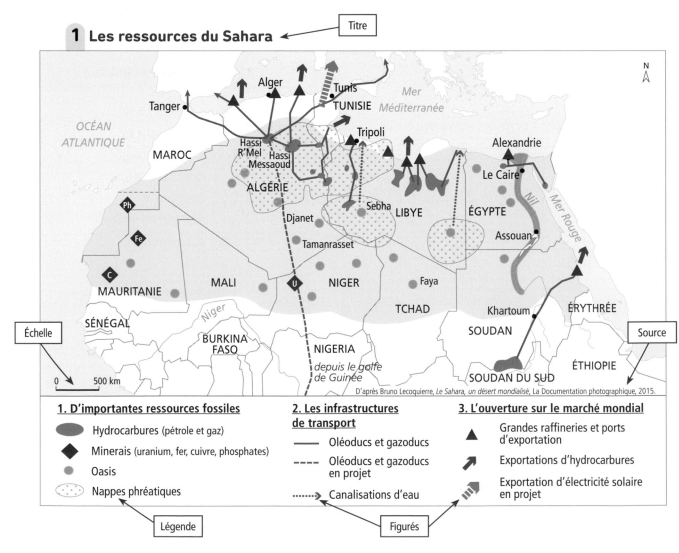

D'après Bruno Lecoquierre, *Le Sahara, un désert mondialisé*, La Documentation photographique, 2015.

1. D'importantes ressources fossiles
- Hydrocarbures (pétrole et gaz)
- Minerais (uranium, fer, cuivre, phosphates)
- Oasis
- Nappes phréatiques

2. Les infrastructures de transport
- —— Oléoducs et gazoducs
- - - - Oléoducs et gazoducs en projet
- ·······▸ Canalisations d'eau

3. L'ouverture sur le marché mondial
- ▲ Grandes raffineries et ports d'exportation
- ↗ Exportations d'hydrocarbures
- ↗ Exportation d'électricité solaire en projet

2 Application guidée : porter un regard critique sur une carte

2 **Personnes déplacées à cause de catastrophes naturelles (2008-2017)**

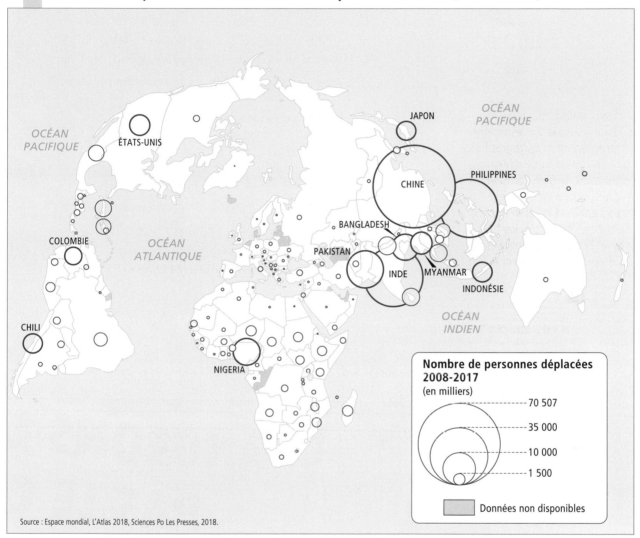

Source : Espace mondial, L'Atlas 2018, Sciences Po Les Presses, 2018.

Questions

Analyser les informations de la carte et de la légende

1 Quel est le sujet traité par la carte ?

2 Quelles sont les informations générales apportées par la carte et sa légende ?

Porter un regard critique sur la carte

3 Quelle est la source de la carte (auteur, date, éditeur) ?

4 De quel type de carte s'agit-il ? Descriptive, analytique, synthétique ?

5 Quelle est l'échelle de la carte ? Quelle est la projection utilisée ?

6 Quels figurés sont utilisés sur la carte ? Pour quelles raisons ont-ils été choisis ?

THÈME 1

SE PRÉPARER ★

MONDE

FRANCE

RÉVISER

Sociétés et environnements : des équilibres fragiles

Les relations entre les sociétés et leurs environnements se traduisent par de multiples interactions : exploitation des ressources, gestion des risques, protection des milieux vulnérables. Le changement climatique fragilise ces équilibres et nécessite de nouvelles formes d'adaptation. À différentes échelles, les sociétés se trouvent donc confrontées aux défis d'environnements en transition.

> **Quelle est la place du changement climatique dans l'évolution des relations entre les sociétés et leurs environnements ?**

Marche pour le climat à Paris (13 octobre 2018).

Sociétés et environnements

1 ▸ Vérifier ses repères géographiques

1 La répartition de la population dans le monde

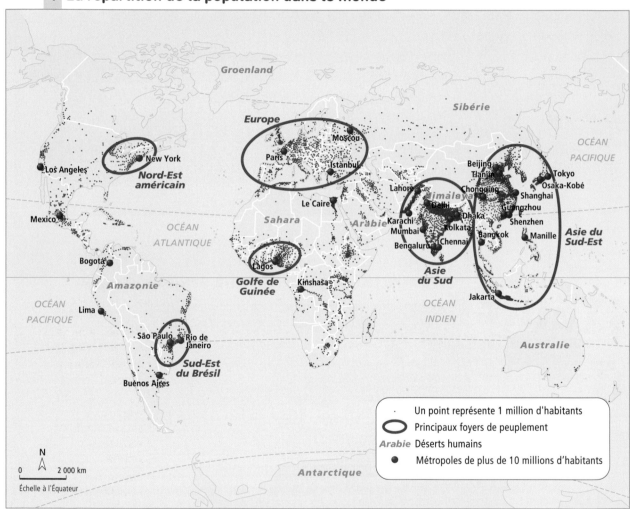

1 doc. 1 Citez les trois principaux foyers de peuplement.

2 doc. 1 Parmi ces affirmations, indiquez celles qui sont vraies.

a La population mondiale est principalement concentrée dans l'hémisphère sud.

b Les populations se concentrent sur les littoraux.

c Le golfe de Guinée est une zone de forte densité.

d L'Antarctique est un désert humain.

3 doc. 1 Citez trois zones de très faible densité.

Mémo
La densité de la population

Une population également répartie

Une population inégalement répartie

● Densité moyenne

● Densité forte (foyer de peuplement)
● Densité faible (désert humain)

2 Les milieux « naturels »

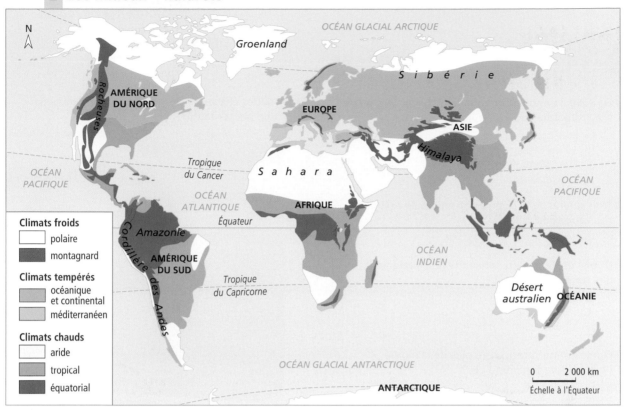

Climats froids
- ☐ polaire
- ■ montagnard

Climats tempérés
- ☐ océanique et continental
- ☐ méditerranéen

Climats chauds
- ☐ aride
- ☐ tropical
- ■ équatorial

0   2 000 km
Échelle à l'Équateur

3 Les climats en France

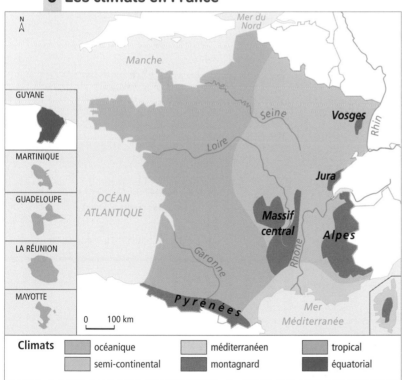

Climats
- ☐ océanique
- ☐ semi-continental
- ☐ méditerranéen
- ■ montagnard
- ☐ tropical
- ■ équatorial

Mémo
Les climats

▶ **Climat océanique**
→ Hivers frais, étés doux, humide toute l'année

▶ **Climat semi-continental**
→ Hivers froids, étés chauds

▶ **Climat méditerranéen**
→ Hivers doux, étés chauds et secs

▶ **Climat tropical**
→ Une saison humide et une saison sèche, chaud toute l'année

▶ **Climat équatorial**
→ Chaud et humide toute l'année

▶ **Climat montagnard**
→ Hivers froids et enneigés, belles journées mais nuits fraîches du printemps à l'automne

---

❹ **doc. 2** Pour chacun des déserts humains, indiquez à quel milieu naturel et à quelle contrainte naturelle il correspond.

	Désert humain	Milieu naturel	Contrainte naturelle
Ex. :	Désert australien	Milieu aride	Sécheresse, manque d'eau

❺ **doc. 3** Citez les noms des quatre mers et océans, des cinq principaux fleuves et des cinq massifs montagneux du territoire français métropolitain.

❻ **doc. 3** Quels sont les climats présents sur le territoire français ?

2 ▶ Tester ses connaissances

7 En 2050, la population mondiale devrait approcher les ... d'habitants.

- [a] 8 milliards
- [b] 10 milliards
- [c] 50 milliards
- [d] 800 milliards

8 Trois quarts de la population mondiale occupent ... des terres émergées.

- [a] 80 % [b] 10 % [c] 50 %

9 Quelle est la densité moyenne de peuplement des terres émergées ?

- [a] 50 hab./km²
- [b] 150 hab./km²
- [c] 550 hab./km²

10 Quel continent concentre plus de la moitié de la population mondiale ?

- [a] L'Europe
- [b] L'Asie
- [c] L'Amérique
- [d] L'Afrique

11 Quel continent verra sa population doubler d'ici 2050 ?

- [a] L'Europe
- [b] L'Asie
- [c] L'Amérique
- [d] L'Afrique

12 Complétez le schéma en indiquant pour chaque flèche l'effet provoqué :

« augmente », « menace » ou « réduit »

➕ Schéma à imprimer

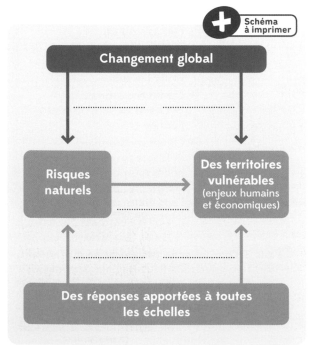

13 Associez chacun des parcs nationaux ci-dessous à une photographie.

a. Parc national de la Vanoise

b. Parc national de Port-Cros

c. Parc amazonien de Guyane

Mémo
La population mondiale

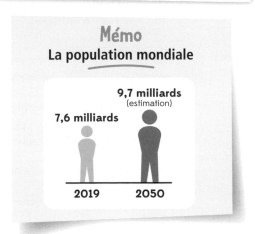

7,6 milliards

9,7 milliards
(estimation)

2019 2050

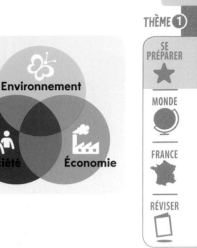
3 Mobiliser le vocabulaire et les notions

14 **Répondez aux questions suivantes sur le développement :**

a. Quels sont les trois piliers du développement durable ?

b. Parmi les propositions suivantes, laquelle correspond à la définition de « développement durable » ?
Et de « développement équitable » ?
- Un développement qui profite à tous.
- Un développement qui répond aux besoins des générations actuelles sans compromettre la capacité des générations futures à répondre aux leurs.
- Une amélioration générale des conditions de vie d'une population.
- Un niveau de vie égal pour tous.

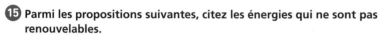

15 **Parmi les propositions suivantes, citez les énergies qui ne sont pas renouvelables.**
Puis indiquez la principale source d'énergie consommée dans le monde.

| charbon | vent | biomasse | soleil | gaz | hydroélectricité | pétrole | géothermie |

16 **Reliez chaque mot à sa définition :**

a. Aménagement •

b. Parc national •

c. Vulnérabilité •

d. Contrainte •

e. Risque •

f. Milieu •

1. Territoire géré et protégé par l'État en raison de la richesse de son patrimoine naturel et culturel.

2. Ensemble des actions et/ou des politiques mises en œuvre pour réduire les inégalités entre les territoires.

3. Difficulté, liée notamment au relief et au climat, rencontrée par les hommes pour mettre en valeur un territoire.

4. Territoire servant de cadre de vie aux sociétés. Il comprend à la fois les éléments naturels et les aménagements humains.

5. Fragilité d'une société face à un risque.

6. Résultat de la conjonction d'un événement naturel (l'aléa) et de l'exposition de biens et/ou de personnes (l'enjeu ou la vulnérabilité).

4 Valider des situations géographiques

17 **Indiquez quelle(s) proposition(s) justifie(nt) les situations géographiques suivantes.**

1. L'eau douce est rare sur la planète et inégalement disponible.

a. L'eau douce est rare car l'essentiel de l'eau sur la planète est de l'eau salée.

b. L'eau est inégalement disponible, certains pays comme l'Égypte sont en situation de pénurie.

c. L'eau douce est abondante sur la planète mais inégalement répartie.

2. La vulnérabilité face au risque varie selon les sociétés.

a. La vulnérabilité est plus faible dans les pays développés.

b. Les espaces les plus exposés au risque ne sont pas forcément les plus vulnérables.

c. Dans les pays en développement, la pauvreté augmente la vulnérabilité.

Dans ces pages

TOUS LES EXERCICES en version interactive

TOUS LES CORRIGÉS en PDF

COURS DU COLLÈGE à télécharger

Sociétés et environnements : des équilibres fragiles

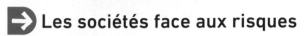

DANS LE MONDE

➡ Les sociétés face aux risques

➡ Des ressources majeures
sous pression : tensions, gestion

➕ Vidéo

SOMMAIRE

➕ **Dans ce chapitre**

 TOUS LES TEXTES
en version à imprimer

 TOUTES LES CARTES
en version interactive

Zoom sur...

▶ **les incendies en Californie** (2018)

Nombre de départs de feu	8 434
Surface brûlée	7 700 km² (77 fois la surface de Paris)
Nombre de victimes	104 décès
Coût	3,5 milliards de dollars (soit 3 milliards d'euros)

Un incendie à Alpine en Californie, États-Unis (juillet 2018).

ÉTATS-UNIS

Californie   Washington

Étude de cas

Le Bangladesh : un espace densément peuplé face au changement climatique

Zoom sur...

▶ **le Bangladesh**

Superficie	143 998 km² (95ᵉ rang mondial)
Population	167,1 millions d'habitants (2018) dont 65 % en milieu rural (8ᵉ rang mondial)
Densité moyenne	1 173 hab./km²
Taux d'extrême pauvreté	24,3 % (2016) (moins de 1,90 $/jour)

BANGLADESH
Dhaka

➡ **Pourquoi le Bangladesh est-il un pays vulnérable face au changement climatique ?**

A Une population exposée aux risques naturels

1 Le peuplement du Bangladesh

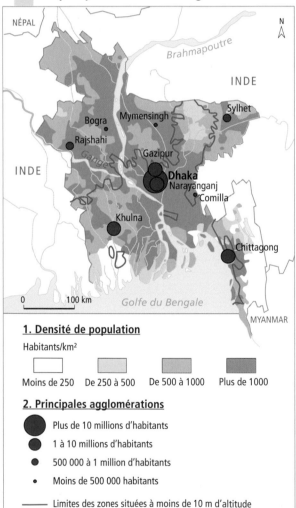

NÉPAL

Brahmapoutre

INDE

Sylhet

Bogra · Mymensingh

Rajshahi

Gange

Gazipur

INDE

Dhaka
Narayanganj
Comilla

Khulna

Chittagong

Golfe du Bengale

MYANMAR

0   100 km

1. Densité de population

Habitants/km²

Moins de 250   De 250 à 500   De 500 à 1000   Plus de 1000

2. Principales agglomérations

⬤ Plus de 10 millions d'habitants

⬤ 1 à 10 millions d'habitants

● 500 000 à 1 million d'habitants

· Moins de 500 000 habitants

— Limites des zones situées à moins de 10 m d'altitude

2 Pays les plus affectés par les catastrophes météorologiques (1998-2017)

Vidéo

	Haïti	Philippines	Bangladesh
Nombre de décès (moyenne annuelle)	281,3	867,4	635,5
Décès pour 100 000 hab. (moyenne annuelle)	2,9	0,9	0,4
Dommages en millions de dollars US	418	2 932	2 404
Dommages en % du PIB (moyenne annuelle)	2,6	0,5	0,6
Nombre d'événements (total 1998-2017)	77	307	190

Source : Indice mondial des risques climatiques 2019, Germanwatch (organisation non gouvernementale allemande), décembre 2018.

3 L'érosion des rives et des chars

En septembre 2018, l'érosion des rives et des chars au sud de Dhaka a détruit les maisons de 5 000 habitants et de nombreuses routes.

Vocabulaire

▶ **Char :** île mouvante au milieu d'un fleuve qui apparaît ou disparaît au gré des crues.

▶ **Vulnérabilité :** →voir p. 60.

4 L'environnement fluvial du Bangladesh

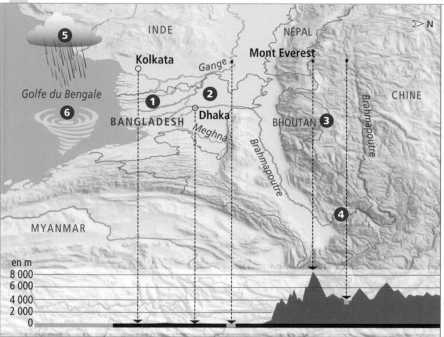

❶ Le delta du Gange est formé par 3 grands fleuves qui descendent de l'Himalaya : le Gange, le Brahmapoutre et la Meghna.

❷ Vastes plaines alluviales très fertiles pour les cultures : 80 % des terres du Bangladesh se situent à moins de 12 mètres d'altitude.

❸ Fonte des neiges au printemps : augmentation rapide du débit des cours d'eau, érosion des sols.

❹ Envasement des rivières dû à l'érosion accrue des sols : le lit de la rivière soulevé augmente les risques d'inondation.

❺ Climat de mousson : très fortes pluies venues de l'océan.

❻ Cyclones fréquents : submersion des zones côtières.

---

5 Les risques d'inondation au Bangladesh

Parole de géographes

Une bonne partie de la population du Bangladesh est régulièrement exposée à une inondation de ses terres. 20 à 25 % du pays est submergé pendant la période des moussons, mais dans les cas les plus extrêmes on peut arriver à 40-70 % de la superficie du territoire national. En fait, même si les inondations résultent principalement des précipitations élevées d'eau de pluie, des facteurs tels que la pression démographique et le processus d'urbanisation ont rendu le Bangladesh encore plus fréquemment sujet aux inondations.

Les inondations liées aux cyclones produisent ensuite des effets corrosifs significatifs qui sont en train d'aggraver le processus d'érosion des zones côtières. Ce sont les cyclones tropicaux provenant du golfe du Bengale, souvent accompagnés de fortes pluies et de raz-de-marée qui provoquent un nombre élevé de morts. Si les inondations ont affecté une partie importante de la population, ce sont les cyclones qui ont causé le nombre le plus important de dégâts.

Outre les dommages considérables du point de vue humain, des catastrophes naturelles comme les inondations, les cyclones et les tempêtes tropicales entraînent des destructions de cultures, de terres arables et du bétail. La disponibilité réduite des ressources naturelles et l'accès limité à ces dernières provoquent de l'insécurité alimentaire, l'endettement des agriculteurs et plus généralement des familles, la vente des terres et un chômage élevé.

Alfonso et Antonietta Pagano, chercheurs à l'université Luiss de Rome, « Bangladesh à risque entre vulnérabilité et migrations climatiques », *Outre-Terre*, n° 1, 2013.

Questions

Itinéraire 1

Connaître et se repérer

❶ Situez le Bangladesh en Asie.
doc. 1 et 4

❷ Décrivez la répartition de la population au Bangladesh.
doc. 1 et 5

❸ Quelles sont les particularités du milieu naturel au Bangladesh ?
doc. 1, 3 et 4

Synthétiser et argumenter

❹ Montrez que le Bangladesh est un pays exposé aux risques naturels. **doc. 2 à 5**

ou

Itinéraire 2

Réaliser un croquis de synthèse 1/2

- À l'aide des documents, sélectionnez les informations correspondant au thème suivant :
1. Le Bangladesh, un espace vulnérable
- Sélectionnez les informations cartographiables.
- Attribuez un figuré cartographique à chacune de ces informations.

Le Bangladesh : un espace densément peuplé face au changement climatique

B Le changement climatique : une vulnérabilité accrue

6 Les effets du changement climatique

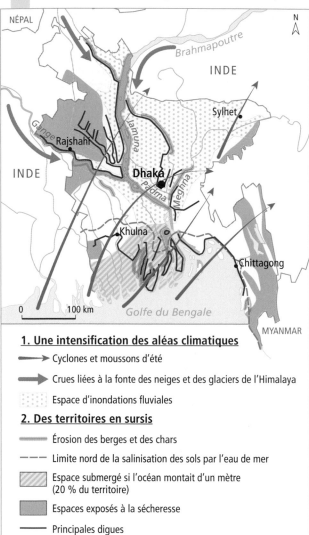

NÉPAL
Brahmapoutre
INDE
Sylhet
Ganges
Rajshahi
Jamuna
INDE
Dhaka
Padma
Meghna
Khulna
Chittagong
0   100 km
Golfe du Bengale
MYANMAR
N

1. Une intensification des aléas climatiques

➤ Cyclones et moussons d'été

➤ Crues liées à la fonte des neiges et des glaciers de l'Himalaya

⋯ Espace d'inondations fluviales

2. Des territoires en sursis

═══ Érosion des berges et des chars

--- Limite nord de la salinisation des sols par l'eau de mer

▨ Espace submergé si l'océan montait d'un mètre (20 % du territoire)

▨ Espaces exposés à la sécheresse

── Principales digues

7 Changement climatique et déplacement de populations

D'après le cinquième rapport d'évaluation du GIEC[1], dans les scénarios aux émissions plus élevées, les températures pourraient augmenter entre 1,4 °C et 2,6 °C d'ici 2050, et entre 2,6 °C et 4,8 °C d'ici 2100. Dans ce scénario pessimiste, les migrants climatiques internes pourraient dépasser 40 millions en Asie du Sud d'ici 2050.

Les effets du changement climatique (baisse du rendement des cultures, stress hydrique, élévation du niveau de la mer) augmentent la probabilité des migrations en situation de détresse.

Les migrations climatiques internes s'intensifieront au cours des décennies à venir et pourraient s'accélérer après 2050 en raison d'un renforcement des effets du climat combiné à une forte augmentation de la population dans plusieurs régions. De nombreuses zones urbaines et péri-urbaines devront se préparer à faire face à un afflux de populations.

Près de 20 millions de personnes vivant dans les zones littorales du Bangladesh connaissent déjà des problèmes de santé à cause de la salinisation des ressources en eau potable du fait de l'élévation du niveau de la mer. Le Bangladesh devrait abriter un tiers des migrants climatiques internes en Asie du Sud d'ici 2050.

Groundswell : se préparer aux migrations climatiques internes, Banque mondiale, février 2018.

1 Groupe d'experts intergouvernemental sur l'évolution du climat (GIEC).

8 Dhaka inondée

Une rue de la capitale bangladaise, Dhaka, lors de la mousson (juillet 2017).

C Un territoire en transition

Vidéo

9 L'aménagement des terres basses

À Shyamnagar, dans le sud du pays, les paysans ont converti des rizières submergées devenues infertiles en étangs saumâtres d'élevage de crevettes et de crabes.

10 L'action politique internationale du Bangladesh

Au Bangladesh, on observe depuis les années 2000 une forte mobilisation du gouvernement et des acteurs de la société civile. […] La vulnérabilité du Bangladesh a rapidement transformé le pays en terrain d'expérimentation sur l'adaptation au changement climatique pour des acteurs étrangers et locaux (chercheurs, organisations internationales, ONG, etc.). […]

Dans les négociations internationales, le Bangladesh noue aussi des alliances politiques pour renforcer ses capacités de négociation et accroître son influence. […] C'est ainsi qu'on a vu apparaître le […] *Climate Vulnerable Forum*[1] et le V20[2].

Ainsi, lors de la COP21, les États vulnérables se sont mobilisés dès le premier jour de la négociation pour appeler à une limitation de l'augmentation de la température à la surface du globe à 1,5 °C au lieu de 2 °C […].

Si les petits pays peinent à véritablement peser sur les résultats des négociations, encore dominées par les rapports de force entre pays développés et émergents, ils peuvent néanmoins peser sur le processus de négociation.

Alice Baillat, « La diplomatie climatique du Bangladesh : le "weak power" en action » [en ligne], Institut de relations internationales et stratégiques (IRIS), 2017.

1 Le *Climate Vulnerable Forum* regroupe 48 pays abordant les effets négatifs du réchauffement de la planète en raison de leur forte vulnérabilité climatique.

2 V20 : groupe des 20 pays les plus vulnérables au monde face au changement climatique.

Questions

Itinéraire 1

Décrire et expliquer

5 Quel changement climatique global le GIEC prévoit-il pour 2050 et 2100 ? **doc. 7**

6 Quels sont les effets du changement climatique sur les risques naturels au Bangladesh ? **doc. 6 à 8**

7 Pour quelles raisons les migrations climatiques pourraient-elles s'accélérer dans les années à venir ? Quelles sont les régions les plus exposées ? **doc. 7**

8 Comment les Bangladais luttent-ils contre les effets du changement climatique et à quelles échelles ? **doc. 6, 9 et 10**

Synthétiser et argumenter

9 Expliquez les défis du Bangladesh face au changement climatique et les réponses qui y sont apportées.

ou

Itinéraire 2

Réaliser un croquis de synthèse 2/2

- À l'aide des documents, poursuivez le travail engagé sur la page précédente (p. 39) et sélectionnez les informations correspondant aux thèmes 2 et 3 :

  1. Le Bangladesh, un espace vulnérable
  2. Des risques renforcés par le changement climatique
  3. Un pays en transition qui s'adapte

- Regroupez les informations qui renvoient au même thème.
- Sélectionnez les informations cartographiables.
- Attribuez un figuré cartographique à chacune de ces informations.
- Réalisez le croquis à l'aide du fond de carte.

L'Arctique : un milieu polaire attractif et fragile

➡️ **À quels défis l'Arctique est-il exposé face au changement climatique ?**

Zoom sur...

▶ **l'Arctique**

Superficie	21 millions de km² dont 2/3 d'océan
Population	4 millions d'habitants dont 400 000 autochtones
Pays concernés	Russie, États-Unis (Alaska), Canada, Danemark (Groenland), Islande, Norvège, Suède, Finlande

Animation croquis

OCÉAN GLACIAL ARCTIQUE — RUSSIE — Sabetta

1 Le port de Sabetta (Russie)

① Banquise sur l'océan Arctique
② Méthanier (navire transportant du gaz)
③ Gazoduc
④ Continent enneigé
⑤ Usine de liquéfaction

Vidéo

Vocabulaire

▶ **Banquise :** couche de glace qui se forme à la surface de la mer suite au refroidissement de l'eau.

▶ **Gulf Stream :** courant océanique présent dans l'Atlantique nord.

▶ **Inlandsis :** calotte de glace continentale très épaisse.

▶ **Pergélisol :** sol gelé toute l'année.

▶ **Zone Économique Exclusive (ZEE) :** espace large de 200 milles nautiques à partir du littoral, qui accorde à l'État riverain la souveraineté sur les ressources qui s'y trouvent.

2 Les conséquences du changement climatique dans l'Arctique

● Conséquences sur le climat   ● Conséquences sur les sols   ● Conséquences sur les océans

Augmentation des épisodes climatiques extrêmes

Augmentation des températures de l'air et des océans (fonte de la banquise)

Accentuation de l'érosion des littoraux (fonte de la banquise)

Dégel du pergélisol (libération des gaz à effet de serre, effondrement des bâtiments, déformation des routes)

Perturbation des chaînes alimentaires (réchauffement des eaux)

Augmentation du niveau des océans (fonte de l'inlandsis du Groenland)

Source : d'après Jennifer A. Francis, université Rutgers (États-Unis), Pour la science, n° 488, juin 2018.

3 L'Arctique face aux nouveaux défis climatiques et géopolitiques

1. Des milieux fragiles confrontés au changement climatique

Zone où la température moyenne du mois le plus chaud est en dessous de 10 °C

Extension maximale de la banquise d'hiver (mars 2018)

Extension maximale de la banquise d'été (septembre 2018)

2. Des ressources de plus en plus exploitées

▲ Hydrocarbures (pétrole et gaz)

▲ Minerais métalliques

— Routes maritimes en développement

Zones de pêche

3. Une intégration facteur de tensions

--- Limites de ZEE

✦ Zones disputées

Sources : d'après *Arctique, Climat et enjeux stratégiques*, Mappe, Ateliers Henry Dougier, 2015 et *National Ice and Snow Datacenter*, 2018.

4 Les peuples autochtones face au changement climatique

Le développement économique de l'Arctique est associé à un risque élevé de pollution atmosphérique et marine, en particulier par le pétrole en cas de marées noires. [...] La pollution générée par les carburants utilisés par le transport maritime et les navires de tourisme accélère la fonte de la banquise. [...] Les populations autochtones[1] et les résidents de l'Arctique dépendent fortement des ressources de subsistance fournies par leur environnement. Le recul et l'instabilité de la banquise en raison du changement climatique réduisent le potentiel de chasse de gibier et de mammifères marins et de pêche sous la glace. Le développement économique génère aussi [...] une concurrence accrue entre chalutiers et pêcheurs côtiers [...]. Il y a également une concurrence entre la petite pêche et l'extraction de pétrole et de gaz offshore (Alaska), et entre les petits éleveurs et l'extraction de pétrole et de gaz (Russie).

Ocean Climate, « Arctique : opportunités, enjeux et défis », *Océan et climat* [en ligne] p. 55-67, 2017.

Ocean Climate, réseau international d'acteurs (chercheurs, ONG, entreprises…) sensibilisant les décideurs politiques et le grand public aux interactions entre océan, climat et biodiversité.

1 Peuple originaire du territoire où il habite, caractérisé par des attaches fortes à son territoire et à son mode de vie (Samis, Inuits…).

Questions

 Itinéraire 1

Exploiter et confronter des informations

1 Comment le changement climatique se manifeste-t-il sur les milieux arctiques ? **doc. 1 à 4**

2 Expliquez pourquoi l'Arctique est un espace convoité. **doc. 1, 3 et 4**

3 Analysez les pressions et les tensions qui découlent de l'ouverture de l'Arctique. **doc. 3 et 4**

Synthétiser et argumenter

4 Montrez que le réchauffement climatique fait de l'Arctique un espace en transition, sur le plan environnemental, économique et social.

ou

Itinéraire 2 Méthode

Réaliser un schéma fléché

- À l'aide des documents, sélectionnez les informations significatives pour montrer que le changement climatique fait de l'Arctique un espace en transition.

- Regroupez les informations qui renvoient au même thème et reformulez-les sous forme de notions.

- Listez les causes et les conséquences pour chaque notion.

- Attribuez une représentation (carré, cercle…) pour chaque notion.

- Reliez les notions par des flèches pour montrer un lien logique. Exemples : *explique, génère, entraîne…*

L'Amazonie : un milieu forestier fragile soumis aux pressions et aux risques

Zoom sur...

▶ **l'Amazonie**

Superficie	7,8 millions de km²
Population	33 millions d'habitants dont 385 peuples autochtones
Densité de population	4,2 habitants/km²
Aires protégées	49 % de la superficie amazonienne

➡ Quels sont les défis de l'aménagement et de l'exploitation de l'Amazonie ?

A Des milieux riches en ressources mais fragilisés

Amazonie — AMÉRIQUE DU SUD

➕ Animation croquis

1 Porto Velho (Brésil), une ville amazonienne

① Porto Velho (520 000 habitants)
② Rio Madeira, affluent du fleuve Amazone
③ Centrale hydroélectrique de Santo Antônio
④ Port fluvial (expédition de soja, viande, produits laitiers et bois)
⑤ Exploitations agricoles et forêt défrichée

2 L'Amazonie en chiffres

Nombre minimal d'espèces abritées par les milieux amazoniens

40 000 plantes

16 000 arbres

5 600 poissons

1 300 oiseaux

L'Amazonie concentre plus de **15 % de l'eau douce** mondiale.

1 000 amphibiens

430 mammifères

400 reptiles

2,5 millions d'insectes

O_2

La forêt produit **20 % de l'oxygène** de l'air que nous respirons.

2 200 nouvelles espèces ont été découvertes entre 1999 et 2015.

75 % des espèces végétales présentes sont **endémiques**.

Répartition de la surperficie de la forêt amazonienne entre les différents pays

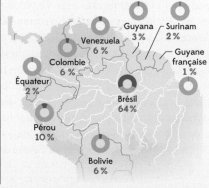

Guyana 3%
Surinam 2%
Venezuela 6%
Guyane française 1%
Colombie 6%
Équateur 2%
Brésil 64%
Pérou 10%
Bolivie 6%

Source : Courrier international, n° 1455, septembre 2018.

3 Peuplement et exploitation des ressources en Amazonie

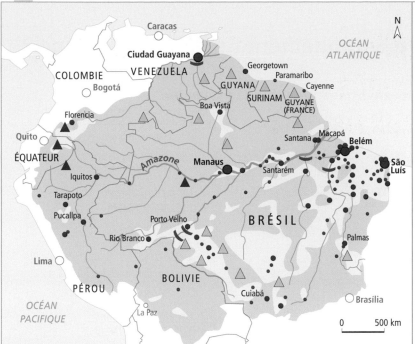

1. Une forêt habitée

Espaces forestiers (communautés amérindiennes)

Principales villes
- ● Plus de 1 million d'habitants
- ● De 100 000 à 1 million d'habitants
- ● De 50 000 à 100 000 habitants

2. Des ressources exploitées

- Méga-barrages hydroélectriques
- Zones défrichées pour l'agriculture et l'élevage
- △ Exploitation de minerais et de pierres précieuses
- ▲ Exploitation d'hydrocarbures

0   500 km

Source : d'après *Amazonie, Préserver et exploiter*, Mappe, Ateliers Henry Dougier, 2015.

Vocabulaire

▶ **Espèce endémique :** espèce naturellement restreinte à un territoire limité.

▶ **Hydroélectricité :** électricité produite par l'énergie hydraulique, qui provient de la force de l'eau.

---

4 L'Amazonie et le changement climatique

Parole de géographe

Il est certain que le cycle hydrologique du bassin de l'Amazone s'est intensifié depuis la fin des années 1990. La plus grande fréquence des phénomènes hydrologiques extrêmes entraîne la perturbation des activités humaines et des écosystèmes de la forêt tropicale. [...] Les fortes sécheresses qui ont frappé le centre et le sud de l'Amazonie en 2005, 2010 et 2015 ont confirmé les inquiétudes sur les conséquences climatiques de la déforestation. Cependant, [...] les fortes inondations sont aussi devenues dévastatrices dans le nord-ouest de l'Amazonie et le long de l'Amazone. Elles résultent d'un réchauffement des eaux de l'océan Atlantique et d'un refroidissement de celles du Pacifique. [...] La déforestation et la construction d'usines hydroélectriques ont aussi pu jouer un rôle dans l'augmentation de la fréquence des inondations.

Jonathan Barichivich, chercheur en Sciences Environnementales au Centre de Recherche pour le Climat et la Résilience de Santiago du Chili, « L'intensification récente des crues extrêmes de l'Amazone », *Sciences Advances*, juillet 2018.

Questions

Itinéraire 1

Décrire et expliquer

❶ Quelles sont les différentes ressources présentes en Amazonie ? **doc. 1 à 4**

❷ Relevez les différents risques auxquels sont exposés les habitants de l'Amazonie. **doc. 4**

❸ Montrez que les activités humaines exercent de multiples pressions sur l'environnement amazonien. **doc. 1, 3 et 4**

Mettre en relation et argumenter

❹ Quels liens peut-on établir entre l'exploitation de l'Amazonie et le changement climatique ?

ou

Itinéraire 2

Réaliser un croquis de synthèse 1/2

- À l'aide des documents, sélectionnez les informations correspondant aux thèmes suivants :
  1. Les ressources amazoniennes
  2. Un espace exposé aux risques
  3. Des activités humaines facteurs de multiples pressions
- Regroupez les informations qui renvoient au même thème.
- Sélectionnez les informations cartographiables.
- Attribuez un figuré cartographique à chacune de ces informations.

L'Amazonie : un milieu forestier fragile soumis aux pressions et aux risques

B Quelle transition environnementale pour l'Amazonie ?

5 L'Amazonie, entre pressions environnementales et protection

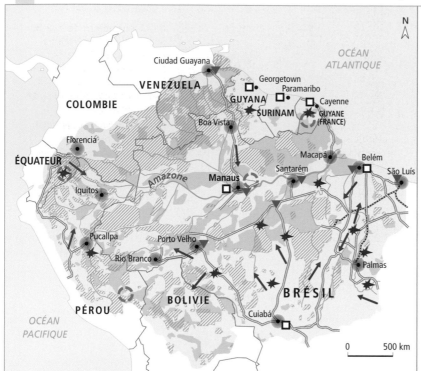

1. Un territoire sous pression

- 🔴 Étalement urbain
- → Progression de la déforestation (fronts pionniers agricoles)

2. Un renforcement des infrastructures

- ═══ Principaux axes routiers asphaltés
- ┈┈┈ Voies ferrées
- ▼ Ports d'exportation (produits agricoles, minerais)
- ☐ Aéroports internationaux

3. Un environnement inégalement protégé

- ▨ Zones naturelles protégées
- ▨ Territoires amérindiens
- ⟳ Développement de l'écotourisme
- ✳ Conflits territoriaux (barrages, mines, hydrocarbures, partage des terres)

Source : d'après *Amazonie, Préserver et exploiter*, Mappe, Ateliers Henry Dougier, 2015, et Red Amazónica de Información Socioambiental Georreferenciada, 2017.

① Piste d'accès au front pionnier

② Nouveaux pâturages

③ Troupeau de bovins

④ Défrichage de la forêt par le feu

Vocabulaire

▶ **Démarcation :** processus qui consiste à délimiter et rendre inviolables les terres des indigènes.

6 La déforestation de l'Amazonie au Brésil (2017)

C L'action des populations amérindiennes

7 Des Amérindiens réclament la démarcation de leurs terres

Ces Amérindiens de la tribu Munduruku sont venus à Brasília en avril 2018 pour réclamer la démarcation de leurs terres, menacées par la construction d'un barrage hydroélectrique.

Titre de la banderole : « La vision du peuple Munduruku sur son fleuve et son territoire »

Sur le côté : « La carte de la vie », « Démarcation des terres, maintenant ! »

8 Le regard d'une militante amérindienne en Équateur

Parole d'actrice

Quand Nina Gualinga pense à l'avenir de l'Amazonie, elle identifie une nouvelle menace : le développement du réseau routier. « Avec les routes arrivent ceux qui exploitent le bois et abattent les arbres. Et quand les animaux ne peuvent plus se reproduire, les familles n'ont plus rien à chasser et ne peuvent plus se nourrir grâce à la forêt. » La militante veut amener l'opinion publique à prendre conscience de ces menaces. Et pour cela, estime-t-elle, [...] il faut soutenir les populations qui résistent et élire des dirigeants sensibles au sujet. [...] Nina a lancé [...] une boutique en ligne de bijoux artisanaux [...]. À ses yeux, ce type d'initiative est le meilleur moyen de protéger l'Amazonie, car il permet d'éviter que, pour des motifs économiques, les populations acceptent des propositions comme l'extraction pétrolière. [...] Une partie des recettes finance des actions qui bénéficient aux populations, et l'objectif à long terme est d'aider des jeunes femmes indigènes à étudier. [...] « Si nous n'allons pas à l'école, comment défendrons-nous notre territoire ? Après, les entreprises arrivent et nous offrent 10 000 dollars, 100 kilos de riz ou promettent des écoles. Mais l'école fait partie de nos droits sans que nous devions accepter, en échange, l'exploitation pétrolière ! »

Gisella Roja, « En Équateur, la militante Nina Gualinga lutte contre l'industrie pétrolière », *Courrier international*, octobre 2018.

Questions

Itinéraire 1

Décrire et analyser

5 Montrez que le développement économique et commercial de l'Amazonie renforce les pressions sur son environnement. **doc. 5, 6 et 8**

6 Identifiez les acteurs de la lutte contre les pressions environnementales en Amazonie. **doc. 5, 7 et 8**

7 Quelles solutions les défenseurs de la forêt amazonienne proposent-ils ? **doc. 7 et 8**

Synthétiser et argumenter

8 Montrez que le changement climatique fait de l'Amazonie un espace en transition sur le plan environnemental, économique et démographique.

ou

Itinéraire 2

Réaliser un croquis de synthèse 2/2

- À l'aide des documents, poursuivez le travail engagé sur la page précédente (p. 45) et sélectionnez les informations correspondant aux thèmes 4 et 5 :
  4. Un renforcement des pressions
  5. Les actions de protection et leurs limites
- Regroupez les informations qui renvoient au même thème.
- Sélectionnez les informations cartographiables.
- Attribuez un figuré cartographique à chacune de ces informations.
- Réalisez le croquis à l'aide du fond de carte.

Étude de cas

Les Alpes : des milieux montagnards vulnérables et valorisés

➡ **Quelles sont les manifestations de la transition environnementale dans les Alpes ?**

1 Les Alpes, des environnements protégés

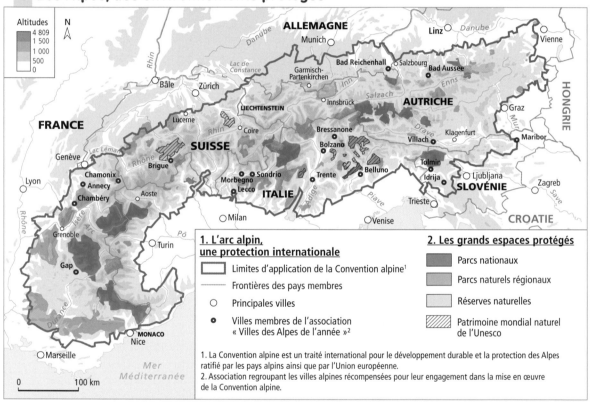

1. L'arc alpin, une protection internationale

▭ Limites d'application de la Convention alpine[1]

‒‒‒ Frontières des pays membres

○ Principales villes

◉ Villes membres de l'association « Villes des Alpes de l'année »[2]

2. Les grands espaces protégés

▮ Parcs nationaux

▮ Parcs naturels régionaux

▯ Réserves naturelles

▨ Patrimoine mondial naturel de l'Unesco

1. La Convention alpine est un traité international pour le développement durable et la protection des Alpes ratifié par les pays alpins ainsi que par l'Union européenne.
2. Association regroupant les villes alpines récompensées pour leur engagement dans la mise en œuvre de la Convention alpine.

0 ___ 100 km

2 Les Alpes face au changement climatique

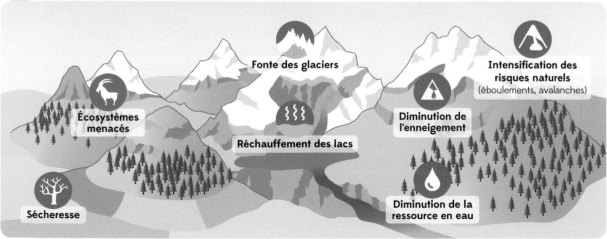

Fonte des glaciers

Intensification des risques naturels (éboulements, avalanches)

Écosystèmes menacés

Réchauffement des lacs

Diminution de l'enneigement

Sécheresse

Diminution de la ressource en eau

3 Les Alpes, laboratoire climatique

Dans les Alpes, les températures ont déjà augmenté de 2 °C. Reto Knutti, professeur à l'Institut de l'atmosphère et du climat de l'ETH Zurich, co-auteur de deux rapports du GIEC (Groupe d'experts intergouvernemental sur l'évolution du climat), le confirme : « Dans les derniers scénarios pour la Suisse, nous nous basons sur l'hypothèse d'un réchauffement de 2,5 à 4,5 °C d'ici les années 2050. Cela va entraîner bien sûr de profonds bouleversements ». Les effets seront multiples. 90 % des glaciers alpins vont disparaître, avec des conséquences considérables pour les cours d'eau qu'ils alimentent. Une pénurie d'eau potable est peu probable, mais « si l'évolution actuelle des températures et du niveau des précipitations estivales se poursuit, ce que confirment les scénarios, nous ne pourrons plus être en mesure de tout irriguer. » Les stations de ski de basse altitude sont elles aussi menacées : « Ce qu'il faut dire tout simplement aujourd'hui, c'est que les stations situées en dessous de 1 500 mètres ne seront plus viables à long terme ». Les éboulements et glissements de terrain pourraient également se multiplier en raison du dégel du pergélisol[1].

CIPRA international, « Les Alpes, laboratoire climatique » [en ligne], 31 octobre 2018.

La Commission internationale pour la protection des Alpes (CIPRA) est une ONG internationale qui œuvre à la protection de l'environnement alpin.

1 Pergélisol : → voir p. 42.

4 Le milieu montagnard alpin

Station suisse de Leysin (décembre 2015).

5 Les enjeux du tourisme alpin

On observe deux principales réponses d'adaptation, souvent articulées :

• À l'échelle de la station : réduire les impacts du changement climatique en profitant d'une amélioration du damage et d'une optimisation de la production de neige de culture, pour assurer la viabilité de l'exploitation du domaine skiable.

• À l'échelle du territoire : réduire la dépendance de la destination au tourisme de neige et renforcer l'attractivité du territoire *via* un élargissement de l'offre touristique, une diversification des pratiques, une valorisation des activités touristiques : VTT, randonnée […], agritourisme, artisanat…

Lorsque l'on parle d'attractivité du territoire, le lien entre les deux aspects se fait par la spécificité du territoire. Cette spécificité permet tout autant de valoriser les prestations touristiques que d'en permettre l'existence, tandis que la valorisation du territoire repose sur l'offre touristique.

Collectif, *Impacts du changement climatique et adaptation en territoire de montagne*, Projet AdaMont, Institut national de recherche en sciences et technologies pour l'environnement et l'agriculture (IRSTEA), mai 2018.

Questions

Itinéraire 1   ou   Itinéraire 2   ➕ Aide et conseils

Analyser et expliquer

1 Comment les caractéristiques propres au milieu montagnard représentent-elles à la fois des contraintes, des risques et des atouts ? **doc. 2 à 4**

2 Quels sont les effets du réchauffement climatique dans les Alpes tant pour les milieux naturels que pour les sociétés ? **doc. 2 à 4**

3 Comment et à quelles échelles la protection des milieux alpins s'effectue-t-elle ? **doc. 1 et 5**

4 Quelles sont les réponses envisagées pour s'adapter aux effets du changement climatique dans les Alpes ? **doc. 1, 4 et 5**

Mettre en relation et argumenter

5 Comment s'effectue la transition environnementale dans les Alpes ?

Préparer un exposé oral

• Sélectionnez les informations correspondant aux thèmes suivants :
1. Ressources et contraintes du milieu montagnard
2. Vulnérabilité des territoires alpins au changement climatique (milieux et sociétés)
3. Perspectives et développement durable dans les Alpes

• Construisez votre exposé en montrant que la valorisation des ressources du milieu alpin rend nécessaire sa protection.

• Pour chaque thème de votre exposé, élaborez une diapositive. Vous vous appuierez sur cette présentation numérique pour mener votre exposé.

Dossier

Changement climatique et risques sanitaires

➡️ **Comment le changement climatique influe-t-il sur les risques sanitaires et leur gestion ?**

ÉTATS-UNIS
Californie
Sullana • PÉROU

Une menace sanitaire à venir ou une chance pour l'avenir ?

Sans action sur le réchauffement climatique...

La pollution de l'air est à la fois un facteur d'aggravation et une conséquence du réchauffement climatique.

Elle est à l'origine **d'un décès sur 8** dans le monde.

Chaque année, les émissions des centrales à charbon en Europe entraînent la mort prématurée de **18 200 personnes** et coûtent environ **42,8 milliards d'euros.**

L'obésité est liée à une alimentation peu saine, souvent riche en viande rouge, mais aussi à l'usage croissant de la voiture.

Les inondations vont gagner en intensité.

On estime qu'en 2030, le nombre de déplacés dans quatre régions côtières des États-Unis atteindra **12 millions de personnes.**

THE GLOBAL CLIMATE & HEALTH ALLIANCE

Si nous agissons sur le réchauffement climatique...

La création et la protection **d'espaces verts** réduisent la pollution de l'air et favorisent la prévention de l'asthme, des pneumonies, des crises cardiaques et des AVC.

Une alimentation durable a de nombreux effets bénéfiques sur la santé humaine et la réduction de l'îlot de chaleur urbain.

Les déplacements à pied ou à vélo contribueraient à éviter chaque année 3,2 millions de morts précoces causées par le manque d'activité physique.

1 Campagne d'information sur le lien entre changement climatique et santé

L'Alliance Changement Climatique et Santé regroupe des organisations du domaine de la santé du monde entier. Son siège se trouve en Californie.

➕ Vidéo

2 Campagne de lutte contre le moustique tigre à Sullana au Pérou (2017)

Traduction :

① « Éliminez les gîtes larvaires (nids à moustiques) ! »

② « Et évitez que le moustique tigre qui transmet la dengue, le chikungunya et le virus zika ne se reproduise dans votre maison. »

③ « Rendez-vous au centre de santé le plus proche. »

④ « À Sullana : tous unis contre la dengue et le chikungunya. »

3 Le changement climatique, facteur de diffusion des risques sanitaires

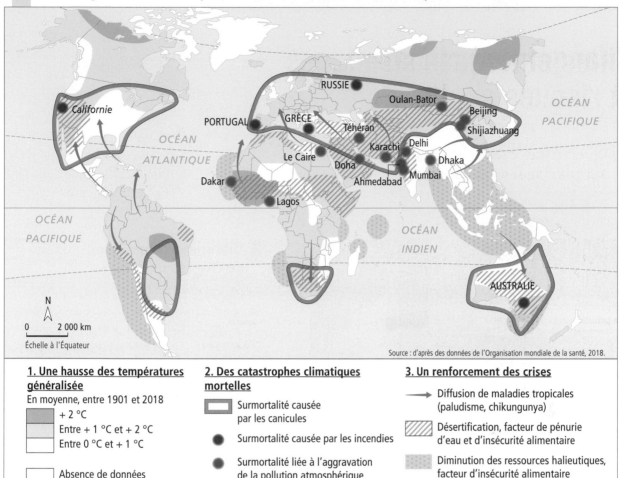

Source : d'après des données de l'Organisation mondiale de la santé, 2018.

1. Une hausse des températures généralisée

En moyenne, entre 1901 et 2018

- + 2 °C
- Entre + 1 °C et + 2 °C
- Entre 0 °C et + 1 °C
- Absence de données

2. Des catastrophes climatiques mortelles

- Surmortalité causée par les canicules
- Surmortalité causée par les incendies
- Surmortalité liée à l'aggravation de la pollution atmosphérique

3. Un renforcement des crises

- → Diffusion de maladies tropicales (paludisme, chikungunya)
- Désertification, facteur de pénurie d'eau et d'insécurité alimentaire
- Diminution des ressources halieutiques, facteur d'insécurité alimentaire

4 Des conséquences sanitaires

L'augmentation de la fréquence des vagues de chaleur, tout comme de tout autre événement extrême a un effet direct sur la santé humaine. La hausse des températures […] permet aussi des floraisons abondantes, donc davantage de pollens en suspension dans l'air, avec leurs effets allergènes. […] Le changement climatique modifie la répartition des vecteurs et réservoirs de maladies. Par exemple, les vecteurs du virus du Nil occidental […] sont principalement des moustiques. Son réservoir habituel, c'est-à-dire ces espèces animales qui hébergent un agent pathogène et permettent sa prolifération, est constitué de différentes espèces d'oiseaux. Une augmentation des températures et un radoucissement du climat hivernal contribuent d'une part à la survie des vecteurs (les moustiques), d'autre part allongent la durée de séjour voire sédentarisent les oiseaux migrateurs réservoirs du virus. L'été 2010, associant des pluies abondantes et des températures élevées, a permis une recrudescence d'activité du virus du Nil occidental dans de nouvelles régions d'Europe.

François-Marie Bréon, Gilles Luneau, *Atlas du climat, face aux défis du réchauffement*, cartographie H. Piolet, © Éditions Autrement, 2018.

Questions

Itinéraire 1

Confronter et analyser

1 Identifiez et classez les différentes conséquences du changement climatique sur la santé. **doc. 1 à 4**

2 Mettez en évidence les facteurs des risques sanitaires que vous avez identifiés. **doc. 1 à 4**

3 Montrez comment s'organise la gestion des risques sanitaires liés au changement climatique. **doc. 1 et 2**

Synthétiser et argumenter

4 Expliquez les liens entre changement climatique et risques sanitaires, ainsi que les politiques de gestion pour y faire face.

ou

Itinéraire 2 Méthode

Réaliser une affiche de sensibilisation

L'Organisation mondiale de la santé lance une campagne de prévention sur les liens entre changement climatique et santé. Elle ouvre pour cela un concours d'affiches qui seront destinées aux habitants de la zone intertropicale.

• Votre affiche devra présenter : les manifestations du changement climatique, les conséquences sur la santé ainsi que les stratégies d'adaptation et de prévention.

Villes et risques sismiques

→ **Comment prévenir et protéger les villes du risque sismique ?**

1 **Une rue de Sapporo (Japon) après le séisme de septembre 2018**

2 **Une analyse du séisme de l'île des Célèbes** *Parole de géographe*

L'agglomération de Palu, capitale de la province de Sulawesi Tengah (centre des Célèbes), est située au fond d'une longue baie étroite (30 km par 6-8 km) et peu profonde. La morphologie particulière de ce site a fortement augmenté l'intensité des trois vagues qui se sont engouffrées dans la baie, submergeant les décombres de Palu environ quarante minutes après le dernier séisme. D'une magnitude de 7,4, celui-ci a eu pour effet de fortement remuer un terrain sédimentaire très instable qui s'est pratiquement liquéfié sous la forme d'une boue qui a piégé plusieurs centaines de foyers. À la vulnérabilité physique du territoire de Palu, s'est ajoutée la confusion autour d'un signal d'alerte peu efficace, qui a cessé d'émettre trois minutes avant l'arrivée des trois vagues. Outre la faible efficacité des bouées de détection, mal entretenues, c'est le délai très court de quelques minutes entre l'arrivée du tsunami et le séisme, dont l'épicentre est proche de Palu, qui est responsable de cette confusion. [...]

Édouard de Belizal et Franck Lavigne,
professeurs à l'Université Paris-X et Paris-I,
« Palu, une zone à risque méconnue »,
Libération, 3 octobre 2018.

3 **Bilan comparé des séismes au Japon et en Indonésie**

Pays touchés	IDH[1] (2017)	Principales villes touchées	Magnitude (échelle de Richter)	Victimes		
				Décès	Blessés	Déplacés
Japon/ Hokkaido (septembre 2018)	0,909 (19e rang mondial)	Sapporo (2,6 millions d'habitants)	6,6	41	650	2 700 relogés
Indonésie/ Île des Célèbes (septembre 2018)	0,694 (116e rang mondial)	Palu (350 000 habitants)	7,4	2 073 (et 5 000 disparus)	10 679	80 000 déplacés (maisons détruites)

1 IDH (indice de développement humain) : → voir lexique p. 304.

Sources : diverses, 2018.

4 Séismes et villes dans le monde

Vidéo

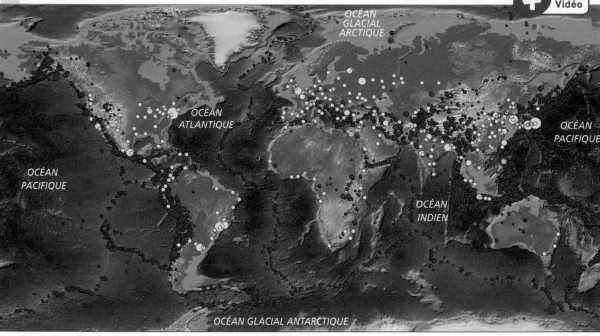

- Principaux séismes dans le monde depuis 1973 (magnitude supérieure à 5,5 sur l'échelle de Richter)
- ○ Villes de plus d'un million d'habitants

Source : RW Allmendinger © 2006-2018, Cornell University.

5 Le système d'alerte de Vancouver

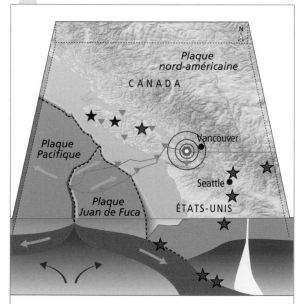

- - - - - Limites des plaques tectoniques

★ Principaux séismes (magnitude supérieure à 7 sur l'échelle de Richter)

★ Séismes récents de forte magnitude

▼ Capteur sismique

—— Réseau de fibre optique

◉ Centre de traitement de l'alerte

◎ Diffusion de l'alerte

Sources : PNSM Pacific Northwest Seismic Network, Oceannetwork.

Questions

Itinéraire 1

Connaître et se repérer

❶ Quelles sont les principales zones sismiques et les principales villes exposées au risque sismique ? **doc. 1, 4 et 5**

Analyser et expliquer

❷ Les villes sont-elles également vulnérables face aux séismes et à leurs effets ? **doc. 1, 2, 3 et 5**

❸ Montrez que la prévention et la protection des villes face au risque sismique sont étroitement liées au niveau de développement. **doc. 2, 3 et 5**

Synthétiser et argumenter

❹ Expliquez comment les villes peuvent prévenir le risque sismique et se protéger face à lui. **doc. 1 à 5**

ou

Itinéraire 2 Méthode

Utiliser un tableau pour organiser l'information

À l'aide des documents, complétez le tableau suivant puis utilisez-le pour rédiger une réponse à la problématique.

	Localisation des risques sismiques et des villes	Facteurs de vulnérabilité	Bilan des catastrophes et lien avec le niveau de développement
Doc. 1			
...			

Dossier

L'eau : une ressource, des menaces

> **Comment assurer une gestion durable de la ressource en eau ?**

1 Un réservoir asséché du fleuve Tage en Espagne (2017)

3 L'évolution de l'accès à l'eau potable dans le monde

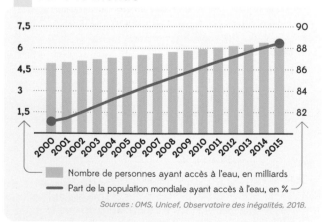

Nombre de personnes ayant accès à l'eau, en milliards

Part de la population mondiale ayant accès à l'eau, en %

Sources : OMS, Unicef, Observatoire des inégalités, 2018.

Avoir accès à l'eau signifie obtenir au moins 25 litres par personne et par jour d'un point de distribution à moins de 200 mètres du lieu d'habitation.

2 La pollution de la rivière To Lich à Hanoi

Parole de géographe

Le To Lich reçoit plus de 100 000 m³ d'eaux usées par jour dont près des 2/3 proviennent des activités domestiques et agricoles […] et 1/3 de l'industrie. Les activités des villages d'artisans […] et les grandes usines de piles, de tabac, de pneus ou d'ampoules situées le long de la rivière participent très largement à la pollution du cours d'eau. Selon les indicateurs (ammonium, phosphate, carbone organique, pH…), les teneurs dépassent de 5 à 80 fois les normes vietnamiennes établies par le ministère de l'Environnement et des ressources naturelles.

Les sept stations d'épuration en charge du traitement des eaux usées ne suffisent pas pour endiguer ce problème sanitaire et environnemental qui s'ajoute à la pollution de l'air et à la pollution sonore. En plus des problèmes de santé publique que ce cours d'eau insalubre pose aux populations vivant à proximité (maladies respiratoires, dermatologiques, tuberculose, cancers, etc.), ses eaux chargées en métaux lourds se déversent dans le très agricole district périurbain de Thanh Tri qui a longtemps alimenté une partie de la capitale en légumes. […]

Cette évolution s'accompagne également d'une augmentation du taux d'urbanisation, ce dernier passant de 20 % en 1990 à plus de 34 % en 2018. Plus la région de Hanoi s'urbanise et s'industrialise, plus les écosystèmes aquatiques se dégradent […].

Yves Duchère, chercheur au Centre Populations et Développement (CEPED), « La pollution de la rivière To Lich à Hanoi », *Géoconfluences* [en ligne], septembre 2018.

4 L'eau, un besoin vital

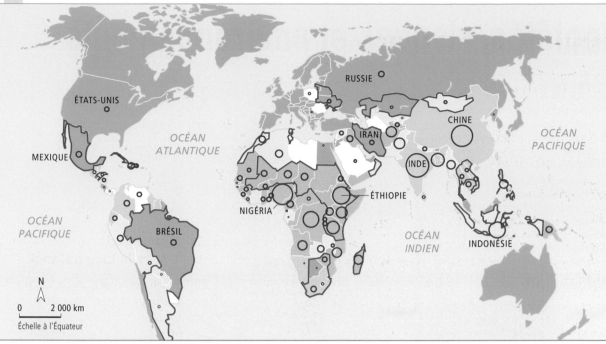

1. Population sans accès à l'eau potable

En proportion de la population totale :
- Moins de 2 à 5 %
- De 5 à 10 %
- De 10 à 20 %
- Plus de 20 %

En nombre d'habitants sans accès à des services d'alimentation en eau potable (en millions)

○ 70 ○ 30 ○ 10 ○ 5 ○ 1

- Données non disponibles

2. Un droit inégalement reconnu

- Pays reconnaissant le droit à l'eau dans leur Constitution

Source : données OMS 2015 et *Carto* n° 44, nov.-déc. 2017.

Lien vers le site

RAPPORT MONDIAL DES NATIONS UNIES SUR LA MISE EN VALEUR DES RESSOURCES EN EAU

2018

LES SOLUTIONS FONDÉES SUR LA NATURE POUR LA GESTION DE L'EAU

Travailler avec la nature pour améliorer la gestion des ressources en eau, assurer à tous une sécurité hydrique et contribuer au développement durable.

UN WATER

5 Des actions pour une gestion durable

Rapport mondial des Nations Unies sur la mise en valeur des ressources en eau, Programme Mondial pour l'Évaluation des Ressources en Eau (WWAP), 2018.

Questions

Itinéraire 1

Situer et décrire

1 Montrez que l'accès à l'eau est inégal à l'échelle mondiale. **doc. 3 et 4**

Analyser et expliquer

2 Pourquoi l'eau est-t-elle une ressource menacée ? **doc. 1 et 2**

3 Quelles sont les adaptations qui permettent une gestion plus équitable et plus durable de la ressource en eau ? **doc. 3 et 5**

Synthétiser et argumenter

4 Expliquez comment il est possible de gérer durablement la ressource en eau. **doc. 1 à 5**

ou

Aide et conseils

Itinéraire 2

Faire une recherche documentaire

- Choisissez un pays et menez des recherches documentaires sur la ressource en eau dans ce pays.
- Recherchez des informations sur chacun des thèmes suivants : l'accès à l'eau, les menaces qui pèsent sur la ressources en eau, les solutions pour une meilleure gestion.

Sociétés, risques et environnements

Vocabulaire

▶ **Peuplement :** désigne à la fois la répartition de la population sur un territoire (mesurée par les densités de population au km²) et l'action d'occuper un territoire.

▶ **Changement climatique :** modification durable du climat global de la Terre et des conditions météorologiques à différentes échelles, en raison des gaz à effet de serre produits par les activités humaines. Ce dérèglement augmente les risques « naturels » pour les sociétés.

▶ **Risque majeur :** danger qui peut menacer un groupe humain. Un risque est dit majeur lorsqu'il peut faire de très nombreuses victimes et occasionner des dommages considérables.

Types de catastrophes entre 1998 et 2017

● Types de catastrophes (en %)   ● Mortalité (en % du total des victimes)

	Types de catastrophes (en %)	Mortalité (en % du total des victimes)
Inondations	43,4	11
Tempêtes, cyclones	28,2	17
Séismes	7,8	56
Canicules	5,6	13
Autres*	15	3

*Avalanches, sécheresses, incendies, volcanisme, glissements de terrain

Sources : Em-DAT The International Disaster database, *Centre de recherche sur l'épidémiologie des catastrophes (CRED), 2018.*

Questions

❶ Quelles sont les régions du monde les plus exposées aux risques naturels ?

❷ Pourquoi peut-on dire que les effets du changement climatique sont globaux ?

❸ La capacité d'adaptation au changement climatique est-elle la même partout dans le monde ?

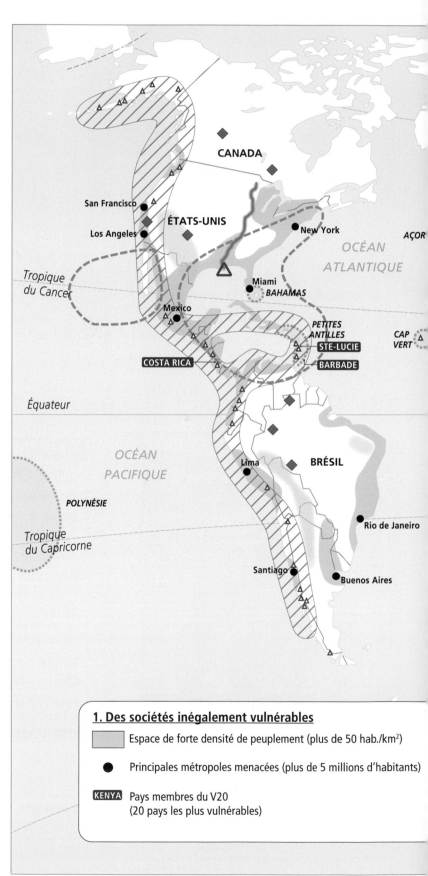

1. Des sociétés inégalement vulnérables

▨ Espace de forte densité de peuplement (plus de 50 hab./km²)

● Principales métropoles menacées (plus de 5 millions d'habitants)

KENYA Pays membres du V20 (20 pays les plus vulnérables)

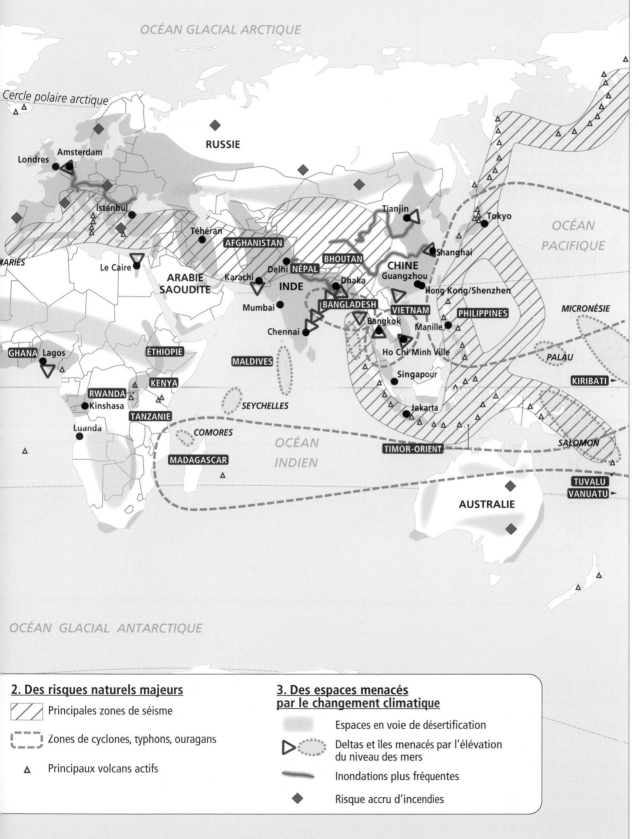

OCÉAN GLACIAL ARCTIQUE

Cercle polaire arctique

RUSSIE

Londres Amsterdam

Istanbul

...ARIES

Le Caire

Téhéran

AFGHANISTAN

ARABIE
SAOUDITE

Karachi Delhi NÉPAL

INDE

Mumbai

BHOUTAN

Dhaka

CHINE

Tianjin

Tokyo

Shanghai

Guangzhou

Hong Kong/Shenzhen

OCÉAN
PACIFIQUE

MICRONÉSIE

BANGLADESH VIETNAM

PHILIPPINES

Chennai

Bangkok

Manille

PALAU

GHANA Lagos

ÉTHIOPIE

MALDIVES

Ho Chi Minh Ville

KIRIBATI

KENYA

Singapour

RWANDA

SEYCHELLES

Kinshasa

TANZANIE

Luanda

COMORES

SALOMON

MADAGASCAR

OCÉAN
INDIEN

Jakarta

TIMOR-ORIENT

TUVALU
VANUATU

AUSTRALIE

OCÉAN GLACIAL ANTARCTIQUE

2. Des risques naturels majeurs

▨ Principales zones de séisme

▢ Zones de cyclones, typhons, ouragans

△ Principaux volcans actifs

3. Des espaces menacés
par le changement climatique

Espaces en voie de désertification

▷ ◌ Deltas et îles menacés par l'élévation
du niveau des mers

━ Inondations plus fréquentes

◆ Risque accru d'incendies

Des milieux et des ressources entre

▶ **Hydrocarbures** : pétrole et gaz naturel.

▶ **Lithium** : métal utilisé dans la production des piles et batteries rechargeables.

▶ **Ressources halieutiques** : ressources vivantes des milieux aquatiques marins.

▶ **Terres rares** : éléments métalliques dont les propriétés sont très recherchées dans la fabrication des hautes technologies.

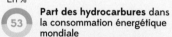

En %

53 **Part des hydrocarbures** dans la consommation énergétique mondiale

30 **Part du charbon** dans les émissions anthropiques de CO_2

24 **Part des ressources naturelles** dans la valeur totale du commerce mondial

90 **Part de la Chine** dans l'extraction mondiale de terres rares

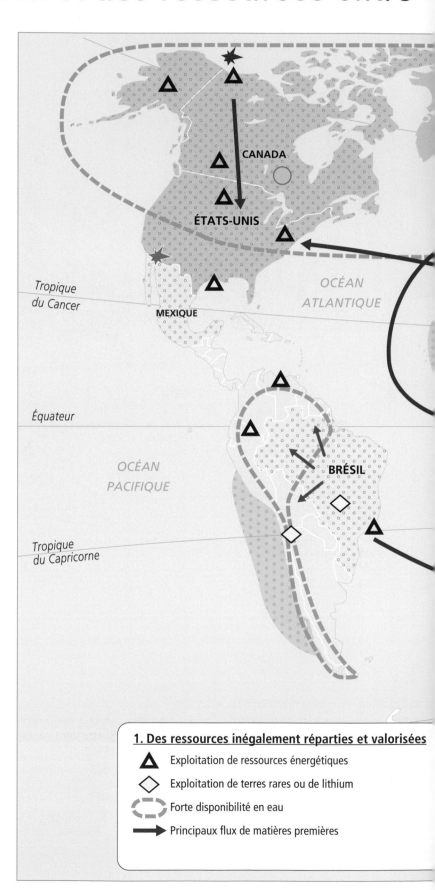

1. Des ressources inégalement réparties et valorisées

△ Exploitation de ressources énergétiques

◇ Exploitation de terres rares ou de lithium

⬭ Forte disponibilité en eau

➤ Principaux flux de matières premières

Questions

1 Localisez les différentes ressources mondiales et les lieux de leur consommation. Pourquoi peut-on parler d'inégalités dans leur répartition et dans leur consommation ?

2 Montrez les effets de l'hyper-exploitation des ressources.

valorisation, pressions et tensions

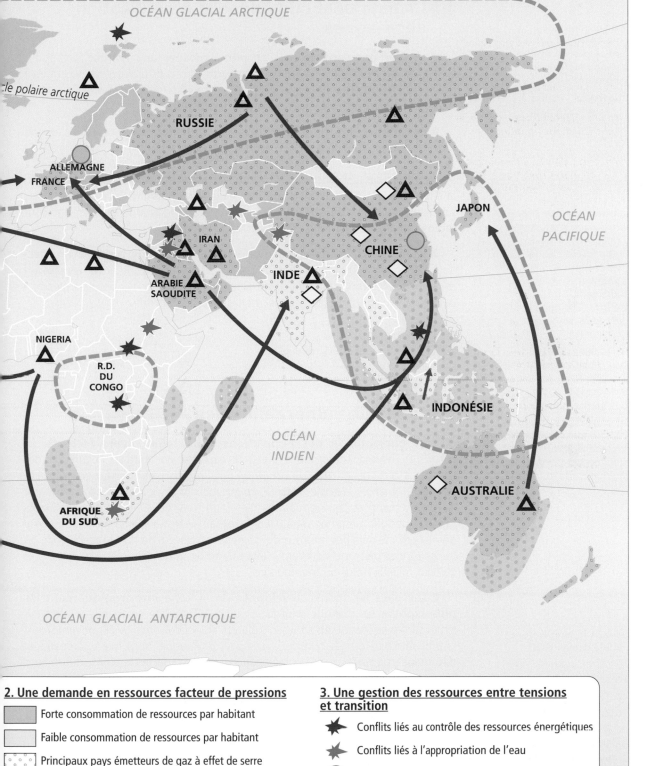

OCÉAN GLACIAL ARCTIQUE

cle polaire arctique

RUSSIE

ALLEMAGNE

FRANCE

JAPON

OCÉAN PACIFIQUE

IRAN

CHINE

INDE

ARABIE SAOUDITE

NIGERIA

R.D. DU CONGO

OCÉAN INDIEN

INDONÉSIE

AUSTRALIE

OCÉAN GLACIAL ANTARCTIQUE

AFRIQUE DU SUD

2. Une demande en ressources facteur de pressions

Forte consommation de ressources par habitant

Faible consommation de ressources par habitant

Principaux pays émetteurs de gaz à effet de serre

Surexploitation des ressources halieutiques

Déforestation

3. Une gestion des ressources entre tensions et transition

★ Conflits liés au contrôle des ressources énergétiques

★ Conflits liés à l'appropriation de l'eau

● Développement des énergies renouvelables

Sources: diverses, 2018.

Podcast du cours

Les sociétés face aux risques

➡ **Comment prévenir et gérer l'intensification des risques liée au changement climatique ?**

1 Changement climatique et amplification des risques

● **Les sociétés sont de plus en plus exposées aux risques.** Les populations concentrées dans les grandes agglomérations littorales sont soumises à des risques naturels dépendant d'**aléas** telluriques (séisme, volcanisme) ou climatiques (tempêtes, cyclones, inondations, sécheresse).

● **Le changement climatique constitue un facteur aggravant.** Le dernier rapport (2018) du Groupe d'experts intergouvernemental sur l'évolution du climat (GIEC) montre une augmentation de la température moyenne sur Terre de 1°C au cours des 130 dernières années. Les événements extrêmes s'intensifient, la répartition des précipitations change, les glaciers fondent, le niveau des mers s'élève. Depuis les années 2000, 165 épisodes d'inondations en moyenne sont recensés chaque année contre 85 dans les années 1990.

● **En parallèle, les risques sanitaires se développent.** Les maladies infectieuses (Ebola, chikungunya, choléra, paludisme) peuvent conduire à des **pandémies** mondiales tandis que les crises alimentaires au sein des pays les plus mal développés (diminution de récoltes) menacent leur stabilité.

ÉTUDE DE CAS L'Arctique ➜ p. 42
ÉTUDE DE CAS Les Alpes ➜ p. 48
DOSSIER Les risques sanitaires ➜ p. 50

2 L'inégale vulnérabilité des sociétés

● **La vulnérabilité des populations varie selon divers facteurs.** Le niveau de développement des États, la capacité politique et technique des sociétés à prévenir et gérer le risque définissent un degré de vulnérabilité. Les activités humaines la renforcent : l'urbanisation et la déforestation accentuent le ruissellement et les inondations. Les industries et les transports polluants rejettent des gaz à effet de serre (GES) favorisant le réchauffement climatique. Ce dernier affecte déjà des littoraux densément peuplés (delta du Mékong, golfe du Bengale), des métropoles (Miami, Jakarta), des cultures sensibles (riz, maïs...) et certains milieux froids ou montagnards.

● **Les pays les moins développés de la zone intertropicale sont les plus exposés.** Le manque d'infrastructures, la pauvreté, les habitats informels situés sur les pentes ou en zones inondables et la défaillance des États renforcent la probabilité de pertes humaines. Les pays développés sont mieux préparés et davantage concernés par la vulnérabilité matérielle (perte de biens, dommages sur les activités).

● **Ainsi, les bilans varient selon le niveau de développement.** 98 % des victimes de **catastrophes** naturelles sont des populations à bas revenus. Ces dernières constituent l'essentiel des 22 millions de déplacés climatiques annuels dans le monde. L'Asie du Sud et du Sud-Est sont les plus concernées.

ÉTUDE DE CAS Le Bangladesh ➜ p. 38
ÉTUDE DE CAS L'Arctique ➜ p. 42
DOSSIER Villes et risques sismiques ➜ p. 52

Vocabulaire

▸ **Aléa** : phénomène à l'origine d'un danger potentiel, plus ou moins fort selon sa fréquence et son intensité.

▸ **Catastrophe** : réalisation d'un risque entraînant des dégâts matériels et/ou humains.

▸ **Pandémie** : diffusion d'une épidémie sur une grande surface et à un grand nombre d'individus.

▸ **Transition énergétique** : passage d'une production et d'une consommation reposant essentiellement sur des énergies fossiles, polluantes et en voie d'épuisement, à un modèle de développement fondé sur les ressources renouvelables.

▸ **Vulnérabilité** : sensibilité globale d'une société face à un ou des aléas. Elle varie selon la capacité d'une société ou des individus à réagir face à un risque.

▸ **V20** : groupe des 20 pays les plus vulnérables au monde face au changement climatique.

Hausse de la température mondiale depuis 1950

En °C

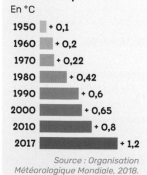

1950	+ 0,1
1960	+ 0,2
1970	+ 0,22
1980	+ 0,42
1990	+ 0,6
2000	+ 0,65
2010	+ 0,8
2017	+ 1,2

Source : Organisation Météorologique Mondiale, 2018.

3 Une gestion des risques en transition

● **Les réponses apportées par les États pour faire face aux risques sont inégales.** À l'image des pays riches, les pays émergents tels que l'Indonésie ou les Philippines, deux États très exposés, intègrent désormais la prévention des risques aux stratégies de développement. Ils sont capables de prévoir les aléas afin de déclencher l'alerte, de cartographier les zones dangereuses afin d'y limiter les constructions. Cependant, les habitants des zones plus denses et plus riches économiquement (zone touristique de Bali) restent mieux préparés que ceux des zones isolées d'un même pays (ville de Palu) comme en témoignent les séries de catastrophes en Indonésie en 2018.

● **La signature de l'accord de Paris (2015) permet de lutter contre le changement climatique.** Adopté par 195 États lors de la COP 21 (*Conference of the Parties*), il définit un plan d'action international visant à maintenir le réchauffement planétaire largement en dessous de 2 °C. La Convention mondiale des maires pour le climat et l'énergie réunissant 7 400 villes de 121 pays a confirmé cet engagement dans la transition énergétique.

● **Les intérêts économiques des grandes puissances restent un frein à la lutte contre le réchauffement climatique.** Le scepticisme climatique américain affiché à la COP24 (2018) comme les hausses continues d'émission de gaz à effet de serre, en particulier au sein des pays émergents, montrent que les rapports de force restent encore défavorables aux pays les plus vulnérables qui s'associent dans le groupe du **V20**.

ÉTUDE DE CAS Le Bangladesh → p. 38
DOSSIER Villes et risques sismiques → p. 52

Nombre de catastrophes naturelles depuis 1980

Année	Nombre
1980	250
1990	380
2000	520
2010	660
2017	730

Sources : NatCatService, Munich RE, Science Po, Atelier de cartographie, 2018.

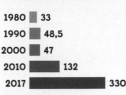

Coût des catastrophes naturelles depuis 1980
En milliards de dollars

Année	Coût
1980	33
1990	48,5
2000	47
2010	132
2017	330

Source : EM-DAT (The Emergency Events Database), Université catholique de Louvain (UCL), 2018.

Notions clés

▶ Changement climatique p. 85
▶ Risques p. 87

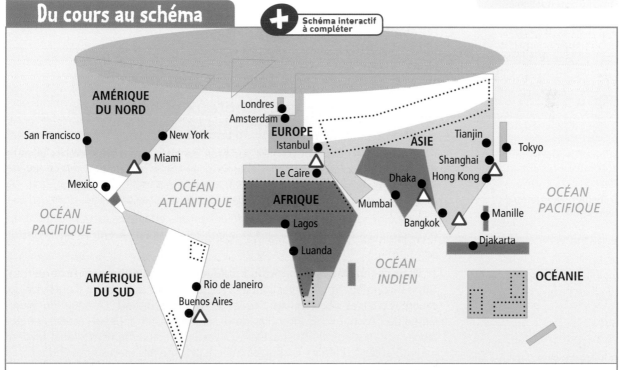

Du cours au schéma

Schéma interactif à compléter

1. Des environnements menacés

● Principales villes vulnérables au changement climatique

⬚ Zone menacée de désertification

△ Grand delta densément peuplé

⬭ Dégel de l'Arctique, fonte du pergélisol

2. L'inégale vulnérabilité des populations face aux aléas naturels

Très faible | Faible | Moyenne | Forte à très forte

Des ressources majeures sous pression : tensions, gestion

➡️ **Pourquoi la croissance des besoins en ressources renforce-t-elle les pressions et les tensions ?**

1 Le défi de l'approvisionnement durable en ressources

● **Les besoins mondiaux en ressources sont croissants mais inégaux.** Depuis 1950, la consommation mondiale d'énergie a quadruplé et les prélèvements d'eau ont triplé. Cela s'explique non seulement par les évolutions démographiques mais aussi par la croissance économique et l'augmentation globale des niveaux de vie. Les besoins alimentaires pèsent sur la ressource en eau, surtout dans les zones agricoles irriguées (Asie centrale).

● **La Terre présente des milieux plus ou moins dotés en ressources.** Les milieux polaires et équatoriaux offrent les plus grands stocks d'eau. Les grands fleuves et les montagnes ont un fort potentiel hydroélectrique. Les énergies fossiles proviennent de gisements d'hydrocarbures (États-Unis, Canada, Russie, Moyen-Orient) ou de charbon (Chine, Inde, États-Unis, Australie). Les forêts tropicales, montagnardes et arctiques sont exploitées pour leur bois.

● **Les sociétés sont inégales face à l'accès aux ressources.** Les plus pauvres dépendent encore de la biomasse pour répondre à leurs besoins (bois en Afrique subsaharienne) alors que les pays riches développent des technologies pour exploiter de nouvelles ressources (pétrole et gaz de schiste, dessalement d'eau de mer, lithium) ou pour compenser leur rareté (nucléaire). L'éloignement entre les ressources et les grands foyers de consommation alimente la mondialisation des échanges de matières premières.

ÉTUDE DE CAS La forêt amazonienne → p. 44
DOSSIER L'eau : une ressource, des menaces → p. 54

2 Des milieux continentaux et maritimes de plus en plus fragilisés

● **La transformation par les sociétés de leurs environnements génère des pressions croissantes.** Les retenues liées aux grands barrages inondent de vastes surfaces, y compris des forêts (Amazonie, Congo). L'exploitation des sables bitumineux et du gaz de schiste dévaste des milieux fragiles (États-Unis, Canada). La surpêche entraîne la raréfaction de certaines espèces (le thon). La consommation d'énergies fossiles et la déforestation favorisent les émissions de gaz à effet de serre.

● **Le changement climatique bouleverse les équilibres environnementaux.** Il contribue à la raréfaction de l'eau et à la désertification (Sahel), ce qui expose certaines sociétés au risque de pénurie d'eau (Afrique du Nord, Corne de l'Afrique). Les incendies détruisent de vastes zones forestières et leur biodiversité (Californie, Australie). À l'inverse, le réchauffement global favorise parfois l'accès à d'autres ressources (suite à la fonte des glaces en Arctique).

● **La transition énergétique est inégalement engagée.** Différents acteurs s'efforcent de réduire leur empreinte écologique en développant les énergies renouvelables (géothermie en Islande, éolien au Danemark, énergie solaire en Allemagne). Cependant, des oppositions demeurent entre défenseurs de la croissance à tout prix, partisans du développement durable et militants de la décroissance.

ÉTUDE DE CAS L'Arctique → p. 42

Vocabulaire

▶ **Biomasse :** ensemble des matières organiques utilisables comme sources d'énergie (bois, tourbe, matières premières agricoles).

▶ **Conflit d'usage :** rivalités entre les différents usagers d'un même territoire ou d'une même ressource pour son appropriation, son exploitation ou sa gestion.

▶ **Empreinte écologique :** mesure créée par l'ONG WWF pour déterminer la pression exercée par les sociétés sur la planète (en hectare par personne).

▶ **Énergie fossile :** énergie qui provient de la décomposition de végétaux (charbon) ou de planctons (hydrocarbures : pétrole et gaz).

▶ **Énergie renouvelable :** énergie existant en quantité illimitée fournie par le soleil (énergie solaire), le volcanisme (géothermie) et les grands cycles terrestres (biomasse, énergies hydraulique et éolienne).

▶ **Pénurie d'eau :** situation d'insuffisance en eau caractérisée par une disponibilité inférieure à 1000 m³ par an et par habitant.

▶ **Transition énergétique :** → voir p. 60.

Les trois principaux pays consommateurs d'énergie dans le monde, en tonnes d'équivalent pétrole par habitant et par an

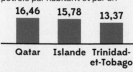

16,46	15,78	13,37
Qatar	Islande	Trinidad-et-Tobago

Source : Agence Internationale de l'énergie, 2018.

3 Une gestion des ressources facteur de tensions croissantes

● **L'appropriation des ressources constitue un enjeu de puissance.** L'indépendance énergétique est une arme économique pour les producteurs d'hydrocarbures (Russie) vis-à-vis de leurs clients (Ukraine). Les revenus liés au commerce des ressources participent parfois au financement de guérillas (minerais au Congo), du terrorisme (pétrole en Libye et en Syrie) ou à l'enrichissement personnel de dirigeants politiques (pétrole au Kazakhstan, diamants en Angola).

● **L'appropriation des ressources s'avère parfois conflictuelle.** Dans un contexte de raréfaction des ressources non renouvelables, les gisements d'hydrocarbures et les terres rares suscitent les convoitises. Les potentialités offertes par les fonds marins motivent la conquête de nouveaux territoires (mer de Chine, océan Arctique). L'eau se trouve au cœur de tensions internationales (Turquie/Syrie, États-Unis/Mexique, Éthiopie/Égypte) et locales (conflits d'usage en Espagne et en Tunisie).

● **Certains États défendent une gestion durable des ressources.** Les quotas de pêche visent à limiter la pression sur la ressource halieutique, notamment dans l'Union européenne. Les périmètres de protection cherchent à concilier les activités économiques avec la préservation de l'environnement et le développement des sociétés locales (parcs nationaux au Costa Rica). Cependant, des mouvements armés revendiquent une meilleure répartition des ressources lorsque les revenus de leur exploitation ne sont pas équitablement répartis (pétrole au Nigeria).

ÉTUDE DE CAS L'Arctique → p. 42
ÉTUDE DE CAS La forêt amazonienne → p. 44
DOSSIER L'eau : une ressource, des menaces → p. 54

Les trois principaux pays consommateurs d'eau par habitant, en m³ par an

5 753 — Irak
2 646 — Turkménistan
2 222 — Guyana

Source : Fao (Aquastat), 2018.

La répartition des prélèvements en eau par type d'utilisation
En % du total prélevé

Agriculture 70
Industrie 19
Domestique 11

Source : Fao (Aquastat), 2018.

Notions clés

▶ Environnement   p. 86
▶ Milieu   p. 86
▶ Ressources   p. 85

THÈME ❶
SE PRÉPARER
MONDE
FRANCE
RÉVISER

Du cours au schéma

➕ Schéma interactif à compléter

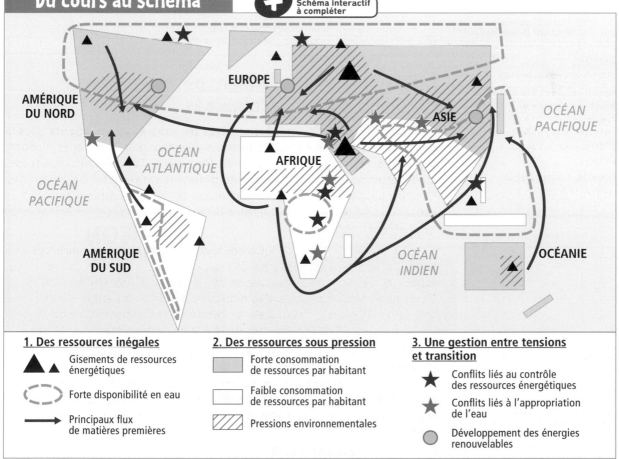

AMÉRIQUE DU NORD
EUROPE
ASIE
OCÉAN PACIFIQUE
OCÉAN ATLANTIQUE
AFRIQUE
OCÉAN PACIFIQUE
OCÉAN INDIEN
OCÉANIE
AMÉRIQUE DU SUD

1. Des ressources inégales

▲▲ Gisements de ressources énergétiques

⌇ Forte disponibilité en eau

→ Principaux flux de matières premières

2. Des ressources sous pression

▢ Forte consommation de ressources par habitant

▢ Faible consommation de ressources par habitant

▨ Pressions environnementales

3. Une gestion entre tensions et transition

★ Conflits liés au contrôle des ressources énergétiques

★ Conflits liés à l'appropriation de l'eau

● Développement des énergies renouvelables

Les enjeux de la transition environnementale dans la bande dessinée

La bande dessinée est un genre mêlant images et texte. De nombreux auteurs dessinent les inquiétudes environnementales : leurs ouvrages sont parfois humoristiques, parfois sombres, sous forme de sketchs ou de véritables enquêtes.

→ **Comment la bande dessinée aborde-t-elle les enjeux de la transition environnementale ?**

Le saviez-vous ?

▶ *Les Amours écologiques du Bolot occidental* de Claire Bretécher est l'une des premières bandes dessinées à aborder les enjeux environnementaux dans les années 1970, en évoquant avec humour les conséquences des émissions de CO_2.

DANS CES RÉGIONS,[1] LES PRÉCIPITATIONS SONT CRUCIALES POUR LA PRODUCTION AGRICOLE ET LA SÉCURITÉ ALIMENTAIRE DES POPULATIONS.

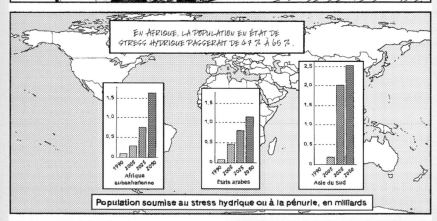

EN AFRIQUE, LA POPULATION EN ÉTAT DE STRESS HYDRIQUE PASSERAIT DE 47 % À 65 %.

Afrique subsaharienne
États arabes
Asie du Sud

Population soumise au stress hydrique ou à la pénurie, en milliards

AUJOURD'HUI 1,7 MILLIARD DE PERSONNES, SOIT UN TIERS DE LA POPULATION MONDIALE, SOUFFRENT DE STRESS HYDRIQUE.

ELLES POURRAIENT ÊTRE 5 MILLIARDS EN 2025.

1 *Saison Brune*, Philippe Squarzoni (2012)

Planche de *Saison Brune*, Intégrale, éditions Delcourt, 2012.

Philippe Squarzoni propose une « bande dessinée de reportage ». Fruit d'une enquête sur le changement climatique, il écrit à la première personne et interviewe au fil des pages des climatologues, des scientifiques, des journalistes...

1 L'Afrique de l'Ouest et l'Asie.

Philippe Squarzoni
SAISON BRUNE

2 *Toxic Planet*, David Ratte (2012)

David Ratte, « Brazil », *Toxic Planet*, Intégrale, éditions Paquet, 2012.

L'auteur David Ratte nous plonge dans une époque où le port du masque à gaz est devenu obligatoire, la planète étant couverte de déchets toxiques.

3 Images et sensibilisation aux enjeux environnementaux

Selon ce qui est représenté sur un visuel, les émotions varient. Sans surprise, les causes et leurs incidences sur l'environnement provoquent des émotions à portée négative : colère, dégoût, peur, mépris, tristesse et culpabilité. Les solutions provoquent quant à elles de la joie, de l'intérêt et de la surprise. Les visuels faisant appel à l'humour suscitent également un grand intérêt, mais sans pour autant inciter à agir. Ce sont les images-chocs qui suscitent le moins d'intérêt.

On le comprend, toutes les émotions ne conduisent pas aux mêmes envies en termes d'action. Pour une même action, l'envie de s'impliquer ne sera donc pas la même si l'on est joyeux ou en colère. Les émotions négatives incitent davantage à l'action individuelle quand les émotions positives donnent envie d'en parler, de les partager.

L'émetteur de la communication doit donc, en fonction de ses objectifs, s'attacher à susciter des émotions adaptées aux comportements ciblés : des émotions positives pour donner envie de s'informer, entraîner les autres ; des émotions négatives pour susciter l'envie d'agir.

Après plus d'un quart de siècle d'information et de sensibilisation, tous les individus ne montrent pas le même niveau d'intérêt et d'implication vis-à-vis des enjeux environnementaux ; il est temps aujourd'hui d'affiner les choix en fonction de la cible visée.

Mickaël Dupré, « Quelles images pour sensibiliser aux enjeux du changement climatique ? », *The Conversation* [en ligne], 27 août 2017.

Questions

Présenter les documents

1 Relevez les préoccupations environnementales abordées dans ces deux bandes dessinées. **doc. 1 et 2**

Analyser les documents

2 Comparez les techniques artistiques de ces bandes dessinées. **doc. 1 et 2**

3 Expliquez la démarche proposée par ces deux artistes pour sensibiliser leurs lecteurs aux enjeux de la transition environnementale. Laquelle vous semble la plus efficace ? **doc. 1 à 3**

Faire le lien avec la géographie

4 Que nous apprennent ces deux extraits de bande dessinée sur les enjeux de la transition environnementale ? **doc. 1 à 3**

▶ **C'est à** **vous !** ➕ **Aide et conseils**

→ Réalisez une planche de bande dessinée sur l'une des trois questions suivantes :
– La vie sur une planète à risques
– La vie sur une planète sans eau
– La vie sur une planète sans pétrole

Sociétés et environnements : des équilibres fragiles EN FRANCE

➡ **La France : des milieux métropolitains et ultramarins entre valorisation et protection**

Le territoire français présente une grande diversité de milieux naturels, en métropole et en outre-mer. Les ressources variées de ces milieux ont souvent conduit à des mises en valeur excessives, qui ont pu rendre les populations vulnérables aux aléas. Une gestion concertée entre les différents acteurs est nécessaire pour trouver un équilibre entre valorisation et protection des milieux.

SOMMAIRE

➕ **Dans ce chapitre**

🖨 **TOUS LES TEXTES** en version à imprimer

📱 **TOUTES LES CARTES** en version interactive

Zoom sur...

▶ **le parc national de la Vanoise**

Date de création	1963
Superficie totale	741 km²
Altitude maximale	3 855 m (La Grande Casse)
400 km de sentiers balisés	

Randonneurs dans le parc national de la Vanoise, 2017.

FRANCE

Parc national
de la Vanoise

THÈME 1

SE
PRÉPARER

MONDE

FRANCE

RÉVISER

La Corse : un milieu insulaire entre valorisation et protection

Zoom sur...

▶ la Corse

Superficie	8 680 km² (4ᵉ île de Méditerranée derrière la Sicile, la Sardaigne et Chypre)
Population	330 500 habitants
Densité de population	38 hab./km²
Croissance annuelle moyenne de la population	+1 % entre 2011 et 2016 (0,4 % en France métropolitaine)

Source : Insee, 2018.

➡ **Comment valoriser la Corse tout en assurant sa protection ?**

A Un milieu aux ressources valorisées

FRANCE

Corse

1 Un modèle économique en transition

La dépense des touristes dans l'île représente près d'un tiers du PIB régional, quatre fois plus que la moyenne des régions continentales. Le nombre de touristes en Corse en 2017 dépasse trois millions. La clientèle se compose sur l'année de 73 % de voyageurs français et 27 % de voyageurs étrangers. [...] Conséquence du poids du tourisme dans l'économie, qui génère 10,6 % des emplois directs, l'emploi en Corse varie fortement selon la saison.

Les potentiels de développement de la filière touristique sont importants : l'île bénéficie d'une nature préservée et d'espaces naturels remarquables, de sites balnéaires comme d'un intérieur propice au tourisme nature, d'une forte identité, et de son climat méditerranéen. Depuis peu, elle est considérée comme une destination sûre, au moment où beaucoup d'autres destinations concurrentes de la Méditerranée sont délaissées du fait des risques sécuritaires perçus. [...]

L'Agence du tourisme de la Corse (ATC) propose que « l'orientation des politiques publiques vise à moyen terme la transformation vertueuse du territoire en destination touristique durable par un processus de transition écologique, numérique et réglementaire. Le projet est fondé sur la conciliation d'une croissance touristique et de la protection de la ressource dans un territoire fragile ; et le positionnement de la Corse en tant que destination préservée, d'île verte en Méditerranée ».

Pour une économie corse du XXIᵉ siècle : propositions et orientations, Inspection générale des finances (IGF), octobre 2018.

Vidéo

2 Le plus puissant barrage EDF de Corse au Rizzanese (Corse du Sud)

L'énergie hydraulique en Corse, à l'image du barrage du Rizzanese (inauguré en 2013), est la première source d'énergie renouvelable.

Vocabulaire

▶ **Labellisation** : processus de reconnaissance de la qualité d'un produit ou de certification de son origine géographique au moyen d'un label.

3 La Corse, une île montagneuse aux ressources valorisées

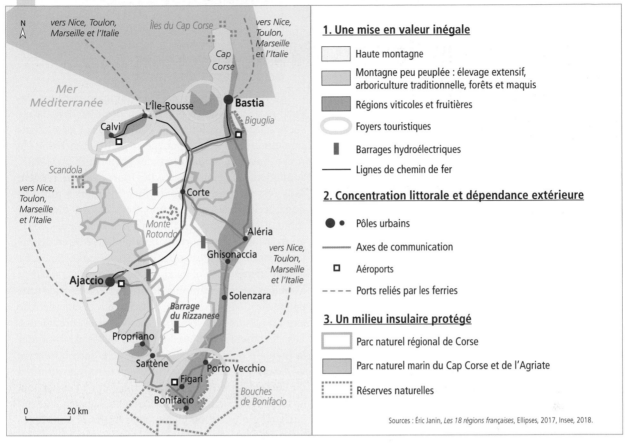

1. Une mise en valeur inégale

- Haute montagne
- Montagne peu peuplée : élevage extensif, arboriculture traditionnelle, forêts et maquis
- Régions viticoles et fruitières
- Foyers touristiques
- Barrages hydroélectriques
- Lignes de chemin de fer

2. Concentration littorale et dépendance extérieure

- ● ● Pôles urbains
- Axes de communication
- ▢ Aéroports
- ---- Ports reliés par les ferries

3. Un milieu insulaire protégé

- Parc naturel régional de Corse
- Parc naturel marin du Cap Corse et de l'Agriate
- Réserves naturelles

Sources : Éric Janin, *Les 18 régions françaises*, Ellipses, 2017, Insee, 2018.

Lien vers le site

LA CLÉMENTINE DE CORSE
EN 6 POINTS CLÉS

94% DES CLÉMENTINES DE CORSE COMMERCIALISÉES SOUS IGP

26 588 TONNES COMMERCIALISÉES SOUS IGP (DONT 17 TONNES EN LABEL ROUGE)

1 432 HECTARES PLANTÉS

23 STATIONS DE CONDITIONNEMENT

590 000 CLÉMENTINIERS SUR L'ÎLE

30 600 TONNES RÉCOLTÉES

zoom
À quoi reconnaît-on une Clémentine de Corse ?
À son «petit cul vert» et ses longues feuilles vertes et effilées

4 La clémentine de Corse : une production locale labellisée

L'Association pour la promotion et la défense de la Clémentine de Corse (APRODEC) gère et défend l'Indication Géographique Protégée (IGP) « Clémentine de Corse » obtenue en 2007 et le signe de qualité « Label Rouge » obtenu en 2014.

Questions

Itinéraire 1

Décrire et expliquer

1. Décrivez les ressources dont dispose la Corse. **doc. 1 à 4**
2. Par quels aménagements la Corse est-elle valorisée ? **doc. 2 et 3**
3. Identifiez les acteurs qui participent à la mise en valeur de la Corse. **doc. 1 à 4**
4. Expliquez comment les potentialités de la Corse sont valorisées. **doc. 1 à 4**

ou

Itinéraire 2

Réaliser un croquis de synthèse 1/2

- À l'aide des documents, sélectionnez les informations correspondant aux thèmes suivants :
  1. De nombreuses ressources valorisées
  2. De multiples acteurs au service du développement
  3. Des disparités territoriales variées
- Regroupez les informations qui renvoient au même thème.
- Sélectionnez les informations cartographiables.
- Attribuez un figuré cartographique à chacune de ces informations.

Étude de cas — La Corse : un milieu insulaire entre valorisation et protection

B Un milieu vulnérable

+ Lien vers le site

COMMUNE D'AJACCIO
CORSE DU SUD

Inondation — Tempête — Submersion marine — Feux de forêt

Risques Industriels — Transports de matières dangereuses — Mouvement de terrain — Rupture de barrage — Séisme

En cas de **danger** ou d'**alerte**

1. **abritez-vous**
   mettite vi à l'appumessu / take shelter / resguardese

2. **écoutez la radio**
   state à sente a radiu / listen to the radio / escuche la radio

France Bleu Frequenza Mora	**97.0** et **100.5** MHz
Alta Frequenza	**103.2** MHz
Corsica Radio	**107.2** MHz

3. **respectez les consignes**
   rispittate e cunsigne / follow the instructions / respete las consignas

   ➢ **n'allez pas chercher vos enfants à l'école**
   ùn andate micca à circà i zitelli à a scola
   don't seek your children at school / no vaya a buscar a sus niños a la escuela

Pour en **savoir plus**, consultez à la mairie ou sur le site internet de la Ville d'Ajaccio : le Dossier d'Information Communal sur les Risques Majeurs (DICRIM) www.ajaccio.fr

Mairie d'AJACCIO - Direction Générale des Services Techniques
6 boulevard Lantivy - 20 000 AJACCIO - Tel : 04 95 51 52 74
Email : risquesmajeurs@ville-ajaccio.fr

5 La Corse, un territoire exposé à de multiples risques

Document d'Information Communal sur les Risques Majeurs (DICRIM) [en ligne], Ajaccio, 2019.

6 Des espèces victimes du tourisme de masse

Alerte espèce menacée : le balbuzard pêcheur, rapace protégé, a vu sa population décliner dans la réserve naturelle nationale de Scandola en Corse. Dans une étude scientifique publiée ce 17 décembre dans la revue *Animal Conservation*, des chercheurs du CNRS[1] soulignent le fait que les activités touristiques dérangent sans cesse les oiseaux, notamment de mars à juin lors de la période de reproduction. Le trafic des bateaux à moteur, qui s'approchent jusqu'à 250 mètres des côtes, est trois fois plus important dans la réserve qu'en dehors avec plus de 400 bateaux par jour en période estivale. Le comportement des oiseaux adultes s'est ainsi modifié : les mâles apportent moins de proies dans les nids (une baisse de 50 % dans la zone) et les femelles s'éloignent de leurs poussins pour observer les potentiels prédateurs. Les chercheurs soulignent l'importance de modifier la manière dont l'écotourisme est géré dans la réserve de Scandola, qui fait partie du patrimoine mondial de l'Organisation des Nations unies pour l'éducation, la science et la culture (Unesco). Des scientifiques ont également observé un phénomène similaire dans la réserve corse : les poissons se déplacent vers d'autres parties de l'île. La population des mérous et des corbs a par exemple diminué de 60 %. En cause, comme pour les oiseaux, le bruit généré par la sur-fréquentation du site et les bateaux à moteur. La réserve de Scandola pourrait être ainsi retirée de la liste du patrimoine mondial de l'Unesco si sa biodiversité continue à se dégrader.

Gaétan Lebrun, « Les oiseaux de la réserve de Scandola en Corse menacés par le tourisme de masse », *Geo.fr*, 19 décembre 2018.

1 Le Centre national de la recherche scientifique (CNRS) est le plus grand organisme français de recherche scientifique.

7 Une plage fréquentée par les touristes

Plage de Roccapina (Corse du Sud), 2018.

C Un milieu à protéger

8 Les dispositifs de protection des espaces naturels en Corse

	Nombre	Superficie (ha)	Acteur/Tutelle
Réserves naturelles de Corse	7	87 000	Collectivité territoriale
Parc naturel régional de Corse	1	455 800	État, région, communes
Parc naturel marin du Cap Corse et de l'Agriate	1	684 100	État
Terrains acquis par le Conservatoire du littoral	70	20 300	État
Réseau Natura 2000 (→ voir p. 78)	88	136 840	UE/ État
Zones humides d'importance internationale (Ramsar) (→ voir p. 77)	5	3 100	UICN/Unesco
Réserve de biosphère (MAB)	1	26 900	Unesco
Site Unesco du golfe de Porto, Scandola	1	11 900	Unesco

D'après les données de l'Insee, « La Corse en bref », *Insee Dossier Corse*, n° 12, 17 décembre 2018.

9 La protection du littoral corse

Le littoral corse est vaste et varié ; il présente une grande richesse écologique et paysagère qui constitue un vecteur d'attractivité démographique et touristique, donc de développement économique, mais qui est cependant vulnérable. Afin de préserver et de valoriser ce capital sur le long terme, la loi « Littoral » du 3 janvier 1986 définit un cadre permettant d'y assurer de façon durable une urbanisation maîtrisée et en profondeur par rapport au rivage, pour limiter la propagation linéaire des constructions le long des côtes, et la préservation des sites, milieux et paysages les plus remarquables ou fragiles. La croissance démographique et le dynamisme touristique de l'île sont récents et concentrés sur le littoral ; ils ont induit un développement important et soudain de l'urbanisation littorale, dans une région encore assez rurale, où les démarches de planification urbaine ont été engagées tardivement et presque exclusivement à l'échelle communale. Aussi, face aux difficultés, qui non seulement entravent le développement des communes, mais aussi empêchent d'assurer convenablement la protection des espaces et milieux naturels remarquables ou fragiles du littoral, les élus de l'Assemblée de Corse ont exprimé la nécessité de préciser, dans le cadre du PADDUC[1], les modalités d'application de la loi « Littoral » au regard des particularités géographiques locales, afin d'aider les collectivités locales à développer durablement leurs territoires.

PADDUC, 2 octobre 2015.

1 Le Plan d'aménagement et de développement durable de la Corse (PADDUC) est un plan spécifique pour définir l'aménagement de l'île, préparé par l'Assemblée de Corse.

Questions

Itinéraire 1

Décrire et expliquer

5 Quels facteurs de risques pèsent sur ce milieu insulaire ? **doc. 5 à 7**

6 Décrivez les mesures mises en œuvre pour protéger l'environnement corse. **doc. 8 et 9**

7 Expliquez pourquoi les milieux qui composent la Corse sont à protéger. **doc. 6, 7 et 9**

Synthétiser et argumenter

8 Montrez comment la Corse valorise ses milieux tout en assurant leur protection. **doc.1 à 9**

ou

Itinéraire 2  Fond de carte

Réaliser un croquis de synthèse 2/2

- À l'aide des documents, poursuivez le travail engagé dans l'itinéraire précédent (p. 69) et sélectionnez les informations correspondant aux thèmes suivants :

    4. Un territoire soumis à de multiples risques

    5. Diverses mesures de protection des espaces naturels

- Regroupez les informations qui renvoient au même thème.

- Sélectionnez les informations qui vous semblent cartographiables.

- Attribuez un figuré cartographique à chacune de ces informations.

- Réalisez le croquis à l'aide du fond de carte.

Gérer les risques en France

→ **Quels sont les acteurs et outils de la gestion des risques en France ?**

1 La prévention du risque tsunami en Guadeloupe

Extrait d'une fiche d'informations de la Direction de l'environnement, de l'aménagement et du logement (DEAL), [en ligne], Guadeloupe, juillet 2018.

2 L'enjeu de la réduction de la vulnérabilité
Parole de géographes

Il est maintenant admis, au moins dans la communauté scientifique et chez les gestionnaires, que les mesures structurelles telles que les digues ou les barrages ont des effets pervers et qu'elles ne doivent pas constituer le seul rempart contre les crues. L'accent est mis sur la réduction des vulnérabilités à la suite des injonctions internationales. En France, depuis 2011, les Programmes d'Action et de Prévention des Inondations (PAPI) intègrent obligatoirement un axe « réduction de la vulnérabilité ». Au sens large du terme, la réduction de la vulnérabilité a pour objectif d'agir sur les biens, les personnes, les territoires… afin de renforcer leur capacité de résistance face aux catastrophes et d'en diminuer les impacts. Ces mesures concernent aussi bien le renforcement du bâti que la préparation à la gestion de crise en passant par l'amélioration de la conscience du risque et la connaissance des gestes préventifs.

F. Vinet, F. Leone, G. Lahache et P. Cancel, « La protection du bâti individuel et des commerces contre l'inondation. Opportunités et obstacles », *Norois*, n° 236, 2015.

3 Le Plan de prévention des risques technologiques (PPRT) de la vallée de la chimie (Auvergne-Rhône-Alpes)

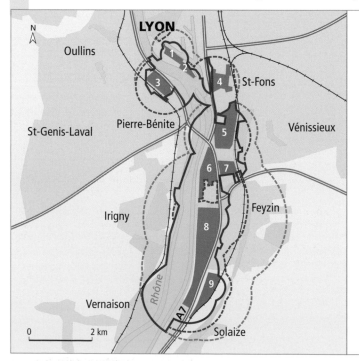

1. La diversité des espaces
- Espaces urbanisés
- Espaces ruraux
- Espaces verts ou naturels
- Principaux axes routiers
- Axes ferroviaires

2. Les sites Seveso de la vallée de la chimie
1. Dépôt Pétrolier de Lyon / Entrepôts Pétroliers de Lyon
2. Stockages Pétroliers du Rhône
3. Arkema
4. Rhodia
5. Kem One
6. Rhodia
7. Bluestar
8. Total Raffinage
9. Rhône Gaz

3. Le zonage réglementaire de l'urbanisation future dans le PPRT
- Principe d'interdiction
- Principe de non-densification
- Principe d'autorisation (sauf ERP[1] difficilement évacuables)

1. Établissement recevant du public

Source : DREAL (Direction régionale de l'environnement, de l'aménagement et du logement) Auvergne Rhône Alpes, 2019.

4 À Romorantin, le quartier Matra a résisté à la crue

Frappée par des inondations sans précédent, Romorantin a tout de même enregistré un motif de satisfaction : le nouveau quartier Romo 1, sur l'ancienne friche Matra, en pleine zone inondable, a plutôt bien résisté.

Avec ses immeubles surélevés, ses parkings ouverts et ses circulations d'eau, cet ensemble de 150 logements, aménagé entre 2010 et 2016 au bord de la rivière, a été pensé pour être résilient[1] en cas de crue.

Le secteur n'a pas échappé à la montée des eaux. Mais les logements sont restés au sec, et seules les parties communes les plus basses ont été inondées. « Le but n'était pas d'empêcher l'eau de passer, en érigeant par exemple une digue, qui, dans le cas présent, aurait été submergée, explique l'architecte Éric Daniel-Lacombe. Au contraire, tout a été conçu pour permettre aux habitants de voir l'eau monter par paliers et leur donner le temps de s'organiser. » Les pensionnaires de la résidence senior ont ainsi pu être évacués dans le calme, à titre préventif. Autre avantage, le retrait des eaux a été très rapide, dans les 24 heures qui ont suivi le pic de crue, avec à la clé des dégâts bien moins importants qu'ailleurs. Et des habitants moins traumatisés.

Christine Berkovicius, *Le Moniteur*, 17 juin 2016.

1 Capacité d'un système à retrouver son état initial après une crise ou une catastrophe.

Lien vers le site

FEUX DE FORÊT
LES PRÉVENIR ET S'EN PROTÉGER

1 feu sur 2 est la conséquence d'une imprudence

NI FEU NI BARBECUE aux abords des forêts

PAS DE CIGARETTE en forêt ni de mégot jeté par la fenêtre de ma voiture

PAS DE TRAVAUX SOURCE D'ÉTINCELLES les jours de risque d'incendie

PAS DE COMBUSTIBLE CONTRE LA MAISON bois, fuel, butane...

TÉMOIN D'UN DÉBUT D'INCENDIE, JE DONNE L'ALERTE en localisant le feu avec précision

112 Urgences
18 Pompiers

JE ME CONFINE DANS MA MAISON elle est mon meilleur abri

RESTEZ À L'ÉCOUTE DES CONSIGNES DES AUTORITÉS
#attentionfeuxdeforet

attention-feux-foret.gouv.fr

MINISTÈRE DE L'INTÉRIEUR
MINISTÈRE DE LA TRANSITION ÉCOLOGIQUE ET SOLIDAIRE
MINISTÈRE DE L'AGRICULTURE ET DE L'ALIMENTATION

5 Campagne nationale de sensibilisation et de prévention du risque incendie

Affiche du ministère de la Transition écologique et solidaire, juillet 2018.

Vocabulaire

▶ **Plan de prévention des risques (PPR) :** document d'urbanisme émanant de l'autorité étatique qui vise à limiter l'exposition aux risques majeurs en informant, en organisant les secours et en réglementant l'utilisation des sols d'une commune.

▶ **Vulnérabilité :** expression du niveau d'exposition à un aléa. Elle est variable selon la capacité de la société ou des individus à réagir face à un risque et dépend de facteurs sociaux, économiques, culturels, historiques et politiques. Les lieux de forte concentration de population présentent une vulnérabilité élevée.

Questions

Itinéraire 1

Décrire et expliquer

1 Décrivez les différents risques présentés dans les documents. **doc. 1 à 5**

2 Expliquez ce qu'apporte la prise en compte de la vulnérabilité à la gestion des risques. **doc. 2**

3 Identifiez les mesures de prévention des risques mises en œuvre en France. **doc. 1 à 5**

4 Relevez les différents acteurs intervenant dans la gestion des risques en France et décrivez leurs rôles. **doc. 1, 2, 4 et 5**

ou

Itinéraire 2

Méthode pas à pas

Rédiger un article

Rédigez un article pour le journal du lycée sur la question de la gestion des risques dans votre commune.

• Effectuez des recherches pour déterminer les risques auxquels votre commune est exposée.

• Évoquez les différents acteurs intervenant dans la gestion de ces risques et présentez les mesures de prévention adoptées.

Les parcs naturels marins : des espaces de protection concertés

Parcs naturels marins français

➡️ **En quoi les parcs naturels marins sont-ils des espaces de protection concertés ?**

1 Le parc naturel marin du Bassin d'Arcachon

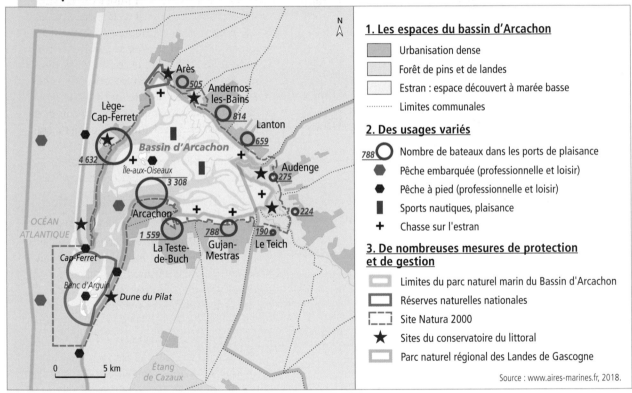

1. Les espaces du bassin d'Arcachon

- Urbanisation dense
- Forêt de pins et de landes
- Estran : espace découvert à marée basse
- Limites communales

2. Des usages variés

- *788* ⭕ Nombre de bateaux dans les ports de plaisance
- ⬢ Pêche embarquée (professionnelle et loisir)
- ⬣ Pêche à pied (professionnelle et loisir)
- ▮ Sports nautiques, plaisance
- ✚ Chasse sur l'estran

3. De nombreuses mesures de protection et de gestion

- Limites du parc naturel marin du Bassin d'Arcachon
- Réserves naturelles nationales
- Site Natura 2000
- ★ Sites du conservatoire du littoral
- Parc naturel régional des Landes de Gascogne

Source : www.aires-marines.fr, 2018.

2 La composition du conseil de gestion du parc naturel marin de Martinique

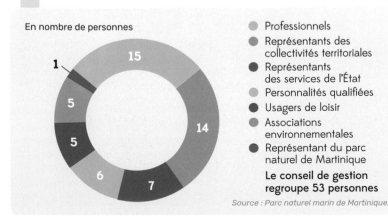

En nombre de personnes

- Professionnels
- Représentants des collectivités territoriales
- Représentants des services de l'État
- Personnalités qualifiées
- Usagers de loisir
- Associations environnementales
- Représentant du parc naturel de Martinique

Le conseil de gestion regroupe 53 personnes

Source : Parc naturel marin de Martinique.

Vocabulaire

▶ **Concertation** : conduite de projets impliquant une négociation avec des acteurs multiples préparant en amont la prise de décision par les pouvoirs publics.

▶ **Conseil de gestion** : instance locale composée de représentants de tous les groupes d'acteurs concernés (élus, représentants de l'État, pêcheurs, professionnels, plaisanciers, associations environnementales, scientifiques…) qui définit et met en œuvre la politique du parc naturel marin.

3 Une action de sensibilisation auprès du grand public

Affiche du parc naturel marin des Estuaires picards et Mer d'Opale, juillet 2017.

4 Un processus qui s'inscrit dans la durée et la proximité

Créé le 28 septembre 2007 en mer d'Iroise, à la pointe Bretagne, le premier parc naturel marin français est né de la volonté de protéger l'environnement maritime et d'améliorer sa connaissance, tout en permettant le développement d'activités économiques durables. La gestation de cette structure, administrée par un Conseil réunissant tous les acteurs concernés par ce milieu sensible, fut très longue, partisans et détracteurs s'opposant vivement pendant une quinzaine d'années. Puis, finalement, sa création a été décidée et, après 10 ans de retour d'expérience, l'initiative apparaît comme une réussite et a fait des émules. [...] Pour François Boileau, directeur délégué du parc, « le premier succès fut de parvenir à faire travailler le conseil de gestion, qui regroupe des personnes issues de toutes les sensibilités du monde maritime et paramaritime. Le conseil de gestion est composé de 49 membres pêcheurs, plaisanciers, élus des collectivités locales, associations de défense de l'environnement, scientifiques... Il est extrêmement investi et on voit qu'il n'y a pas de corporatisme, chacun peut parler de tous sujets. Mais il faut du temps, cela ne s'est pas fait du jour au lendemain. Si, au début, certains membres du conseil pouvaient être dubitatifs sur ce mode de gestion, aujourd'hui, aucun de ceux qui sont autour de la table ne semble le regretter. Ce mode de gestion fonctionne mais ce doit être, je pense, un projet de territoire, il faut une proximité, que les gens se connaissent et s'investissent ».

Vincent Groizeleau, « 10 ans après sa création, le parc marin d'Iroise est une réussite », *Mer et Marine*, 3 février 2017.

Questions

Itinéraire 1

Décrire et expliquer

① Décrivez les usages du bassin d'Arcachon entrant en conflit ou qui pourraient nuire à la préservation des milieux fragiles. **doc. 1**

② Identifiez les missions d'un parc naturel marin. **doc. 3 et 4**

③ Par qui et comment la gestion d'un parc naturel marin est-elle décidée ? **doc. 2 et 4**

Synthétiser et argumenter

④ Montrez que les parcs naturels marins sont des espaces de protection concertés. **doc. 1 à 4**

ou

Itinéraire 2

Réaliser une brochure d'information

• Réalisez une brochure d'information destinée à sensibiliser le grand public sur la protection des parcs naturels marins.

• À l'aide des documents et de recherches complémentaires, montrez que les parcs naturels marins en France sont des espaces de protection concertés.

Des milieux métropolitains et ultramarins entre valorisation et protection

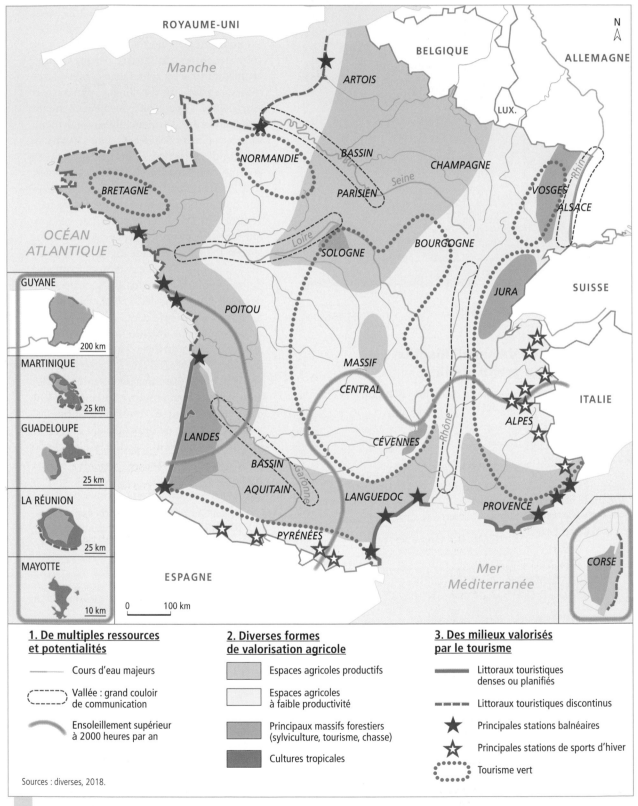

1. De multiples ressources et potentialités

— Cours d'eau majeurs

- - - Vallée : grand couloir de communication

— Ensoleillement supérieur à 2000 heures par an

Sources : diverses, 2018.

2. Diverses formes de valorisation agricole

Espaces agricoles productifs

Espaces agricoles à faible productivité

Principaux massifs forestiers (sylviculture, tourisme, chasse)

Cultures tropicales

3. Des milieux valorisés par le tourisme

— Littoraux touristiques denses ou planifiés

- - - Littoraux touristiques discontinus

★ Principales stations balnéaires

☆ Principales stations de sports d'hiver

⋯ Tourisme vert

1 Un territoire valorisé

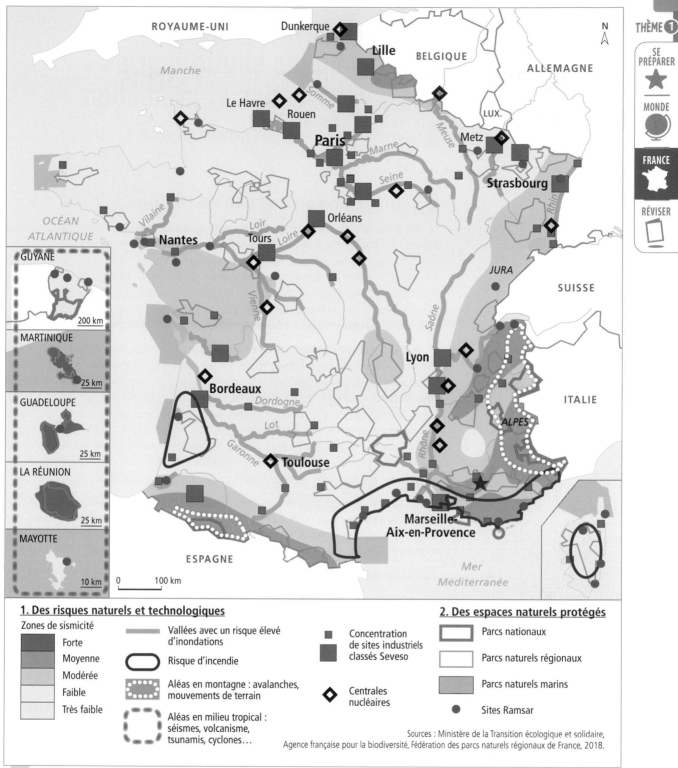

1. Des risques naturels et technologiques

Zones de sismicité

Forte
Moyenne
Modérée
Faible
Très faible

Vallées avec un risque élevé d'inondations

Risque d'incendie

Aléas en montagne : avalanches, mouvements de terrain

Aléas en milieu tropical : séismes, volcanisme, tsunamis, cyclones…

Concentration de sites industriels classés Seveso

Centrales nucléaires

2. Des espaces naturels protégés

Parcs nationaux

Parcs naturels régionaux

Parcs naturels marins

Sites Ramsar

Sources : Ministère de la Transition écologique et solidaire, Agence française pour la biodiversité, Fédération des parcs naturels régionaux de France, 2018.

2 Risques et protection en France

Vocabulaire

▸ **Site Ramsar :** zone humide reconnue pour l'originalité et la fragilité de sa biodiversité. Ces sites bénéficient d'un périmètre de protection. La convention sur les zones humides a été signée à Ramsar (Iran) en 1971, et ratifiée par la France en 1986.

▸ **Site Seveso :** site industriel dangereux, surveillé par les autorités publiques par le biais des plans de prévention des risques technologiques. Cette surveillance fait suite à une grave pollution chimique dans la ville de Seveso, en 1976, en Italie.

Questions

❶ Comment les potentialités du territoire français sont-elles mises en valeur ? **doc. 1**

❷ Identifiez les territoires les plus exposés aux risques naturels puis aux risques technologiques. Expliquez pourquoi. **doc. 2**

❸ Identifiez les milieux les plus concernés par des mesures de protection. Expliquez pourquoi. **doc. 2**

La France : des milieux métropolitains et ultramarins entre valorisation et protection

➡️ **Comment valoriser les milieux en France tout en les protégeant ?**

Podcast du cours

Vocabulaire

▶ **Contrainte :** difficulté que présente un milieu pour son occupation ou sa mise en valeur. Sa maîtrise dépend des moyens techniques dont dispose une société.

▶ **Parc national :** territoire de protection de la nature géré par l'État dans un but de conservation.

▶ **Parc naturel marin :** → voir p. 75.

▶ **Parc naturel régional :** territoire de projet régi par une charte et créé à l'initiative des communes, des départements ou des régions. Il a une double vocation de protection et de développement économique local. La protection y est moins stricte que dans un parc national.

▶ **Plan de prévention des risques (PPR) :** → voir p. 73.

▶ **Sanctuarisation :** protection totale d'un espace de toute action humaine pouvant porter atteinte à l'environnement.

▶ **Site Ramsar :** → voir p. 77.

▶ **Vulnérabilité :** → voir p. 73.

▶ **Zone économique exclusive (ZEE) :** espace large de 200 milles nautiques à partir du littoral qui accorde à l'État riverain la souveraineté sur les ressources qui s'y trouvent.

▶ **Zone Natura 2000 :** label concernant des sites naturels européens, terrestres et maritimes, identifiés pour la rareté ou la fragilité de leur flore ou de leur faune et de leurs habitats.

1 Une grande diversité de milieux

● **Le territoire français présente une grande diversité de milieux naturels en fonction du climat et du relief.** Le territoire métropolitain, situé à des latitudes tempérées, offre un climat océanique à l'ouest, semi-continental à l'est et méditerranéen au sud-est. Les territoires ultramarins sont soumis à un climat tropical (Antilles, Réunion, Mayotte), équatorial (Guyane) ou froid (Saint-Pierre-et-Miquelon). Le territoire présente de fortes variations de relief, des plaines, collines et plateaux situés à l'ouest du pays jusqu'aux sommets alpins.

● **Ces milieux naturels offrent de multiples ressources intensément exploitées.** Les littoraux s'étendent sur 7 000 km et s'ouvrent sur tous les océans grâce aux 1 500 km de littoraux ultramarins. Avec 10,2 millions de km², la France dispose de la deuxième zone économique exclusive au monde. Un quart du territoire national est couvert de montagnes. Par ses altitudes, ses pentes et son climat, la montagne présente des contraintes mais aussi des atouts pour la mise en valeur touristique ou l'exploitation de la ressource hydroélectrique. Le potentiel agricole et forestier est important. La surface agricole valorise la moitié du territoire. La forêt, sur un tiers du territoire, associe fonctions productives (sylviculture) et de loisirs.

● **L'exploitation des ressources soulève des défis environnementaux.** Certaines pratiques agricoles intensives provoquent une érosion des sols ou des pollutions. L'usage massif d'engrais et de pesticides altère la qualité de l'eau (algues vertes en Bretagne), et peut nuire à la santé des populations.

ÉTUDE DE CAS La Corse → p. 68

2 Des milieux soumis à des risques variés

● **La France est exposée à des risques variés d'origines naturelle, technologique ou sanitaire.** Les risques naturels les plus fréquents sont les risques climatiques : les inondations (dans l'Aude en 2018) et les tempêtes (Xynthia en 2010). Certains territoires sont soumis à des risques naturels spécifiques comme les territoires ultramarins (séismes, éruptions volcaniques ou cyclones : Irma aux Antilles en 2017) ou les zones de montagne (avalanches). D'autres sont plus exposés aux risques technologiques comme la Vallée de la chimie au sud de Lyon.

● **Les risques sont aggravés par les activités humaines.** L'artificialisation des sols accentue le ruissellement. Les constructions près de forêts exposées aux incendies (arc méditerranéen, Corse, massif landais), en zone inondable (lit de l'Aude) ou dans les couloirs d'avalanche (vallée de Chamonix) accroissent la vulnérabilité des biens et des personnes.

● **La politique de gestion des risques repose sur trois volets.** La prévision suppose la mise en place d'outils de surveillance et d'alerte, comme Météo France pour les aléas climatiques. La protection met en place des aménagements spécifiques (digues, coupe-feu, paravalanches). La prévention sensibilise les populations et réglemente les aménagements à travers les plans de prévention des risques naturels (PPRN) ou technologiques (PPRT).

ÉTUDE DE CAS La Corse → p. 68
DOSSIER Gérer les risques en France → p. 72

3 Une protection des milieux les plus fragiles

● **Les périmètres de protection environnementale s'imposent en France dans les années 1960.** Les 347 réserves naturelles (loi de 1957) et les 10 parcs nationaux (loi de 1960) visent à préserver les espaces de toute dégradation. Les 53 parcs naturels régionaux (loi de 1967) s'apparentent plutôt à des outils de requalification et de promotion des territoires ruraux en déprise ou soumis à de fortes pressions. Depuis 2006, 9 parcs naturels marins (Iroise, Bassin d'Arcachon) protègent le milieu marin des différentes atteintes susceptibles de l'altérer (tourisme…). D'autres dispositifs relevant de politiques de protection européennes ou mondiales complètent ces mesures comme les sites Ramsar (zones humides) ou les zones Natura 2000.

● **Les milieux les plus vulnérables bénéficient de dispositifs spécifiques.** Les lois Montagne (1985) et Littoral (1986) encadrent l'extension du bâti. Le Conservatoire du littoral, créé en 1975, favorise la sanctuarisation des espaces par des acquisitions foncières (Île de Port-Cros, Archipel des Glénan). Il détient aujourd'hui 1 450 km de côtes soit 13,1 % du linéaire côtier.

● **La protection des milieux est au cœur de conflits entre acteurs.** Les espaces protégés génèrent des conflits sur les pratiques qui y sont autorisées. Il s'agit de conflits récurrents, notamment liés au pastoralisme (réintroduction de l'ours dans les Pyrénées, retour du loup dans le Mercantour) ou à la fréquentation touristique (Calanques).

ÉTUDE DE CAS La Corse → p. 68
DOSSIER Les parcs naturels marins → p. 74
GÉO DÉBAT L'ours dans les Pyrénées → p. 80

La diversité des milieux en France, en %

58,4
1,3
5,5
34,8

● Territoires agricoles
● Forêts et milieux semi-naturels
● Territoires artificialisés
● Zones humides et surfaces en eau

Les espaces protégés en France

9 parcs naturels marins (superficie : 185 075 km², 3 024 km de linéaire côtier protégé)

10 parcs nationaux 9,5 % du territoire français

53 parcs naturels régionaux 15 % du territoire français

48 sites Ramsar (zones humides)

Sources : Commissariat général au développement durable, Corine Land Cover, 2016.

Du cours au schéma

+ Schéma interactif à compléter

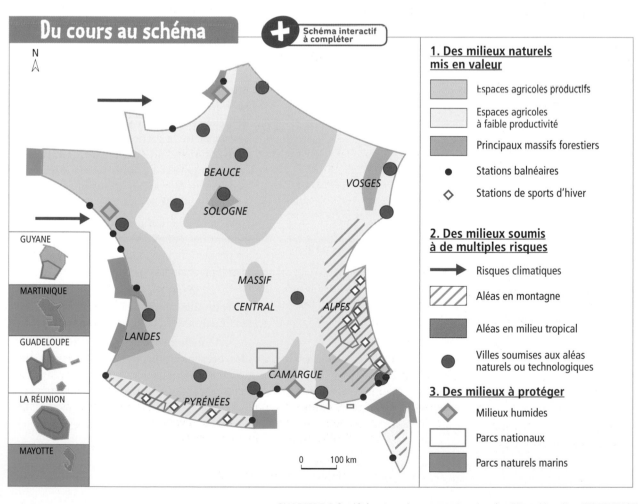

1. Des milieux naturels mis en valeur

Espaces agricoles productifs

Espaces agricoles à faible productivité

Principaux massifs forestiers

● Stations balnéaires

◇ Stations de sports d'hiver

2. Des milieux soumis à de multiples risques

→ Risques climatiques

Aléas en montagne

Aléas en milieu tropical

● Villes soumises aux aléas naturels ou technologiques

3. Des milieux à protéger

◇ Milieux humides

Parcs nationaux

Parcs naturels marins

Faut-il poursuivre la réintroduction de l'ours dans les Pyrénées ?

1 L'ours dans les Pyrénées : quelques dates clés

1900	1976	1981	1996	2009	2018	2018-2028
100 ours vivent dans les Pyrénées	Protection de l'ours par la Convention de Berne	8 ours vivent dans les Pyrénées	1er lâcher d'ours dans les Pyrénées	L'ours classé « espèce en danger critique d'extinction sur le territoire national »	Lâcher de deux ourses ; 45 ours vivent dans les Pyrénées	Plan d'actions Ours brun

2018 - 2028

PLAN D'ACTIONS OURS BRUN

Préfet coordonnateur du massif des Pyrénées

Direction régionale de l'Environnement, de l'Aménagement et du Logement

2 Le Plan d'actions Ours brun (2018-2028)

Direction régionale de l'environnement, de l'aménagement et du logement – Occitanie. Rapport publié le 9 mai 2018 sur le site du ministère de la Transition écologique et solidaire.

3 L'action de l'État

François de Rugy, ministre d'État, ministre MINISTÈRE DE LA TRANSITION ÉCOLOGIQUE ET SOLIDAIRE de la Transition écologique et solidaire, a déclaré : « Notre patrimoine naturel est un bien rare que nous avons la responsabilité collective de protéger. » Pour rappel, le plan national d'actions Ours brun, publié le 9 mai 2018, vise à permettre aux activités humaines de se développer en coexistence avec la présence de l'ours, qu'il s'agisse de l'élevage mais aussi du tourisme, de la chasse ou de la gestion forestière. Dans ce plan national d'un montant de 3,4 millions d'euros figurent 4 grands piliers d'accompagnement des populations impactées par la présence de l'ours :

– La protection des troupeaux : renforcement des équipes aides bergers et chiens de protection, installation de clôtures, suivi des déplacements de l'ours.

– L'indemnisation en cas d'attaque, pouvant aller jusqu'à 600 euros par brebis en fonction de la nature du dommage subi.

– L'amélioration des conditions de vie des bergers : amélioration du réseau de téléphonie mobile notamment.

– La valorisation économique de la présence de l'ours qui est un élément fort de l'image touristique des Pyrénées.

Ministère de la Transition écologique et solidaire, 5 octobre 2018.

4 Ours et élevage dans les Pyrénées

1. Un massif de haute montagne frontalier

- ▨ Montagne
- —— Frontières
- — Limites départementales
- ●● Villes principales

2. Élevage et protection de la nature

- ▨ Principale aire d'élevage (brebis, etc.)
- ⬚ Présence d'ours
- ■ Parc national des Pyrénées

THÈME ❶

SE PRÉPARER ★

MONDE

FRANCE

RÉVISER

5 Une association de défense de l'ours

 Parole d'acteur

Pourquoi sauver l'ours ?

C'est avant tout une question éthique et morale ! Comment pourrions-nous continuer de demander aux autres pays de protéger lions, tigres, éléphants et baleines, si nous-mêmes ne sommes pas capables de sauver l'ours dans les Pyrénées ? Son image, forte et positive, constitue également un potentiel de valorisation économique et touristique que nous négligeons. C'est une raison supplémentaire de le protéger.

L'habitat pyrénéen est-il toujours favorable à l'ours ?

La forêt (et la montagne en général) était autrefois beaucoup plus fréquentée par les hommes : de nombreux hameaux ont été abandonnés, et certains métiers ont disparu, comme les charbonniers ou les mineurs. Depuis 150 ans, la forêt pyrénéenne ne cesse donc de s'étendre alors que la population humaine vivant et travaillant dans ces montagnes diminue. Notre fréquentation de la montagne et de la forêt pyrénéennes est aujourd'hui très inférieure à ce qu'elle était autrefois, y compris en intégrant le tourisme. Les ours ont tout l'espace nécessaire à leur bon équilibre dans les Pyrénées.

Pays de l'Ours-Adet [en ligne], consulté en mars 2019.
Pays de l'Ours-Adet est une association pyrénéenne créée en 1991 pour promouvoir le retour de l'ours dans les Pyrénées centrales.

6 Les résultats d'une consultation

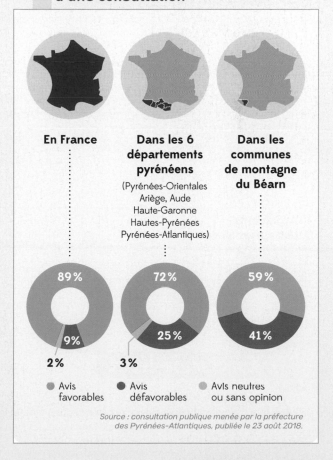

En France

Dans les 6 départements pyrénéens
(Pyrénées-Orientales
Ariège, Aude
Haute-Garonne
Hautes-Pyrénées
Pyrénées-Atlantiques)

Dans les communes de montagne du Béarn

En France : 89 % / 9 % / 2 %
Dans les 6 départements pyrénéens : 72 % / 25 % / 3 %
Dans les communes de montagne du Béarn : 59 % / 41 %

- ● Avis favorables
- ● Avis défavorables
- ● Avis neutres ou sans opinion

Source : consultation publique menée par la préfecture des Pyrénées-Atlantiques, publiée le 23 août 2018.

▶ C'est à vous !

Géo DÉBAT

Faut-il poursuivre la réintroduction de l'ours dans les Pyrénées ?

ÉTAPE 1

Comprendre et préparer le débat

1 Où les ours sont-ils présents dans les Pyrénées ? Combien sont-ils ? **doc. 1 et 4**

2 Montrez que l'État joue un rôle clé dans cette réintroduction. **doc. 1 à 3**

3 Décrivez l'opinion publique face à l'ours, à différentes échelles. **doc. 5 et 6**

ÉTAPE 2

Participer au débat

Conseils

▶ Écoutez et respectez la parole des autres.

▶ Pour convaincre, il est important de s'appuyer sur des exemples précis (localisés, datés, chiffrés).

▶ Ne lisez pas vos notes et présentez vos arguments en regardant vos auditeurs. Relisez vos notes avant de prendre la parole.

4 Avant le débat, prélevez les arguments des différents acteurs. **doc. 2, 3, 5 et 6** Reportez-les dans le tableau.

5 Avant le débat, en prenant appui sur les documents et votre point de vue personnel, notez vos arguments dans le tableau.

6 Pendant le débat, notez les arguments des autres élèves.

+ Tableau à imprimer	Il faut poursuivre la réintroduction de l'ours dans les Pyrénées	Il faut arrêter la réintroduction de l'ours dans les Pyrénées
Arguments des acteurs	• • •	• • •
Mes arguments	• • •	• • •
Arguments des autres élèves	• • •	• • •

+ Vidéo

Plan ours 2018-2028 : reportage

Reportage de France 3 Nouvelle-Aquitaine, 13 mai 2018.

ÉTAPE 3

Conclure le débat

7 À la suite du débat en classe, exprimez votre point de vue personnel et argumenté sur la réintroduction de l'ours dans les Pyrénées.

8 Les arguments échangés lors du débat vous ont-ils amené(e) à revoir votre position de départ ? Expliquez pourquoi.

Sociétés et environnements : des équilibres fragiles

RÉVISER & APPROFONDIR

Marche pour le climat à Paris (13 octobre 2018).

SYNTHÈSE

→ THÈME ❶ Sociétés et environnements : des équilibres fragiles

Podcast de la synthèse

1 Des sociétés inégales face aux ressources et aux risques

● **L'accès aux ressources est inégal.** Les milieux naturels sont plus ou moins dotés en eau, en hydrocarbures, ou en matières premières. La France exploite les richesses halieutiques de sa Zone économique exclusive (ZEE), la deuxième plus importante au monde. La raréfaction des ressources et l'augmentation des besoins menacent les plus pauvres de pénurie et dégradent les environnements.

● **Les sociétés sont de plus en en plus exposées aux risques.** Les territoires ultramarins français sont par exemple menacés par les aléas naturels, en particulier les cyclones. En parallèle, les risques sanitaires liés aux maladies infectieuses peuvent déstabiliser les sociétés les plus pauvres.

2 Une vulnérabilité accentuée par le changement climatique

● **La vulnérabilité des sociétés face aux risques est inégale.** Le faible niveau de développement et la formation de grandes métropoles littorales la renforcent. Les pays les moins développés de la zone intertropicale sont les plus exposés alors que les pays développés comme la France sont davantage concernés par la vulnérabilité matérielle.

● **Le changement climatique est une nouvelle menace mondiale.** Les Alpes françaises se réchauffent, le niveau des mers augmente, la répartition des précipitations change, les incendies se multiplient. Les risques de catastrophes naturelles et les déséquilibres environnementaux accentuent l'insécurité alimentaire, notamment chez les plus démunis.

3 Une gestion environnementale en transition

● **Les risques sont inégalement pris en compte.** Si dans les pays développés comme la France, les politiques de prévision, de protection et de prévention sont avancées, les pays plus vulnérables, par manque de moyens, doivent se contenter d'adaptations modestes.

● **La transition énergétique est pourtant engagée.** L'accord de Paris (2015) contraint divers acteurs à réduire les émissions de gaz à effet de serre. La lutte contre le changement climatique et la protection des milieux restent cependant au cœur de conflits entre acteurs aux intérêts divergents.

Notions clés

▸ Changement climatique — p. 85
▸ Environnement — p. 86
▸ Milieu — p. 86
▸ Ressource naturelle — p. 85
▸ Risques — p. 87

Chiffres clés

▸ **53 %** d'hydrocarbures dans la consommation énergétique mondiale

▸ **40 %** de la population mondiale concernée par la pénurie d'eau

▸ **730** catastrophes naturelles dans le monde (en 2017)

▸ **10** parcs nationaux en France

▸ **53** parcs naturels régionaux en France

Pour approfondir

 Bande dessinée en ligne

● *Quoi, une inondation ??*, Fabien Toulmé, laboratoire ESPACE de l'Université d'Avignon.

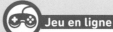 **Jeu en ligne**

● **L'eau, une ressource vitale à protéger et à partager**, France TV éducation. Trois jeux sur la ressource en eau : la pollution, l'accès à l'eau potable et à l'assainissement, et le partage de l'eau.

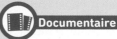 **Documentaire**

● *Les Damnés du climat*, de Thomas Aders, ARTE THEMA, 2018, 59 minutes.

NOTIONS

CHANGEMENT CLIMATIQUE

■ Le changement climatique désigne le processus de modification durable de l'environnement climatique planétaire.

■ Les périodes de réchauffement ou de refroidissement de la planète ont longtemps été naturelles. La hausse globale actuelle des températures à la surface de la Terre et dans les océans est due aux activités humaines, principalement celles qui exploitent les énergies fossiles, productrices de CO_2. Ce dernier agit comme gaz à effet de serre.

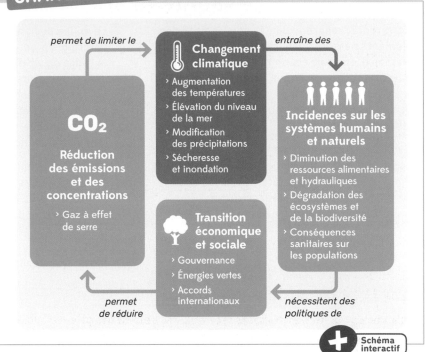

permet de limiter le → entraîne des

Changement climatique
› Augmentation des températures
› Élévation du niveau de la mer
› Modification des précipitations
› Sécheresse et inondation

CO₂
Réduction des émissions et des concentrations
› Gaz à effet de serre

Incidences sur les systèmes humains et naturels
› Diminution des ressources alimentaires et hydrauliques
› Dégradation des écosystèmes et de la biodiversité
› Conséquences sanitaires sur les populations

Transition économique et sociale
› Gouvernance
› Énergies vertes
› Accords internationaux

permet de réduire — nécessitent des politiques de

 Schéma interactif

RESSOURCE NATURELLE

 Schéma interactif

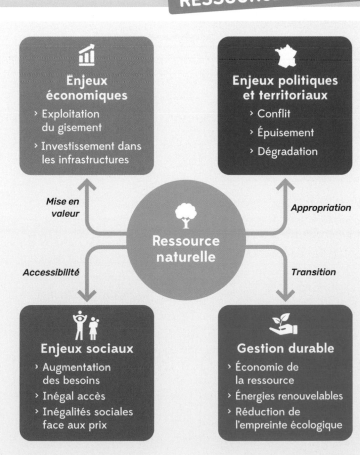

Enjeux économiques
› Exploitation du gisement
› Investissement dans les infrastructures

Enjeux politiques et territoriaux
› Conflit
› Épuisement
› Dégradation

Mise en valeur

Appropriation

Ressource naturelle

Accessibilité

Transition

Enjeux sociaux
› Augmentation des besoins
› Inégal accès
› Inégalités sociales face aux prix

Gestion durable
› Économie de la ressource
› Énergies renouvelables
› Réduction de l'empreinte écologique

■ Une ressource naturelle est une richesse potentielle exploitée et transformée par les sociétés humaines. Pour être exploitée, elle doit être accessible et rentable. Elle dépend donc des capacités techniques des sociétés à l'exploiter.

■ On distingue les ressources renouvelables, capables de se reconstituer (air, bois, eau à l'exception des nappes fossiles, sols, productions agricoles...) et les ressources non renouvelables qui ne se reconstituent pas une fois consommées (pétrole, minerais).

ENVIRONNEMENT

- L'environnement renvoie à la combinaison des éléments naturels (eau, relief, sol, végétation, animaux), sociaux, économiques et culturels qui entourent les groupes humains et avec lesquels ils interagissent. Il ne comporte pas de limites spatiales et peut être envisagé à différentes échelles.

- L'environnement englobe la diversité des aspects du cadre de vie des sociétés, c'est-à-dire aussi bien les différents milieux que les éléments matériels (infrastructures de transports, logements, équipements publics).

MILIEU

- Le milieu désigne l'ensemble des conditions naturelles propres à un espace donné. Il constitue le cadre de vie d'acteurs spatiaux qui entretiennent de multiples interactions avec lui. Chaque milieu présente des caractéristiques climatiques, géophysiques et biologiques qui définissent ses spécificités. On peut donc parler de milieu montagnard, littoral, forestier, marin, tropical…

- Les milieux résultent des interactions entre des caractéristiques naturelles et les actions des sociétés. Celles-ci aménagent les milieux pour exploiter leurs potentialités, s'adapter à leurs contraintes et gérer leurs risques. Les milieux ne sont donc pas « naturels » mais évolutifs et plus ou moins transformés par l'homme.

+ Schéma interactif

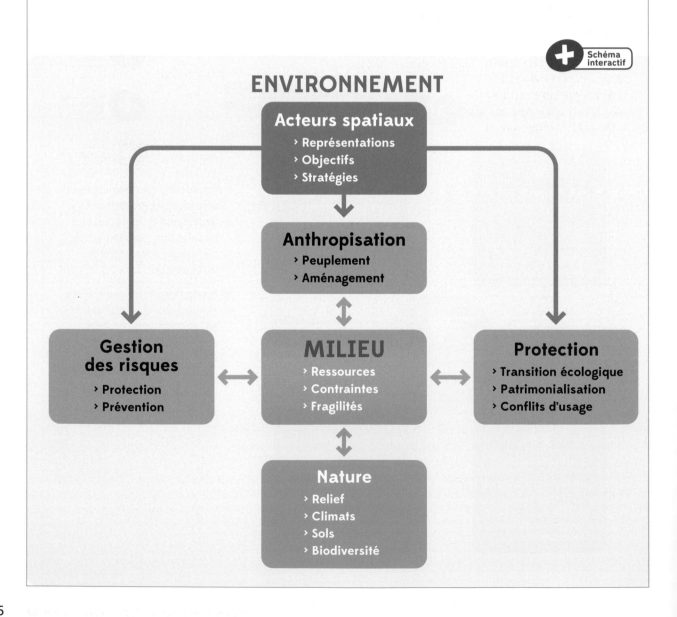

ENVIRONNEMENT

Acteurs spatiaux
› Représentations
› Objectifs
› Stratégies

Anthropisation
› Peuplement
› Aménagement

Gestion des risques
› Protection
› Prévention

MILIEU
› Ressources
› Contraintes
› Fragilités

Protection
› Transition écologique
› Patrimonialisation
› Conflits d'usage

Nature
› Relief
› Climats
› Sols
› Biodiversité

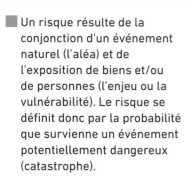

RISQUES

Schéma interactif

- Un risque résulte de la conjonction d'un événement naturel (l'aléa) et de l'exposition de biens et/ou de personnes (l'enjeu ou la vulnérabilité). Le risque se définit donc par la probabilité que survienne un événement potentiellement dangereux (catastrophe).

- Un territoire peut être menacé par un risque naturel, technologique et/ou sanitaire. On parle de risque majeur lorsque celui-ci peut causer de lourdes pertes humaines et matérielles.

- Le niveau du risque dépend de la capacité d'une société à faire face à l'aléa (outils de prévision, niveau de prévention, infrastructures de protection) et donc de son niveau de développement.

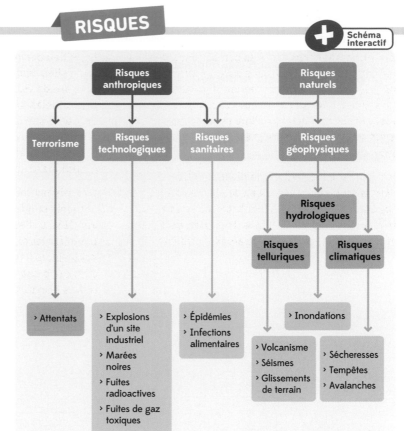

Schéma interactif

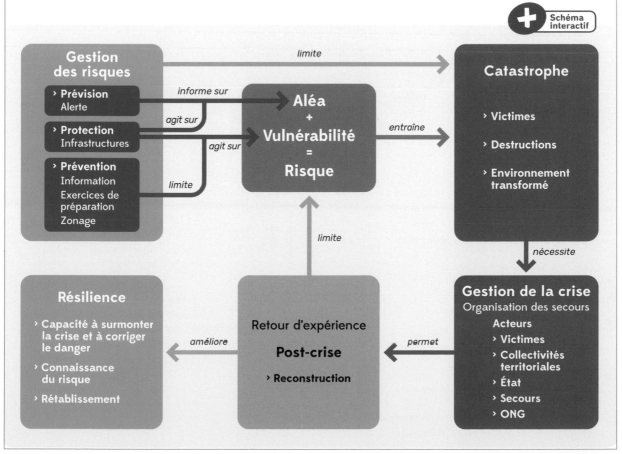

1 Vérifier ses connaissances

Exercices interactifs

> Retrouvez des exercices interactifs pour tester vos connaissances sur le thème 1.

2 Analyser un dessin de presse

L'eau de la planète
© Chappatte, *Le Temps*, 13 juillet 2018.

Questions

1 Décrire le dessin :
   a. Décrivez les personnages.
   b. Décrivez la sphère.

2 Interpréter le dessin :
   a. Quelle est l'idée centrale de ce dessin ?
   b. Que symbolise la sphère ?
   c. Quels ensembles de pays sont représentés par les personnages ?
   d. Quel message l'auteur veut-il faire passer ?

Conseil

Décrivez précisément ce que vous voyez :
- l'apparence des personnages, ce qu'ils font, les moyens ou les outils qu'ils utilisent ;
- les couleurs et les textures données à la sphère.

③ Analyser un graphique

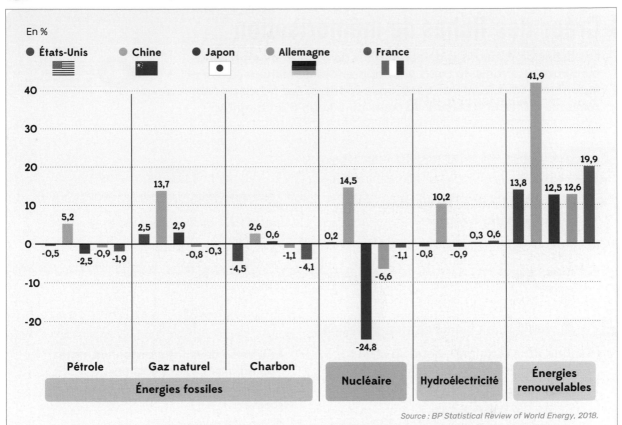

Source : BP Statistical Review of World Energy, 2018.

Évolution de la consommation énergétique de cinq puissances économiques mondiales entre 2006 et 2016

Questions

① Lire le graphique :

a. Quel est le thème du graphique ?

b. Définissez : énergies fossiles, énergies renouvelables.

c. Au Japon, de combien de points la consommation d'énergie nucléaire a-t-elle diminué ? De combien de points la consommation d'énergies renouvelables a-t-elle augmenté ? Indiquez, pour chaque pays, la source d'énergie dont la consommation a le plus baissé, et celle qui a le plus augmenté.

d. Quelles sont les sources d'énergie dont la consommation a diminué dans au moins trois pays ?

② Interpréter les données

a. Quels pays sont les plus avancés dans la transition énergétique ? Justifiez votre réponse.

b. Montrez que la Chine est un cas particulier. Comment pouvez-vous expliquer l'évolution de sa consommation énergétique ?

Vocabulaire

▶ **Énergie fossile :** énergie qui provient de la décomposition de végétaux (charbon) ou de planctons (hydrocarbures : pétrole et gaz).

Conseil

● Repérez la couleur qui correspond au pays dans la légende et dans le graphique.

● Pour chaque type d'énergie, observez le niveau atteint par la barre de ce pays : les valeurs négatives indiquent le nombre de points de baisse, les valeurs positives indiquent le nombre de points de hausse.

④ Approfondir ses connaissances

 Exercice d'approfondissement

ᐳ Distinguez idée reçue et information avec le site « data science vs fake » (Arte).

→ Créer des fiches de mémorisation

Les fiches de mémorisation permettent de lister et mémoriser les éléments essentiels du cours pour apprendre de manière active et autonome, sous forme de questions/réponses. Ces fiches peuvent être réalisées au fur et à mesure du cours ou à la fin d'un chapitre.

Exemples de fiches de mémorisation

ÉTAPE 1 ▶ Repérer les informations clés

- **Lisez votre cours.**
- **Au brouillon, identifiez les éléments les plus importants à retenir :**
  - notions ;
  - définitions ;
  - chiffres clés ;
  - exemples…

Conseil

Il ne s'agit pas d'une fiche de révision (où l'ensemble du cours est résumé).
Ici, vous devez uniquement faire apparaître les éléments principaux du cours.

ÉTAPE 2 ▶ Rédiger les fiches de mémorisation

- **Sur une fiche cartonnée, notez au recto :**
  - le thème de votre cours ou de la partie de votre cours ;
  - les idées clés liées à ce thème ;
  - des questions qui correspondent aux éléments essentiels à retenir.

- **Au verso de la fiche cartonnée, notez les réponses à ces questions.**

Thème
Lien entre changement climatique et aggravation des risques.

3 idées clés
→ Les sociétés sont de plus en plus exposées aux risques.
→ Le changement climatique est un facteur aggravant.
→ L'accroissement des risques sanitaires est corrélé au changement climatique.

Questions
1. À quels types de risques sont soumises les populations qui se concentrent dans les grandes agglomérations littorales ?
2. Comment se manifeste le changement climatique ?
3. Quelles maladies peuvent conduire à des pandémies ?

Réponses
1. Risques naturels liés à des aléas
⚠ définition à connaître
Par exemple :
- aléa climatique (sécheresse ou inondation (→ Bangladesh...)
- aléa tellurique (séisme → Sapporo...)

2. Augmentation de la température moyenne de 1 °C
Conséquences :
- élévation du niveau de la mer
- fonte des glaciers
- changement dans la répartition des précipitations
- multiplication des inondations

3. Maladies infectieuses : choléra, chikungunya, paludisme...

Exemple de fiche à partir du cours p. 60 (partie 1)

ÉTAPE 3 ▶ Réviser à l'aide des fiches de mémorisation

- **Vous pouvez utiliser ces fiches à plusieurs ou de façon autonome. Évaluez-vous et corrigez-vous.**

Conseil

Si vous avez du mal à formuler des questions, demandez de l'aide à votre professeur.

APPRENDRE ▶ à lire une carte

THÈME ❶

SE PRÉPARER
★

MONDE
●

FRANCE

RÉVISER

→ L'habillage de la carte

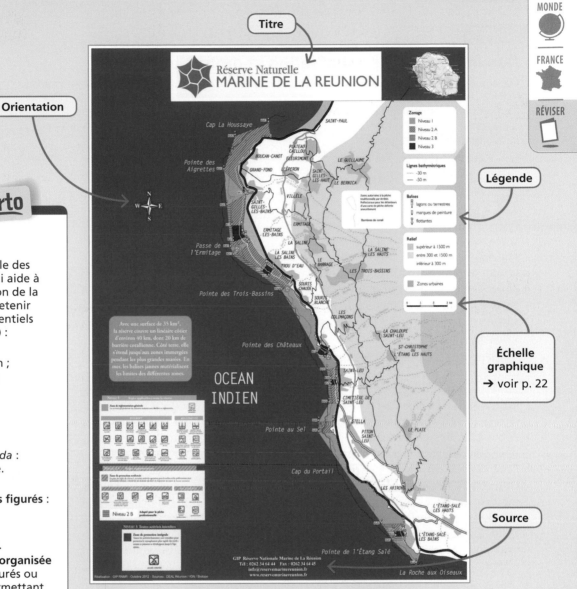

Titre

Orientation

Légende

Échelle graphique
→ voir p. 22

Source

La réserve naturelle marine de La Réunion

Carte publiée par la Direction de l'environnement, de l'aménagement et du logement (DEAL), La Réunion, 6 février 2013 (modifiée le 6 janvier 2017).

Info Carto

▶ L'habillage

• C'est l'ensemble des **informations** qui aide à la compréhension de la carte. On peut retenir les éléments essentiels suivants (**TOLES**) :
– le **T**itre ;
– l'**O**rientation ;
– la **L**égende ;
– l'**É**chelle ;
– la **S**ource.

▶ La légende

• Du latin *legenda* : qui doit être lue.

• Elle donne la **signification des figurés** :
– des points ;
– des lignes ;
– des surfaces.

• Elle peut être **organisée** par types de figurés ou par un plan, permettant de mieux comprendre le message de la carte.

Exercice d'application

❶ Quelle information le titre donne-t-il sur la carte ?

❷ Choisissez deux lieux sur la carte. D'après l'échelle, quelle distance les sépare ?

❸ Quelles données de la carte vous ont permis de répondre à la question précédente ?

❹ Quels types de figurés la légende présente-t-elle ?

❺ Quelle est la source du document ? Pourquoi nous aide-t-elle à comprendre le but de cette carte ?

Vocabulaire

▶ **Lignes bathymétriques** : lignes d'égales profondeurs.

▶ **Réserve naturelle** : territoires locaux protégés pour leur richesse naturelle (intérêt géologique ou biodiversité).

MÉTHODE → Analyser le sujet

SUJET

Des milieux entre valorisation et protection

Consigne : À partir de l'analyse du document, vous vous interrogerez sur les enjeux de la valorisation et de la protection de la Camargue.

Pour cela, vous dégagerez dans un premier temps les aspects et les limites de l'exploitation du milieu camarguais, puis dans un second temps vous mettrez en évidence les acteurs, les objectifs et les conséquences de la protection de cet espace.

La Camargue, un espace valorisé et protégé

Le delta du Rhône est une zone en partie agricole, connue pour ses rizières et pour ses salins. [...] Entre 1950 et 1970, l'entreprise les Salins du Midi a mis en œuvre des infrastructures majeures pour transformer les marais camarguais en zones de production industrielle de sel. [...] Le pompage de l'eau de mer pendant les mois d'été pour alimenter la production de sel a causé la disparition de vastes surfaces de plantes de marais. La haute teneur en sel de l'eau a compromis la survie de la plupart des espèces. [...]

Depuis que le Conservatoire du littoral a racheté les salins en 2011, la vocation de cette zone a basculé vers la conservation des zones humides. Un processus de restauration des marais a été mis en œuvre par le Parc naturel régional de Camargue. [...] L'enjeu est d'utiliser la capacité des zones humides à stocker temporairement l'eau de mer durant les événements de crues. La restauration des zones humides de Camargue en lieu et place des anciens salins est désormais une stratégie pour réduire la montée de la mer et les risques d'inondations. [...] Progressivement, l'abandon des digues côtières, qui isolent le delta de la mer, contribue à restaurer le cycle naturel de l'eau et favorise le retour d'espèces animales et végétales aquatiques. « La Méditerranée est un *hotspot*[1] du changement climatique », rappelle Jean Jalbert, directeur du site de la Tour du Valat, centre de recherche sur les zones humides, « il s'agit aujourd'hui d'écrire une nouvelle histoire pour la Camargue, d'inventer un nouvel aménagement du territoire évolutif et dynamique », et ce malgré les réticences des producteurs de riz locaux.

Agnès Sinaï, *La Camargue, zone tampon face à la montée des eaux*,
Actu Environnement, [en ligne] 1er février 2019.

1 En français, point chaud.
Milieu naturel reconnu pour l'importance et la vulnérabilité de sa biodiversité.

Aspects

Limites

Acteurs

Objectifs

Conséquences

Retrouvez des sujets de BAC et des méthodes actualisés régulièrement sur le site
→ lyceen.nathan.fr/geo2de-2019

Méthode	Guide de travail

1 Analyser le sujet

→ Définir les termes de la consigne

1. Définissez : *valorisation*, *protection*.

Conseil DU PROF
● Consultez le lexique p. 304 pour retrouver la définition des termes géographiques présents dans la consigne.

→ Analyser l'énoncé de la consigne
● La première phrase constitue la problématique de l'analyse.
● Les termes employés dans la suite de la consigne indiquent le plan du devoir : repérer les verbes, les mots clés et les mots de liaison pour identifier les parties.

2. Quelle est la problématique de l'analyse de document ?

3. Quel plan est suggéré par la consigne ?

2 Analyser le document

→ Identifier le document

4. Quelle est la nature du document ? Quelle est sa source ?

5. Quelle est l'idée générale du document ?

→ Extraire et mettre en relation les informations

6. Au brouillon, relevez les informations permettant de répondre au sujet.

→ Expliquer les informations à l'aide des connaissances

7. Quelles informations renvoient à la notion de conflit d'usage ?

8. Quelle convention signée en 1971 a pour but la conservation des zones humides ?
Quelle est la vocation du Conservatoire du littoral ?
Qu'est-ce qu'un Parc naturel régional ?
Expliquez la phrase soulignée dans le texte.

Conseil DU PROF
● Aidez-vous du cours p. 78 pour dégager les idées essentielles concernant la valorisation et la protection des milieux en France.

3 Répondre au sujet

→ Rédiger une introduction

9. Présentez le document en le mettant en relation avec la problématique.

→ Rédiger la réponse au sujet

10. Rédigez la réponse au sujet en suivant le plan annoncé dans la consigne.

→ Rédiger une conclusion

11. Pour conclure, faites un bilan de votre étude.

Exemple : Le territoire français présente une grande diversité de milieux naturels qui offrent de multiples ressources intensément exploitées. Les milieux les plus vulnérables bénéficient de dispositifs de protection spécifiques.

→ Méthode générale et description de l'épreuve p. 284

MÉTHODE → **Relever les informations dans le texte**

SUJET

L'énergie dans le monde et ses enjeux

Fond de carte

L'énergie dans le monde et ses enjeux

Des ressources énergétiques inégalement réparties et valorisées

Les ressources énergétiques nécessaires pour satisfaire les besoins des sociétés et leur développement sont inégalement réparties dans le monde. Les exploitations d'hydrocarbures sont localisées dans quelques régions du monde : les principaux producteurs mondiaux de pétrole sont le Moyen-Orient (Arabie saoudite, Iran et Irak) avec 21 % de la production, l'Amérique du Nord (Alaska, golfe du Mexique – 18 % de la production), la Russie (en Sibérie – 12,6 %). L'Amérique du Sud (Venezuela, Brésil), l'Europe du Nord (mer du Nord), mais aussi l'Asie (Indonésie, Chine, Inde...) et l'Afrique (Nigeria, Algérie...) ne dépassent pas 5 % de la production mondiale.

Les flux de matières premières énergétiques sont destinés aux grandes aires de consommation. Les gisements d'hydrocarbures de Sibérie, du Moyen-Orient et ceux du Nigeria en Afrique, constituent les principales régions de départ pour les exportations de ressources énergétiques.

Une demande en ressources énergétiques facteur de pressions

Les sociétés urbaines développées de l'Amérique du Nord, de l'Europe, du Moyen-Orient, de l'Asie orientale et de l'Australie consomment plus de la moitié de l'énergie mondiale. La consommation de ressources énergétiques par habitant y est très forte. En lien à leur forte consommation, ces pays sont aussi les principaux émetteurs de gaz à effet de serre.

Une gestion des ressources entre tensions et transition

Maîtriser ses ressources énergétiques et ses sources d'approvisionnement est à l'origine de tensions entre les pays. Les conflits liés au contrôle des ressources énergétiques sont nombreux comme dans l'océan Arctique, à l'Est de la Méditerranée, au sud de la mer de Chine. Le conflit en Syrie est en partie lié à cet enjeu.

Grâce aux progrès technologiques, de nouvelles ressources énergétiques sont développées et exploitées. En 2017, la Chine, les États-Unis, l'Allemagne, l'Inde, le Royaume-Uni, l'Espagne, le Brésil, le Canada, la France étaient les principaux pays producteurs d'électricité éolienne.

> **Thèmes principaux** indiquant les parties du plan de la légende du croquis

> **Informations à représenter** sur le croquis

> **Les lieux concernés** par le sujet

Retrouvez des sujets de BAC et des méthodes actualisés régulièrement sur le site → **lyceen.nathan.fr/geo2de-2019**

| Méthode | Guide de travail | |

1 Déterminer l'objectif du croquis

→ **Analyser les termes du sujet**

1. Repérez les mots clés du sujet et précisez leur sens.

> **Conseil DU PROF**
> • Définir les mots clés permet de déterminer l'idée directrice du croquis.

2 Relever les informations dans le texte

→ **Identifier les informations cartographiables** (faits, phénomènes géographiques ou spatiaux)

• Relever uniquement les informations en rapport avec le sujet du texte.

• Relever 6 à 8 informations essentielles : ce sont les idées à classer dans les parties de la légende.

• Relever le nom des lieux pour situer les phénomènes.

2. Quels sont les types d'informations à identifier dans le texte ? Combien d'informations cartographiables sont sélectionnées ? Montrez qu'elles sont en rapport avec le sujet.

3. Lisez la phrase soulignée dans le texte : quelles indications permettent de situer et d'orienter plus précisément les flux de matières premières énergétiques ?

4. Pourquoi est-il important de relever le nom des lieux ?

> **Conseil DU PROF**
> • Reportez-vous aux cartes du chapitre et à l'atlas p. 290 pour apprendre la localisation des pays et des continents.

3 Passer du texte à la légende du croquis

→ **Classer les informations dans la légende**

5. À l'aide du travail effectué sur le texte, complétez les informations manquantes dans la légende ci-dessous :

A. Des ressources énergétiques inégalement réparties et valorisées
  • ....
  • Principaux pays émetteurs de gaz à effet de serre

B. Une demande croissante en ressources énergétiques
  • ....
  • Principaux flux de matières premières

C. Une gestion des ressources entre tensions et transition
  • ....
  • ....

→ **Représenter les informations par des figurés**

6. Parmi ces propositions, choisissez un figuré pour chaque information.

> **Conseil DU PROF**
> • Aidez-vous du langage cartographique à la fin de votre manuel (p. V).

4 Réaliser le croquis

7. Sur le fond de croquis fourni :
  • Dessinez les figurés choisis.
  • Indiquez le nom des lieux (la nomenclature).
  • Recopiez sous le croquis la légende complétée.
  • Donnez un titre au croquis en reprenant celui du texte.

> **Conseil DU PROF**
> • Les figurés doivent être tracés et coloriés avec soin : utilisez des crayons de couleurs et une règle si besoin.

SUJET

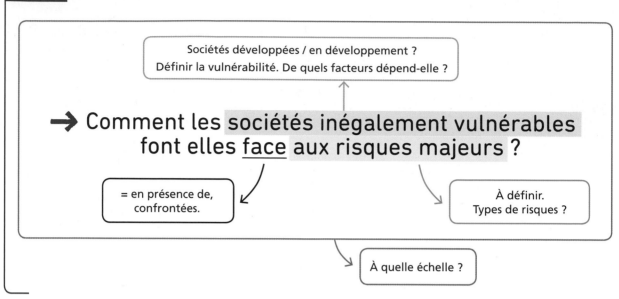

Sociétés développées / en développement ?
Définir la vulnérabilité. De quels facteurs dépend-elle ?

→ Comment les **sociétés inégalement vulnérables** font elles **face** aux **risques majeurs** ?

= en présence de, confrontées.

À définir.
Types de risques ?

À quelle échelle ?

Méthode	Guide de travail

1 Analyser le sujet

→ **Définir les mots clés du sujet, l'échelle ou l'espace concerné par l'étude**

1. Analysez l'énoncé du sujet en vous aidant des encadrés de couleurs ci-dessus.

⚠ Prenez en compte le pluriel des termes.

Conseil DU PROF

● Interrogez-vous sur le sens des mots, mais aussi sur les idées qui peuvent s'y rattacher.

Exemple : risques
→ naturels : climatiques, sismiques…
→ technologiques : industriels, biologiques…
→ sanitaires : insécurité alimentaire, épidémies…

2. Déterminez l'échelle du sujet : est-elle mondiale, nationale (un État), régionale, locale ?

→ **Analyser la question à laquelle le devoir doit répondre**

3. Que signifie l'adverbe interrogatif « comment » ? Que devrez-vous démontrer dans le devoir ?

Conseil DU PROF

● Afin d'orienter correctement votre réflexion, déterminez le sens de l'expression ou du mot interrogatif contenu dans la question : *comment, pourquoi, dans quelle mesure, quels/quelles…*

2 Mobiliser et organiser ses connaissances

→ **Rassembler les connaissances et les exemples en rapport avec le sujet**

4. Au brouillon, listez :
- les mots clés et notions en lien avec le sujet : *aléa, risque, catastrophe, inégalités, développement, richesse, vulnérabilité, prévention…*
- les idées à développer : *les différents types de risques majeurs, les moyens de prévention et d'action, les inégalités…*
- les exemples que vous utiliserez pour illustrer les idées.

Conseil DU PROF

● Choisissez des exemples variés (Amérique, Europe, Afrique, Asie, pays développés, pays en développement) et à différentes échelles (ensemble régional, pays, ville).

● Utilisez des exemples issus des études de cas ou des dossiers étudiés en classe (ex. : l'étude de cas sur le Bangladesh p. 38).

→ **Classer les connaissances**

5. Quel est le plan suggéré par la question problématisée ? Classez les connaissances sous forme de notes dans chaque partie de ce plan.

3 Rédiger la réponse à la question

→ **Rédiger une courte introduction**

6. Présentez le sujet et le plan. Pour cela, reprenez et rédigez vos réponses aux questions 1, 2, 3 et 5.

→ **Rédiger le développement**

7. Pour chaque partie du plan, rédigez un paragraphe argumenté dans lequel vous développerez les idées importantes, les explications et un ou deux exemples précis.

Conseil DU PROF

● Faites des phrases courtes ; utilisez un vocabulaire précis ; rédigez une phrase de transition entre chaque partie du développement.

→ **Rédiger la conclusion**

8. Rédigez une réponse à la question problématisée en synthétisant les idées principales du développement.

Exemple : Les sociétés sont de plus en plus exposées aux risques. Leur vulnérabilité, inégale selon leur niveau de développement, peut cependant être réduite par des politiques préventives.

9. Rédigez une phrase ouvrant la réflexion vers une autre question en relation avec un aspect du sujet.

Exemple : le développement durable des espaces soumis aux risques.

Conseil DU PROF

● La conclusion ne doit pas comporter d'informations ou d'exemples nouveaux.

Retrouvez des sujets de BAC et des méthodes actualisés régulièrement sur le site
→ **lyceen.nathan.fr/geo2de-2019**

▶▶▶ ORIENTATION

→ Yaël, gestionnaire des risques

Fiche Métier → Gestionnaire des risques

- **Niveau minimum d'accès :** BAC +5
- **Salaire d'un débutant :** environ 2 000 €
- **Statut :**
  - ✓ salarié ☐ fonctionnaire ☐ indépendant
- **Compétences requises :**
  - ✓ capacité d'adaptation
  - ✓ rigueur d'analyse
  - ✓ qualités relationnelles

LE **CV** EXPRESS de Yaël

Yaël, 29 ans, Rotterdam (Pays-Bas)

Formation

- Bac S, Villemomble (Seine-Saint-Denis)
- Classes préparatoires littéraires (hypokhâgne et khâgne), Le Raincy (bac + 2)
- Master en Gestion globale des risques et des crises, Paris (bac + 5)

Expérience professionnelle

- **Rabobank, Utrecht (Pays-Bas)**
  → **Gestionnaire des risques et responsable de la continuité d'activité**
- Natixis CIB Americas, New York (États-Unis), Gestionnaire des risques et responsable de la continuité d'activité
- BNP Paribas, La Banque postale et Natixis (Paris), Gestionnaire des risques et responsable de la continuité d'activité

Le métier de Yaël au quotidien

Que vous ont apporté vos études de géographie dans votre vie professionnelle ?

Yaël : Elles m'ont donné une ouverture d'esprit et m'ont permis de saisir les impacts de l'homme sur l'environnement et vice-versa. Aujourd'hui, j'utilise mes connaissances en géographie pour accompagner les entreprises dans l'anticipation des risques naturels afin de les préparer au mieux à une catastrophe naturelle (inondation, séisme, ouragan, etc.). En anticipant les menaces auxquelles elles sont exposées, les entreprises peuvent mettre en place les mesures appropriées en amont pour limiter l'interruption de leur activité et la mise en péril de leurs employés en cas de crise.

Que vous apportent au quotidien vos années d'études en « classes prépas » ?

Yaël : En plus de m'avoir permis de développer une culture générale très riche, ces deux années m'ont apporté rigueur et discipline. Ces qualités s'avèrent particulièrement utiles dans ma vie professionnelle où je dois communiquer de manière claire et synthétique et où je suis amenée à fournir des analyses précises et des outils d'aide à la décision. Ces études demandent aussi une certaine détermination et endurance qui me permettent d'aborder sereinement les périodes intenses de travail.

Quels sont les aspects de votre métier qui vous plaisent le plus ?

Yaël : Ce sont les interactions avec des personnes de divers horizons professionnels. Il est fondamental pour moi de bien comprendre les activités de chacun pour identifier ce qui est essentiel au fonctionnement de l'entreprise et ce qui devra être poursuivi en priorité en cas de sinistre. Mon métier m'encourage aussi à adapter les stratégies en permanence en fonction de l'émergence de nouveaux risques et de nouvelles règlementations. J'apprécie également de pouvoir exercer mon métier dans n'importe quel secteur et dans n'importe quel pays du monde. Après avoir travaillé deux ans en France, j'ai fait un Volontariat International en Entreprise (VIE) à New York pendant un an et demi. L'emploi que j'occupe aux Pays-Bas actuellement m'a aussi permis de voyager au Brésil, à Singapour, en Australie…

 **Témoignage complet**

L'employeur de Yaël

Rabobank
Multinationale néerlandaise (siège social à Utrecht, Pays-Bas) *Rabobank*

- **Banque** (notamment dans le secteur agroalimentaire)
  - ✓ **Secteur privé** ☐ Secteur public

 30 000 salariés

 Présente dans **38 pays**

 8,3 millions de clients dont 90 % situés aux Pays-Bas

→ VOTRE PROJET D'ORIENTATION

- Seriez-vous prêt(e) à exercer un métier nécessitant une certaine mobilité internationale ?
- Recherchez en quoi consiste le Volontariat International en Entreprise (VIE).

▶▶▶ ORIENTATION

→ Marie, consultante en développement durable

Fiche Métier → Consultant(e) en développement durable

- **Niveau minimum d'accès :** BAC +5
- **Salaire d'un débutant :** environ 1 800 €
- **Statut :**
  - ☑ salarié ☐ fonctionnaire ☑ indépendant
- **Compétences requises :**
  - ☑ conviction
  - ☑ adaptabilité
  - ☑ sens du contact et de la pédagogie
  - ☑ rigueur

LE CV EXPRESS de Marie

Formation

- Bac S, Orléans (Loiret)
- Licence de Chimie, Orléans (bac +3)
- Master Pro en Combustion Pollution et Gestion des Risques Environnementaux, Orléans (bac +5)

Marie, 36 ans, Nantes (Loire-Atlantique)

Expérience professionnelle

- **Inddigo, Chambéry (Savoie)**
  → **Consultante en développement durable**
- DM Avenir, Remiremont (Vosges), Consultante en bureau d'étude
- Chambre de commerce et d'Industrie d'Eure-et-Loir (Chartres), Conseillère Environnement

Le métier de Marie au quotidien

En quoi consiste votre métier ?

Marie : Je suis consultante dans le domaine des déchets auprès des collectivités et des entreprises. Je réalise le travail de bibliographie, de recherche et de veille réglementaire et technologique. J'élabore le dimensionnement de scenarii de collecte, je réalise des chiffrages (traitement de données), je rédige des rapports, je réponds aux appels d'offres… J'effectue aussi des déplacements à l'extérieur pour animer des réunions, réaliser des enquêtes de terrain et animer des formations.

Pourriez-vous nous présenter un projet sur lequel vous travaillez actuellement ?

Marie : La loi de transition énergétique pour la croissance verte prévoit la généralisation de la Tarification Incitative. Cet outil de financement du service public de gestion des déchets fait le lien entre production de déchets et contribution des usagers au financement du service. C'est un moyen efficace pour changer les comportements et aider les usagers à réduire leurs déchets.

→ L'étude commence par un diagnostic : nous allons sur le territoire observer ses caractéristiques et les contraintes liées à la collecte des déchets (densité de population, caractère rural ou urbain, saisonnalité). Nous réalisons des entretiens pour appréhender le niveau de service actuel et les actions menées (prévention des déchets, promotion du tri).

→ Nous proposons ensuite des scenarii techniques pour optimiser le service et permettre la mise en place d'un système pour « compter » la production de déchets des usagers (bacs équipés de puces, adaptation de points d'apport volontaire, contrôle d'accès en déchèteries). Les propositions techniques sont accompagnées d'une évaluation des performances environnementales attendues (moins de déchets, plus de valorisation), des investissements nécessaires et des actions à mener pour accompagner les habitants (compostage, lutte contre le gaspillage alimentaire).

→ La dernière phase est la phase d'étude du financement : maintenant que les élus ont posé un choix technique, comment financer ce nouveau fonctionnement avec une tarification incitative ? Nous étudions alors les différentes « tarifications » possibles et leurs impacts sur les contributions des différents usagers (familles nombreuses, personnes seules, petites entreprises). À l'issue de l'étude, les élus choisissent s'ils souhaitent ou non mettre en place un financement incitatif.

L'employeur de Marie

Inddigo
Entreprise française créée en 1986 (siège social à Chambéry, Savoie)

- **Bureau d'études en ingénierie du développement durable**
  Domaines d'expertise : déchets, énergies, bâtiment, mobilité biodiversité.
  ☑ **Secteur privé** ☐ Secteur public

 200 collaborateurs | **6 agences** et **plus de 1 000 missions par an**

€ **14 millions d'euros** de chiffre d'affaires

→ VOTRE PROJET D'ORIENTATION

- Si nécessaire, recherchez le sens du vocabulaire utilisé dans le témoignage que vous ne connaissez pas.
- L'engagement dans la mise en œuvre du développement durable vous tient-il à cœur ? Seriez-vous prêt(e) à en faire votre métier ?

 **Témoignage complet**

ÉTATS-UNIS

MEXIQUE   Golfe
           du Mexique

Mexico

Guerrero
OCÉAN
PACIFIQUE

Tigre

MEDICOS
SIN FRONTERAS

Territoires, populations et développement : quels défis ?

L'humanité compte 7,6 milliards d'habitants aujourd'hui, soit 7 fois plus qu'en 1800. La croissance démographique reste élevée dans certaines régions du monde et les inégalités socio-économiques s'accentuent à toutes les échelles. La réduction des inégalités constitue un enjeu majeur du développement durable et équitable.

THÈME 2

SE PRÉPARER
★
MONDE
FRANCE
RÉVISER

Quels défis les évolutions démographiques et l'augmentation des inégalités posent-elles au développement des sociétés ?

Médecins sans frontières, association humanitaire d'origine française, apporte aide médicale et soutien psychologique à la population de Tierra Caliente, dans l'État de Guerrero au sud du Mexique (février 2018).

Territoires, populations et développement

1 ▶ Vérifier ses repères géographiques

1 Les inégalités de développement dans le monde

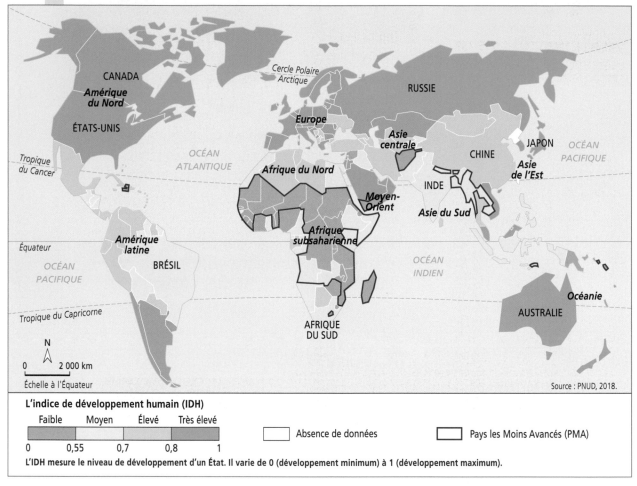

Source : PNUD, 2018.

L'indice de développement humain (IDH)

| Faible | Moyen | Élevé | Très élevé |

0   0,55   0,7   0,8   1

☐ Absence de données   ☐ Pays les Moins Avancés (PMA)

L'IDH mesure le niveau de développement d'un État. Il varie de 0 (développement minimum) à 1 (développement maximum).

---

❶ **doc. 1** Sur quels continents trouve-t-on un développement fragile ?

❷ **doc. 1** Quel est le niveau de développement en Europe occidentale ?

❸ **doc. 1** Quel est le niveau de développement des principaux pays d'Afrique ?
- a niveau de développement élevé
- b niveau de développement moyen
- c niveau de développement faible

❹ **doc. 1** Citez un PMA (Pays Moins Avancé) situé en Afrique, un PMA situé en Asie. Quel est leur niveau de développement ?

Mémo

Mesurer le développement humain

L'indice de développement humain (IDH) est un indice composé regroupant trois critères :

▶ **L'espérance de vie** à la naissance exprime la capacité à vivre longtemps et en bonne santé.

▶ La **durée moyenne de scolarisation** et la **durée attendue de scolarisation** expriment la capacité à acquérir des connaissances.

▶ Le **revenu national brut par habitant** exprime la capacité à avoir un niveau de vie décent.

2 La répartition de la population française par région

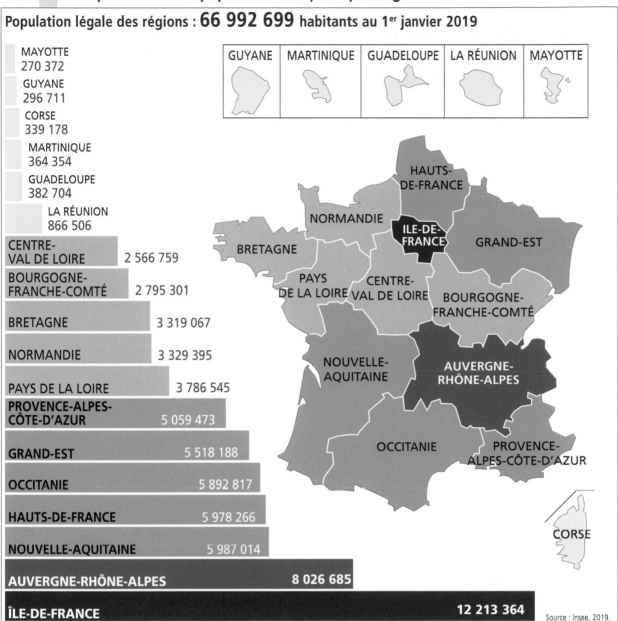

Population légale des régions : 66 992 699 habitants au 1ᵉʳ janvier 2019

| GUYANE | MARTINIQUE | GUADELOUPE | LA RÉUNION | MAYOTTE |

MAYOTTE
270 372

GUYANE
296 711

CORSE
339 178

MARTINIQUE
364 354

GUADELOUPE
382 704

LA RÉUNION
866 506

CENTRE-VAL DE LOIRE   2 566 759

BOURGOGNE-FRANCHE-COMTÉ   2 795 301

BRETAGNE   3 319 067

NORMANDIE   3 329 395

PAYS DE LA LOIRE   3 786 545

PROVENCE-ALPES-CÔTE-D'AZUR   5 059 473

GRAND-EST   5 518 188

OCCITANIE   5 892 817

HAUTS-DE-FRANCE   5 978 266

NOUVELLE-AQUITAINE   5 987 014

AUVERGNE-RHÔNE-ALPES   8 026 685

ÎLE-DE-FRANCE   12 213 364

Source : Insee, 2019.

5 doc. 2 Combien de régions métropolitaines la France compte-t-elle depuis la réforme territoriale de 2015 ?

6 doc. 2 Combien de régions ultramarines la France compte-t-elle ?

7 doc. 2 Citez les trois régions françaises qui concentrent le plus d'habitants.

8 doc. 2 Citez une région métropolitaine dont la population est inférieure à 3 millions d'habitants.

9 doc. 2 Quelle région française est la moins peuplée ?

Mémo
Les territoires ultramarins

▶ **5 DROM (Départements et régions d'outre-mer)**
Même statut qu'un département ou une région métropolitaines : les lois et règlements français s'y appliquent.
→ Guadeloupe, Guyane, Martinique, Mayotte, La Réunion

▶ **5 COM (Collectivités d'outre-mer)**
Anciens territoires d'outre-mer (TOM), ainsi que d'autres collectivités territoriales à statut particulier.
→ Polynésie française, Saint-Barthélémy, Saint-Martin, Saint-Pierre-et-Miquelon, Wallis-et-Futuna

2 ▸ Tester ses connaissances

10 Les indicateurs utilisés pour définir la situation démographique d'un État peuvent être :

- a l'indice de fécondité.
- b le PIB/habitant.
- c l'indice de Gini.
- d l'accroissement naturel.
- e le % des plus de 65 ans.
- f le % des ménages connectés à Internet.

11 Les contrastes socio-spatiaux existent à l'échelle mondiale, mais également à l'échelle nationale. Indiquez les bonnes réponses.

1. Les territoires ultramarins français :
   - a sont pour l'essentiel des îles.
   - b bénéficient tous d'un climat tropical.
   - c sont des territoires très éloignés de la métropole.

2. Les territoires ultramarins français dans leur région sont :
   - a en retard de développement.
   - b attractifs pour la population des pays voisins.
   - c sans écart particulier avec les pays voisins.

3. L'aménagement des territoires ultramarins est nécessaire :
   - a pour réduire les inégalités à l'intérieur des territoires.
   - b pour réduire les inégalités avec les pays voisins.
   - c pour réduire les inégalités avec la métropole.

12 L'indice de développement humain (IDH) mesure le niveau de développement d'un État.
En s'appuyant sur de nombreux indicateurs, il reflète la qualité de vie d'une population dans trois domaines, retrouvez-les et complétez le schéma.

➕ Schéma à imprimer

Indice de développement humain

→ .... **Trois critères**

Espérance de vie à la naissance | Revenu national brut par habitant

Durée moyenne de scolarisation | Durée attendue de scolarisation **Quatre indicateurs**

Source : PNUD.

13 Pour chacune des photographies ci-dessous, identifiez la situation démographique et le niveau de développement représentés.

Situation démographique :
- a Population qui augmente
- b Population qui stagne
- c Population jeune
- d Population qui vieillit

Niveau de développement :
- a Niveau de développement très élevé
- b Niveau de développement élevé
- c Niveau de développement moyen
- d Niveau de développement faible

Situation démographique :
- a Population qui augmente
- b Population qui stagne
- c Population jeune
- d Population qui vieillit

Niveau de développement :
- a Niveau de développement très élevé
- b Niveau de développement élevé
- c Niveau de développement moyen
- d Niveau de développement faible

3 ▶ Mobiliser le vocabulaire et les notions

14 Associez chacune des propositions suivantes aux numéros inscrits dans les cercles sur le schéma.

A. Pays développés

B. Asie en développement

C. Amérique latine

D. Afrique subsaharienne

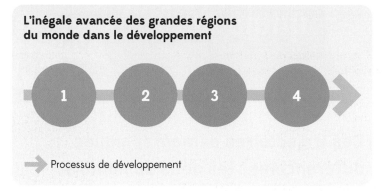

L'inégale avancée des grandes régions du monde dans le développement

1   2   3   4

➤ Processus de développement

THÈME ❷

SE PRÉPARER ★

MONDE ●

FRANCE

RÉVISER

15 Reliez chaque mot à sa définition :

a. Fécondité •

b. Développement •

c. Pauvreté •

d. Croissance démographique •

e. Explosion démographique •

f. Émergence •

• **1.** Augmentation de la population.

• **2.** Nombre moyen d'enfants par femme en âge de procréer (15-49 ans).

• **3.** Très forte croissance démographique. Le nombre de naissances est nettement supérieur au nombre de décès.

• **4.** Amélioration générale des conditions de vie d'une population.

• **5.** Forte croissance économique d'un pays mais amélioration lente des conditions de vie des plus pauvres.

• **6.** Insuffisance de revenus entraînant des privations et l'incapacité pour une population de satisfaire ses besoins.

4 ▶ Valider des situations géographiques

16 Indiquez quelle(s) proposition(s) justifie(nt) les situations géographiques suivantes.

1. Le vieillissement de la population est un phénomène qui pose un certain nombre de défis à de nombreux pays du monde.

[a] Aujourd'hui, le vieillissement de la population touche aussi bien les pays riches et développés que des pays émergents.

[b] Le vieillissement de la population implique de nouveaux besoins liés à l'éducation, l'emploi.

[c] Le vieillissement de la population implique de nouveaux besoins liés à la santé.

2. Les inégalités de richesse et de développement se retrouvent à toutes les échelles.

[a] Aujourd'hui, les contrastes de développement sont moins marqués à l'échelle mondiale.

[b] Les contrastes de richesse et de développement existent dans un pays développé comme la France.

[c] Les niveaux de richesse et de développement varient à l'échelle d'un continent comme l'Amérique.

Dans ces pages

📱 **TOUS LES EXERCICES** en version interactive

📄 **TOUS LES CORRIGÉS** en PDF

⬇ **COURS DU COLLÈGE** à télécharger

Territoires, populations et développement : quels défis ?

DANS LE MONDE

➡️ **Des trajectoires démographiques différenciées : les défis du nombre et du vieillissement**

➡️ **Développement et inégalités**

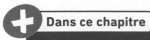

Dans ce chapitre

 TOUS LES TEXTES en version à imprimer

 TOUTES LES CARTES en version interactive

Zoom sur...

▶ **Shanghai**

Population (2018) : 24,2 millions d'habitants

Densité : 3 800 hab./km²

Revenu annuel disponible par habitant (2018) : 32 612 yuans (4 240 euros) 1er de Chine

Quatre gares, quatorze lignes de métro

Hall de gare à Shanghai (août 2018).

CHINE
°Shanghai

THÈME 2

SE PRÉPARER
★

MONDE
🌐

FRANCE

RÉVISER

Étude de cas

Développement et inégalités au Brésil

➡️ **Le développement contribue-t-il à réduire les inégalités au Brésil ?**

Zoom sur...

▸ **le Brésil**

Population	209 millions d'habitants (6ᵉ rang mondial)
PIB (2017)	2 055 milliards $ (8ᵉ rang mondial)
IDH (2017)	0,759 (79ᵉ rang mondial)
Indice de Gini (2017)	0,51 (4ᵉ rang mondial)
Taux d'extrême pauvreté (2018) <1,90 $ / jour	7 % de la population

A Un développement inégal

1 Le Brésil à l'échelle de l'Amérique

BRÉSIL
Brasília

Indice de développement humain (IDH) :

■ Très élevé : plus de 0,8	□ Moyen : de 0,55 à 0,7
■ Élevé : de 0,7 à 0,8	□ Faible : moins de 0,55

Source : PNUD, 2018.

---

2 Une émergence en cours

Parole de géographe

Ce qui distingue les pays émergents des pays développés, c'est qu'ils n'ont pas atteint un stade équilibré de développement du fait, notamment, de structures institutionnelles faibles, de politiques hésitantes (pas moins de 30 partis au Brésil) et de très fortes inégalités sociales. Dans le cas du Brésil, s'y ajoute la faiblesse du commerce extérieur qui représente 17 % du PIB contre 60 % dans le cas de la Chine. Malgré ces handicaps, des succès significatifs sont à remarquer dans des secteurs tels que l'agroénergie, l'exploitation minière, le pétrole off-shore[1], l'aéronautique, les conglomérats bancaires géants, les médicaments génériques, les cosmétiques, etc.

Si cette émergence semble solide et durable, on observe aussi que les processus qui la caractérisent se déploient selon des temporalités différenciées à l'origine de nouveaux conflits et de nouvelles frustrations sociales.

Martine Droulers, directrice de recherche au CNRS, « Le Brésil, pays émergent », *Confins* [en ligne], n° 26, 2016.

1 Exploitation du pétrole sur des plateformes en pleine mer.

Vocabulaire

▸ **IDH (indice de développement humain) :** → voir p. 132.

▸ **Indice de Gini :** indice mesurant les inégalités de revenus entre les habitants d'un État. Il varie de 0 (égalité parfaite) à 1 (inégalité absolue).

▸ **Pauvreté :** insuffisance de revenus entraînant des privations et l'incapacité pour une population de satisfaire ses besoins.

▸ **Pays émergent :** → voir p. 132.

3 L'évolution du Brésil à travers des unes de presse

The Economist, 14 novembre 2009 :
« Le Brésil décolle »

The Economist, 28 septembre 2013 :
« Le Brésil a-t-il tout gâché ? »

The Economist, 23 avril 2016 :
« SOS. La trahison du Brésil »

4 Un bilan économique et social contrasté

La forte croissance et les avancées sociales remarquables qui ont marqué les deux dernières décennies ont fait du Brésil l'une des principales économies mondiales, malgré la profonde récession dont l'économie est aujourd'hui en train de sortir. Le dynamisme du marché du travail, associé à une amélioration de l'accès à l'éducation, a permis à des millions de Brésiliens de trouver de meilleurs emplois et d'améliorer leur niveau de vie, et de sortir plus de 25 millions de Brésiliens de la pauvreté depuis 2003.

Cependant, le Brésil reste l'un des pays les plus pauvres au monde. La moitié de la population perçoit 10 % du total des revenus des ménages, tandis que l'autre moitié en détient les 90 % restants. Les femmes, les minorités raciales et les jeunes défavorisés continuent de souffrir de graves inégalités. Les travailleurs de sexe masculin gagnent 50 % de plus que les femmes, soit un écart de 10 points supérieur à la moyenne de l'OCDE[1]. La probabilité d'exercer un emploi dans le secteur informel[2] est également plus grande pour les femmes. Ce sont les enfants qui sont les plus touchés par la pauvreté et le chômage chez les jeunes est plus de deux fois supérieur à la moyenne générale.

Études économiques de l'OCDE : Brésil 2018, OCDE, février 2018.

1 L'Organisation de coopération et de développement économique regroupe 36 membres en 2018, principalement des pays développés.

2 Ensemble des activités échappant au contrôle de l'État.

Questions

Itinéraire 1

Situer et analyser

1 Décrivez le niveau de développement du Brésil à l'échelle du continent américain. **doc. 1**

2 Comment ces unes de presse illustrent-elles l'évolution du développement brésilien ? **doc. 3**

Contextualiser

3 Quelles sont les forces et les fragilités du développement brésilien ? **doc. 2 et 4**

4 De quelle manière le Brésil est-il qualifié au regard de son développement ? **doc. 2**

ou

 Aide et conseils

Itinéraire 2

Organiser l'information dans un tableau 1/2

À l'aide des documents, complétez ce tableau afin de répondre à la problématique.

	Progrès et développement au Brésil	Limites et inégalités	Solutions apportées
Doc. 1			
...			

B Des inégalités de développement à toutes les échelles

5 Les inégalités de revenus au Brésil

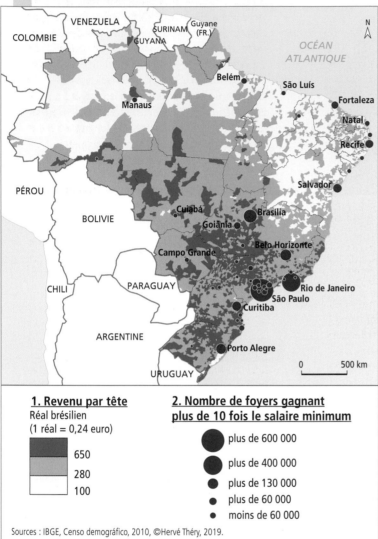

1. **Revenu par tête**
Réal brésilien
(1 réal = 0,24 euro)

650
280
100

2. **Nombre de foyers gagnant plus de 10 fois le salaire minimum**

● plus de 600 000
● plus de 400 000
● plus de 130 000
• plus de 60 000
· moins de 60 000

Sources : IBGE, Censo demográfico, 2010, ©Hervé Théry, 2019.

6 Des contrastes régionaux

> Parole de géographe

Les inégalités territoriales du Brésil sont nombreuses : elles sont si fortes et si clairement lisibles que ce pays sert souvent d'exemple pour l'illustration du problème en géographie. […].

Le Brésil occupe pour l'IDH un rang moyen dans le monde, nettement inférieur à ce que permettrait son niveau économique […].

Les flux humains et financiers montrent que, au cours de l'Histoire, le Nordeste[1] a été appauvri par la concentration des facteurs de production, les hommes et les capitaux, à São Paulo. […] Toutefois, le citadin pauvre de la métropole [de São Paulo] vit-il dans des conditions aussi difficiles que le rural pauvre de l'intérieur nordestin ? La comparaison est délicate, car le milieu urbain apporte des opportunités que les campagnes n'offrent pas en matière de services publics (école, santé) et d'accès au marché de l'emploi. En d'autres termes, si la pauvreté urbaine est plus visible directement parce qu'elle est concentrée en un lieu, elle est sans doute moins intense que la pauvreté rurale plus diluée dans l'espace.

Bernard Bret, spécialiste de l'Amérique latine, « Justice et injustice spatiales au Brésil : une réflexion géoéthique », *L'information géographique*, décembre 2017, Malakoff.

1 Région correspondant au Nord-Est du Brésil. L'IDH y est le plus faible du pays.

➕ Animation croquis

7 Des espaces urbains fragmentés

Favelas de Rio de Janeiro, 2018. Les *favelas* sont les noms des bidonvilles au Brésil.

C Réduire les inégalités, un enjeu de développement

8 Encourager les inscriptions à l'école dès le plus jeune âge

Affiche de la municipalité de Santa Cruz incitant les parents à venir inscrire leurs enfants à l'école municipale pour la rentrée 2019.

Traduction :

① « Inscriptions ouvertes pour 2019 »

② « Éducation municipale des enfants »

③ « Les enfants non scolarisés âgés de 3, 4 ou 5 ans jusqu'au 31/03/2019 sont invités à se présenter au Secrétariat Municipal de l'Éducation avec les documents suivants [...]. »

9 Les enjeux du développement

De nombreuses mesures sur le long terme ont été prises ces dernières années telles que la reconnaissance du droit à la retraite, une hausse du salaire minimum supérieure au taux d'inflation, les politiques de redistribution des revenus (le programme *Bolsa família*[1] par exemple). Ces mesures ne sont pas de simples transferts d'argent puisqu'elles se fondent sur un contrat dans lequel le bénéficiaire s'engage à scolariser ses enfants, à réaliser des examens médicaux réguliers et est encouragé à suivre une formation. La diminution des inégalités passe par l'intégration ou le soutien à des populations et des territoires bien précis. [...] La diminution des inégalités passe également par des mesures plus locales. Par exemple, certaines municipalités tentent d'améliorer les systèmes de transports afin d'éviter une immobilité géographique qui se traduit par une immobilité sociale ou de mener des programmes concernant les zones les plus défavorisées. À Rio de Janeiro par exemple, des programmes de pacification des *favelas* et d'accélération de la croissance de certaines *favelas* ont lieu. [...] Mais à Rio de Janeiro, les politiques urbaines sont très ambiguës sur la question des *favelas* puisqu'elles alternent entre leur destruction, leur marginalisation et leur intégration. De plus, les investissements sont plutôt réalisés dans les quartiers déjà aisés.

Solen Le Clec'h, « Le Brésil : une société inégalitaire en mouvement ? », *Confins*, 24 septembre 2015.

1 La *Bolsa família* (en français, « Bourse familiale ») est un programme destiné à lutter contre la pauvreté, mis en place au Brésil en 2004.

THÈME ②

SE PRÉPARER

MONDE

FRANCE

RÉVISER

Questions

Itinéraire 1   ou   **Itinéraire 2**   ➕ Aide et conseils

Décrire et caractériser

❺ Décrivez les inégalités de richesses au Brésil. **doc. 5 à 7**

❻ Montrez que les inégalités sont présentes à toutes les échelles. **doc. 5 à 7**

❼ Quelles sont les réponses des acteurs politiques pour réduire les inégalités ? **doc. 8 et 9**

Synthétiser et argumenter

❽ Décrivez le développement du Brésil et expliquez ses conséquences sur les inégalités.

Organisez l'information dans un tableau 2/2

• Poursuivez le travail engagé p.109 et utilisez ce tableau pour rédiger une réponse à la problématique.

	Progrès et développement au Brésil	Limites et inégalités	Solutions apportées
Doc. 5			
...			

Les modalités du développement en Inde

→ **Comment concilier accroissement démographique et développement en Inde ?**

Zoom sur...

▶ **l'Inde (2018)**

Population	1,34 milliard d'habitants (2e rang mondial)
PIB brut	2 598 milliards $ (6e rang mondial)
IDH	0,640 (130e rang mondial)
Espérance de vie	68,8 ans
Taux d'alphabétisation	71,24 % de la pop.

Delhi • INDE

A Le défi du nombre, enjeu du développement

1 L'évolution de la population indienne

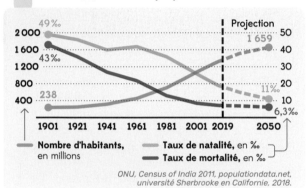

Nombre d'habitants, en millions • **Taux de natalité**, en ‰ • **Taux de mortalité**, en ‰

Projection

ONU, Census of India 2011, populationdata.net, université Sherbrooke en Californie, 2018.

2 Un développement contrasté

En 2011[1], 23,6 % de la population indienne vivait sous le seuil de pauvreté (1,25 dollar par jour selon la Banque mondiale), soit près de 290 millions de personnes. Nombre éloquent pour la sixième économie mondiale (selon le PIB), qui cumule record du nombre de pauvres et troisième rang mondial pour le nombre de milliardaires !

Même si la pauvreté recule (60 % de la population vivait sous le seuil de pauvreté en 1981), cette baisse reste insuffisante et relativise le succès de l'économie indienne dont la croissance ne suffit pas à entraîner toute la population dans son sillage. Le maintien d'une tranche de la population dans la pauvreté contribue vraisemblablement à la dynamique de croissance indienne, qui dépend aussi de la présence d'une main-d'œuvre bon marché enrôlée de manière informelle, par exemple dans les chantiers de construction. Néanmoins, la classe moyenne urbaine ne pourra sans doute pas assumer seule l'essor de la production et de la consommation indiennes, et la pauvreté de la masse populaire constituera, à moyen terme, un frein au développement économique. [...]

L'Inde poursuit cependant son développement, cherchant encore dans l'ouverture au monde une voie de croissance.

Lucie Dejouhanet, « L'Inde, puissance en construction », *La Documentation photographique*, © Dila n° 8109, janvier-février 2016.

1 Année du dernier recensement de population en Inde qui a lieu tous les 10 ans. Le prochain est donc prévu en 2021.

Carte

AFGHANISTAN

JAMMU ET CACHEMIRE

CHINE

PAKISTAN

Indus

Brahmapoutre

RAJASTHAN

Delhi
Ghaziabad
NÉPAL
Kanpur • Lucknow
Jaïpur
UTTAR PRADESH
Gange
BHOUTAN
Patna

Ahmadabad
• Indore
Kolkata
BANGLADESH
MYANMAR

• Surat
• Nagpur

Mumbai
Pune
Hyderabad
Golfe du Bengale

Mer d'Oman

Bengaluru
Chennai
Kozhikode • Coimbatore
Kochi
KERALA

OCÉAN INDIEN

0 — 500 km

SRI LANKA

1. Densités de population (habitants par km²)
- Plus de 500
- De 250 à 500
- Moins de 250

2. Des métropoles hiérarchisées (en millions d'habitants)
- Plus de 10
- De 5 à 10
- De 2 à 5

3. Migrations internes
→ Exode rural

Sources : Census of India, 2011, populationdata.net, 2018.

3 Répartition de la population et dynamiques démographiques en Inde

4 Une rue à Varanasi, 2017

Varanasi (Uttar Pradesh) est une des villes sacrées de l'hindouisme.
Elle est peuplée d'un peu moins de 2 millions d'habitants en 2019.

5 L'émergence de l'Inde

Parole de géographe

Pour le géographe parcourant l'Inde depuis près de quarante ans, chaque séjour, année après année, offre l'expérience d'un changement social rapide, allant s'accentuant, et modifiant jusqu'à l'organisation du territoire et les pratiques spatiales. Les toutes dernières années apparaissent même, par bien des aspects, comme le temps d'une mutation. Après une vingtaine d'années de croissance économique soutenue et qui ne fléchit pas, l'enrichissement des couches moyennes se fait davantage visible, rendant plus criants encore les très fortes inégalités sociales et le maintien d'une large fraction des populations dans la pauvreté. Dans le même temps, l'introduction d'une gouvernance et d'une politique économique plus libérales, l'internationalisation de la production et du commerce, la modernisation des infrastructures urbaines et des systèmes de transport et de communication atteignent un niveau permettant à l'Inde d'accéder au statut de pays émergent. Prudemment, à son rythme et selon ses propres termes, l'Inde s'engage dans la mondialisation. [...] Inégalement réparti sur le territoire, renforçant les inégalités territoriales et valorisant les littoraux, ce dynamisme s'observe tout particulièrement dans les villes, dont plus de cinquante sont aujourd'hui millionnaires et deux, Delhi et Mumbai, avoisinent les vingt millions d'habitants.

Philippe Cadène, « L'émergence de l'Inde : dynamiques métropolitaines, ouverture maritime », *Bulletin de l'association de géographes français*, n°94-1, 2017.

Questions

Itinéraire 1

Décrire et analyser

❶ Décrivez la croissance de la population indienne. **doc. 1**

❷ Quels espaces concentrent la population et pour quelles raisons ? **doc. 3 et 4**

❸ Relevez les caractéristiques du développement de l'Inde. **doc. 2, 4 et 5**

❹ Montrez que l'Inde connaît une transition économique et sociale qui n'est pas aboutie. **doc. 1 à 5**

ou

Itinéraire 2

Préparer un exposé 1/2

• À l'aide des documents et de recherches complémentaires, préparez un exposé sur les enjeux du développement en Inde.

• Sélectionnez les informations correspondant aux thèmes suivants :

1. Développement contrasté et accroissement démographique

2. Les conséquences d'un développement inégal

3. Les solutions apportées pour atténuer les inégalités

B Des inégalités à toutes les échelles

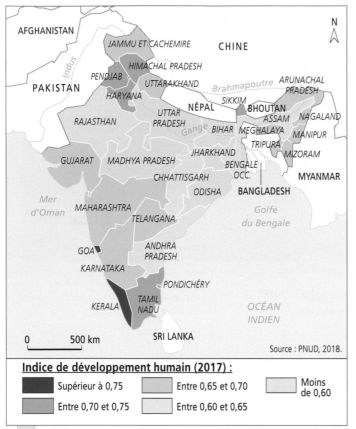

Source : PNUD, 2018.

Indice de développement humain (2017) :

■ Supérieur à 0,75	Entre 0,65 et 0,70	Moins de 0,60
Entre 0,70 et 0,75	Entre 0,60 et 0,65	

6 Le développement humain par États

7 Des inégalités de genre

Les filles bénéficient de moins de soins et d'attention en matière de santé, d'alimentation et d'éducation, ce qui nuit à leur espérance de vie. Elles sont traditionnellement considérées comme un poids financier important, du fait de la dot dont les parents doivent s'acquitter lors du mariage. La préférence allant au fils est encore largement répandue dans le pays.

Alors que la croissance économique, évaluée à 7 %, apporte une amélioration constante des conditions de vie des Indiens, la population féminine n'en bénéficie que partiellement. Bien que de nombreux points ont été améliorés, comme le recul de l'âge au premier enfant, l'écart se creuse quand il est question de l'accès à l'emploi.

Le rapport[1] préconise que « sur la question du genre, la société dans son ensemble – société civile, communautés, cadre familial –, et non pas seulement le gouvernement, se reflète dans une préférence sociétale pour les garçons, inhérente à la croissance ». C'est « un combat inégal entre les forces irrésistibles du développement et les objets immuables que sont les normes culturelles », et prône de se préoccuper autant de la croissance économique que des résultats liés à l'égalité entre les genres.

Shannah Mehidi, « L'Inde "manque" de 63 millions de femmes », *Le Figaro*, 31 jan. 2018.

1 Rapport concernant la situation économique du pays présenté en 2018 devant le Parlement indien.

8 Bidonville à la gare ferroviaire de Bandra Est (Mumbai) 2018

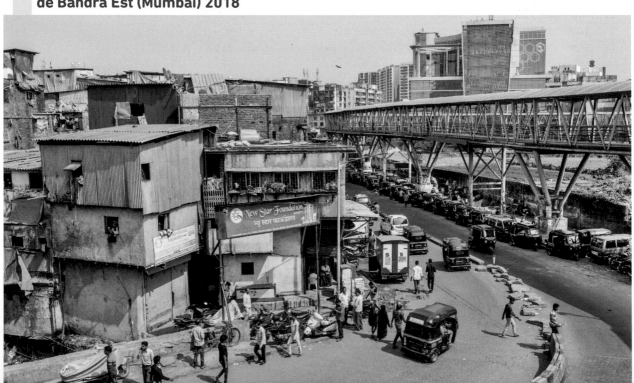

C Les mesures politiques

9 La politique *Urban Renaissance*

La politique *Urban Renaissance* est une politique publique de transformation urbaine menée par le ministère du Logement et des Affaires urbaines (2014-2018).

ASSAINISSEMENT
- Les zones urbaines de 17 États sont devenues des zones épargnées par la défécation à l'air libre (DAL)
- 2 729 villes déclarées épargnées par la défécation à l'air libre (DAL)
- 5,7 M de toilettes individuelles et 380 000 toilettes publiques construites
- 30 % des déchets solides des municipalités traités en station d'épuration

TRANSPORT URBAIN
- 231 km de projets de métro mis en service
- 195 km de projets de métro approuvés

RÉNOVATION URBAINE
- Projets validés (valeur) : 776,44 Md de roupies (9,58 Md €)
- 2 985 projets d'une valeur de 431,92 Md de roupies en cours d'exécution ou achevés (5,33 Md €)

URBAN RENAISSANCE

LOGEMENTS SOCIAUX
- 4,75 M de maisons approuvées
- 2,7 M de maisons en construction
- 800 000 maisons achevées

FORMATION PROFESSIONNELLE
- + 650 000 travailleurs indépendants / employés formés
- + 1,1 M de citadins pauvres ont suivi une formation professionnelle
- Près de 3 M de groupes d'entraide formés

CONSERVATION DU PATRIMOINE
- Plans de conservation approuvés pour 12 villes
- 4,21 Md de roupies votés ou financés (52 millions €)

PROJETS DE SMART CITIES
- 99 villes sélectionnées
- 91 prêts de financements réalisés
- 9 centres de contrôle et de commande intégrés opérationnels

Source : Rapport "4 years of urban transformation 2014-2018", ministère indien du Logement et des Affaires urbaines, 2018.

THÈME **2**

SE PRÉPARER ★

MONDE

FRANCE

RÉVISER

10 Des réformes pour les campagnes

Le gouvernement indien a présenté jeudi un budget annuel pour l'exercice 2018-2019 mettant l'accent sur les zones rurales, où vivent deux Indiens sur trois. « Nous avons lancé des programmes pour diriger les bénéfices des réformes structurelles et de la bonne croissance jusqu'aux fermiers, aux pauvres et d'autres sections vulnérables de nos sociétés pour tirer nos régions sous-développées », a déclaré le ministre des Finances Arun Jaitley devant le Parlement.

Si le géant démographique d'Asie du Sud connaît une urbanisation impressionnante, les zones rurales restent encore le berceau de la majeure partie de son 1,34 milliard d'habitants. L'agriculture, qui représente environ 15 % du PIB mais emploie la moitié de la population active, peine à suivre le train de la croissance.

Le pouvoir en place craint de voir ainsi s'accroître les disparités entre la campagne et les villes et d'essuyer dans l'isoloir le mécontentement des villages.

Dévoilant une série d'initiatives visant différents secteurs agricoles, New Delhi a notamment annoncé qu'elle consacrerait au total pour cette année 14 340 milliards de roupies (180 milliards d'euros) pour développer l'infrastructure des zones rurales.

« Les campagnes au cœur du budget », AFP, 1er février 2018.

Questions

Itinéraire 1

Décrire et caractériser

5 Caractérisez les inégalités urbaines en Inde. **doc. 6 et 8**

6 Décrivez les disparités de développement en Inde. **doc. 6, 8 et 10**

7 Expliquez pourquoi les inégalités sont présentes à toutes les échelles. **doc. 6 à 8**

8 Quelles sont les réponses du gouvernement indien pour réduire les inégalités ? **doc. 9 et 10**

Synthétiser et argumenter

9 Expliquez comment l'Inde peut concilier accroissement démographique et développement.

ou

Itinéraire 2

Préparer un exposé 2/2

- Poursuivez la préparation de votre exposé sur les enjeux du développement en Inde.
- Vous accompagnerez votre exposé d'un diaporama composé de photographies, graphiques, cartes, etc.
- Élaborez une diapositive pour chaque thème. Vous vous appuierez sur cette présentation numérique pour mener votre exposé.

Étude de cas

Développement et inégalités en Russie

Zoom sur...

▶ la fédération de Russie

Population (2018)	147,1 millions d'habitants (9e rang mondial)
Superficie	17,1 millions de km² (31 fois la France)
Densité de population	8,5 hab./km² (France 116 hab./km²)

➡ **Le développement contribue-t-il à réduire les inégalités en Russie ?**

1 Les inégalités sociales en Russie

Les inégalités augmentent partout dans le monde mais dans ce domaine, la Russie, ancienne patrie du socialisme, pourrait bien remporter la palme d'or. Selon un récent rapport, 1 % de la population russe concentre 74,5 % des richesses nationales – et 10 % détiennent 89 % des biens. Ces chiffres sont considérablement plus élevés que dans n'importe quelle autre puissance étudiée, loin devant les États-Unis ou la Chine.

Si le début des années 2000 a été particulièrement bénéfique pour les ménages russes, la croissance s'est peu à peu enrayée. L'économie est entrée en récession il y a deux ans, sous le double effet de la chute des prix du pétrole et des sanctions internationales[1], entraînant dans leur sillage le cours du rouble. […] Bien que la richesse globale de la Russie rivalise avec celle de la Norvège, de Hong Kong, de Singapour ou de la Turquie, l'écart se creuse nettement quand elle est rapportée à sa population, plus nombreuse.

Isabelle Mandraud, « La Russie, palme d'or des inégalités extrêmes », *Le Monde Économie*, 14 janvier 2017.

1 Suite à l'annexion de la Crimée, l'Union européenne a imposé à partir de 2014 des mesures de sanctions à l'encontre de la Russie.

2 Le développement russe en chiffres

IDH : 0,734 - 49e en 2018

DÉMOGRAPHIE-SANTÉ

Population : 147 millions (9e rang mondial en 2018)

Espérance de vie : 72 ans

Taux de fécondité : 1,75 enfant par femme (2016)

ÉDUCATION

Taux d'alphabétisation : 99,7 % (2017)

Taux d'inscription aux études supérieures : 81,82 % (2016) › France 65,26 % (2015)

NIVEAU DE VIE

PIB : 1 577 milliards $ (11e rang mondial en 2017)

Revenu par habitant : 9 230 $/an (Moyenne UE : 32 777 $/an en 2017)

Taux de pauvreté (revenu inférieur à 160 euros par mois) : **13,2 %** (2017)

Source : PNUD, 2018.

3 Des inégalités urbaines

Sans-abri dans le centre-ville de Moscou, février 2018.

4 Les niveaux de développement en Russie

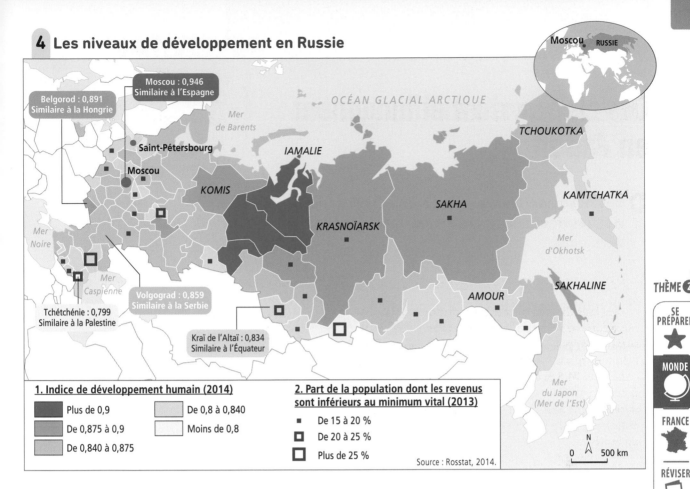

1. Indice de développement humain (2014)
- Plus de 0,9
- De 0,875 à 0,9
- De 0,840 à 0,875
- De 0,8 à 0,840
- Moins de 0,8

2. Part de la population dont les revenus sont inférieurs au minimum vital (2013)
- ■ De 15 à 20 %
- ▣ De 20 à 25 %
- ▢ Plus de 25 %

Source : Rosstat, 2014.

Moscou : 0,946 — Similaire à l'Espagne
Belgorod : 0,891 — Similaire à la Hongrie
Volgograd : 0,859 — Similaire à la Serbie
Tchétchénie : 0,799 — Similaire à la Palestine
Kraï de l'Altaï : 0,834 — Similaire à l'Équateur

THÈME ❷

SE PRÉPARER ★

MONDE 🌐

FRANCE

RÉVISER

5 Le développement dans les espaces ruraux

Il est temps de réformer les retraites. Il aurait fallu commencer depuis longtemps, et pas pour boucher les trous dans le budget sur le dos des plus pauvres, comme aujourd'hui, mais dans les années 2000 par exemple, progressivement, en augmentant l'âge de départ de six mois par an. C'est vrai, l'espérance de vie a augmenté et la nature du travail a changé. Mais pas partout. Cela nécessite une approche différenciée. […]

Les zones rurales de la moitié nord de la Russie ont perdu la majeure partie de leur population. Ce sont les actifs et les plus qualifiés qui sont partis. Les campagnes non agricoles sont majoritairement peuplées de femmes âgées. Les jeunes quittent ces régions après le bac pour rejoindre les grandes villes, car ils ne sont pas prêts à vivre sans gaz, sans eau courante, sans routes, sans Internet. L'espérance de vie des hommes y est bien en dessous de la moyenne officielle. Le chômage réel dans beaucoup de communes rurales atteint 30 %. Avant même l'âge de la retraite, beaucoup de femmes et d'hommes vivent sur la pension de leur mère.

Tatiana Nefedova citée dans « La Russie s'attaque au tabou de l'âge de la retraite », *Courrier international*, n° 1454, juin 2018.

Itinéraire 1

Décrire et analyser

❶ Quelles sont les caractéristiques démographiques russes ? Pourquoi peut-on parler d'un vieillissement de la population ? **doc. 2 et 5**

❷ Caractérisez le développement de la Russie. **doc. 1, 2 et 5**

❸ Décrivez les disparités de développement en Russie. **doc. 1, 3, 4 et 5**

❹ Expliquez pourquoi les inégalités sont présentes à toutes les échelles. **doc. 1 à 5**

Synthétiser et argumenter

❺ Montrez que la Russie se développe mais que les inégalités demeurent nombreuses à toutes les échelles.

ou

Itinéraire 2

➕ **Aide et conseils**

Réaliser une carte mentale

- Réalisez une carte mentale qui montre en quoi le développement en Russie est inégal.

- Autour d'un noyau central indiquant le sujet, votre carte pourra s'articuler autour de trois axes principaux : Un développement global / Des enjeux démographiques / Des inégalités à toutes les échelles.

Les enjeux du vieillissement au Japon

➡ **Que nous apprend le Japon sur les enjeux du vieillissement démographique dans un pays développé ?**

1 Évolution projetée de la population et grandes métropoles au Japon (2010-2040)

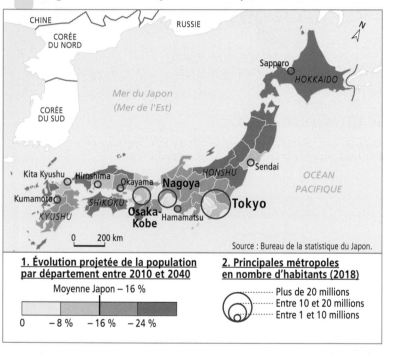

Source : Bureau de la statistique du Japon.

1. Évolution projetée de la population par département entre 2010 et 2040

Moyenne Japon – 16 %

0   – 8 %   – 16 %   – 24 %

2. Principales métropoles en nombre d'habitants (2018)

Plus de 20 millions
Entre 10 et 20 millions
Entre 1 et 10 millions

2 Une géographie du vieillissement

En 2005, le nombre de décès [au Japon] est devenu supérieur à celui des naissances : la démographie [...] est alors rentrée dans la phase dite « post-moderne » de la transition démographique, celle du vieillissement qui résulte de l'érosion de la fécondité et d'un accroissement de l'espérance de vie. Des auteurs alarmistes ont alors évoqué [...] la fin du peuple japonais lui-même, mais deux phénomènes tempèrent cette vision. D'une part, le déclin et le vieillissement démographiques touchent inégalement le territoire japonais : pas les mégapoles, mais les campagnes profondes ; les banlieues restent fécondes et, depuis une poignée d'années, même les quartiers centraux de Tokyo regagnent des habitants grâce à l'arrivée de jeunes ménages avec enfants. D'autre part, le recours à l'immigration [...] pourrait remplir les besoins économiques et sociaux. [...].

La société japonaise doit néanmoins prendre en compte le nombre de plus en plus important de personnes âgées et répondre à leurs besoins sanitaires, culturels et psychologiques.

Philippe Pelletier, *La Fascination du Japon*, Le Cavalier bleu, 2016.

3 Des personnes âgées en activité

De plus en plus de personnes âgées travaillent pour subvenir à leurs besoins en raison de la faiblesse des retraites. Ainsi Kato, 70 ans, veut encore travailler cinq ans avant de prendre sa retraite.

4 Des robots pour accompagner les personnes âgées

Pepper est le premier humanoïde capable de reconnaître les émotions humaines et de s'y adapter. Il donne ici un cours de gymnastique à la maison de retraite Tsukui à Kawasaki (agglomération de Tokyo), en février 2018.

THÈME ❷

SE PRÉPARER
★

MONDE

FRANCE

RÉVISER

5 Les conséquences du vieillissement au Japon

 Parole de géographe

En 1979, le Japon, avec 116 millions d'habitants, était au septième rang dans le monde pour l'importance de sa population. Près d'un demi-siècle plus tard, avec 125 millions d'habitants en 2016, il recule au onzième rang, désormais devancé par le Pakistan, le Nigeria, le Bangladesh et le Mexique. En 1979, le Japon disposait de 2,7 % de la population dans le monde. En 2016, ce pourcentage est tombé à 1,7 % et, selon la projection moyenne, il est appelé à diminuer jusqu'à 1 %, voire moins, en 2050. Dans ce contexte, et malgré sa puissance économique relative, les arguments du Japon pour justifier sa revendication d'un siège permanent au Conseil de sécurité de l'ONU se réduisent, notamment face à l'Inde ou au Brésil en croissance démographique.

De telles données […] sont de nature à avoir des effets géopolitiques défavorables pour le Japon. Mais le plus important est que la dépopulation [affaiblit la puissance] d'un pays. En effet, la diminution de la population active abaisse les ressources humaines disponibles pour créer des richesses. Sauf à attirer d'importantes vagues migratoires dans le cadre de migrations de remplacement, le PIB total du Japon est donc appelé à stagner même si la productivité par actif ayant un emploi augmente.

Gérard-François Dumont, « Japon : le dépeuplement et ses conséquences », *Géoconfluences* [en ligne], octobre 2017.

Questions

Itinéraire 1

Décrire et analyser

❶ Décrivez l'évolution de la population au Japon. **doc. 1 et 2**

❷ Expliquez pourquoi le vieillissement constitue un frein au développement économique du Japon. **doc. 5**

❸ Quelles sont les réponses apportées au défi du vieillissement ? **doc. 2, 4 et 5**

Synthétiser et argumenter

❹ Présentez le vieillissement de la population japonaise et ses conséquences.

ou

Itinéraire 2

Réaliser une capsule audio

- Réalisez une capsule audio sur le vieillissement de la population au Japon et ses conséquences.
- À l'aide des documents, présentez le sujet (causes, manifestations, conséquences…).
- Organisez les informations en 2 ou 3 parties.
- Enregistrez-vous en veillant à parler distinctement et à ne pas dépasser 2 à 3 minutes d'enregistrement.

Politiques démographiques et développement

→ **Comment les politiques démographiques agissent-elles sur la natalité ?**

1 Les leviers d'une politique démographique

Parole de géographe

Les programmes de planification familiale jouent un rôle primordial pour ralentir la croissance démographique et améliorer le bien-être familial. Il s'agit d'accompagner et d'encourager les changements de comportement en matière de fécondité[1]. L'enjeu est de taille, car 1,9 milliard d'individus ont aujourd'hui moins de 15 ans. Le profil de procréation de ces générations est déterminant pour confirmer la baisse de la fécondité dans les deux prochaines décennies. Malheureusement, un nombre important de femmes ne disposent pas aujourd'hui de méthodes efficaces de planification familiale, qui leur permettraient de limiter les naissances, notamment en diffusant plus efficacement des moyens modernes de contraception.

Les investissements en matière de santé et d'éducation constituent un deuxième champ d'investigation important. L'accès aux soins de santé reproductive, une meilleure scolarisation des classes d'âge les plus jeunes, notamment les femmes, constituent deux pièces maîtresses des politiques démographiques. L'éducation des femmes, et plus largement la réduction des inégalités de genre, ont des conséquences indéniables sur l'évolution de la fécondité.

Olivier David, *La population mondiale, Répartition dynamique et mobilité*, Paris, © Armand Colin, 2015 (3e édition).

1 Voir définition p. 130.

2 Croissance de la population mondiale et perspectives d'évolution

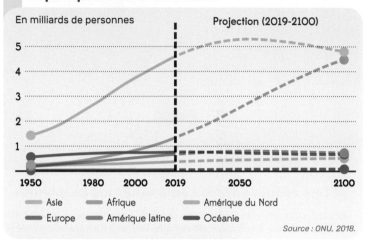

En milliards de personnes — Projection (2019-2100)

Asie — Afrique — Amérique du Nord
Europe — Amérique latine — Océanie

Source : ONU, 2018.

Combien d'enfants souhaitez-vous ?

Planifie les naissances pour l'harmonie et la stabilité de ta famille

PLANIFICATION FAMILIALE

Famille Planifiée, Harmonieuse et Stable

Ce petit triangle rouge t'indique où trouver les services de Planification Familiale

Programme National de la Santé de la Reproduction (PNSR)

3 Le contrôle des naissances en République démocratique du Congo

Campagne pour la planification familiale, ministère de la Santé, 2015.

Vocabulaire

▸ **Contrôle des naissances** : ensemble des politiques gouvernementales, nationales ou étatiques, visant à la réduction de la fécondité d'un pays.

▸ **Planification familiale** : ensemble de moyens permettant aux populations de contrôler les naissances grâce aux méthodes contraceptives et au traitement de l'infécondité.

4 L'indice de fécondité dans le monde (2018)

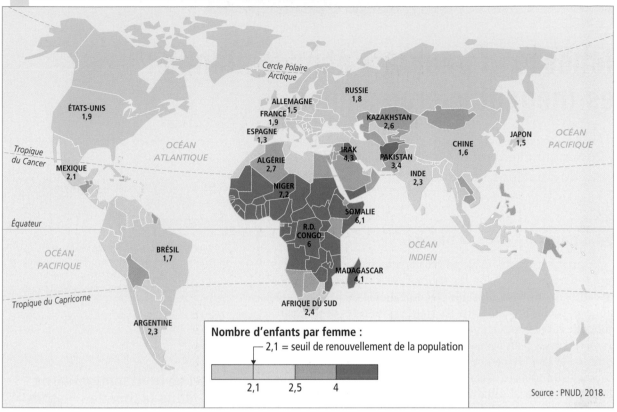

ÉTATS-UNIS 1,9

ALLEMAGNE 1,5

FRANCE 1,9

ESPAGNE 1,3

RUSSIE 1,8

KAZAKHSTAN 2,6

JAPON 1,5

CHINE 1,6

IRAK 4,3

PAKISTAN 3,4

INDE 2,3

ALGÉRIE 2,7

NIGER 7,2

SOMALIE 6,1

R.D. CONGO 6

MADAGASCAR 4,1

MEXIQUE 2,1

BRÉSIL 1,7

AFRIQUE DU SUD 2,4

ARGENTINE 2,3

Cercle Polaire Arctique

Tropique du Cancer

Équateur

Tropique du Capricorne

OCÉAN ATLANTIQUE

OCÉAN PACIFIQUE

OCÉAN PACIFIQUE

OCÉAN INDIEN

Nombre d'enfants par femme :
2,1 = seuil de renouvellement de la population

2,1   2,5   4

Source : PNUD, 2018.

THÈME **2**

SE PRÉPARER

MONDE

FRANCE

RÉVISER

5 La fin du contrôle des naissances en Chine

La fin de la politique de l'enfant unique n'a pas eu les effets escomptés car l'idée qu'il est bon pour le pays d'avoir peu d'enfants reste bien ancrée dans les mentalités. [Si l'abandon est récent pour en mesurer les effets sur la fécondité], il est vrai que le premier assouplissement de fin 2013 n'a pas atteint les résultats espérés puisque sur les 11 millions de couples potentiellement concernés par la réforme, seuls 16 % d'entre eux avaient, un an et demi plus tard, demandé l'autorisation pour avoir un deuxième enfant. À cela, viennent s'ajouter des raisons économiques : l'accès à école, les soins de santé, les activités périscolaires représentent un coût considérable. La forte hausse du coût de la vie, conjuguée à une précarité accrue sur le marché du travail, dissuade les couples d'avoir un deuxième enfant. Toute une nouvelle génération de Chinois souhaite désormais profiter de la vie ou donner la priorité à leur carrière avant d'avoir un enfant. [...] Le problème est profond : un rebond de la fécondité nécessitera *a minima* de mieux protéger les femmes sur le marché du travail et de soutenir davantage les familles dans la prise en charge des personnes dépendantes, à savoir les enfants et les personnes âgées.

[Mais] une remontée de la fécondité à deux enfants par femme ne suffira pas à enrayer le vieillissement de la population. La mise en place d'un système de retraite digne de ce nom permettrait à de nombreux Chinois de vivre décemment et de devenir de véritables acteurs économiques. D'ici 25 à 30 ans, le niveau de vieillissement de la Chine sera équivalent à celui du Japon aujourd'hui.

Isabelle Attané, « La Chine risque d'être vieille avant d'être riche », *Les Échos*, 28 février 2017.

Questions

Itinéraire 1

Décrire et analyser

1 Expliquez le contrôle des naissances et relevez les formes qu'il peut prendre. **doc. 1, 3 et 5**

2 Montrez que les politiques démographiques sont une réponse à la croissance de la population. **doc. 1, 2, et 4**

3 Expliquez les limites d'une politique de contrôle des naissances. **doc. 5**

Synthétiser et argumenter

4 Comment les politiques démographiques agissent-elles sur la natalité ? **doc. 1 à 5**

ou

Itinéraire 2

Réaliser un diaporama

• Après avoir étudié le cadre général fourni par ces documents, vous réaliserez des recherches complémentaires sur l'un de ces trois pays : l'Inde, la République démocratique du Congo, le Nigeria.

• Réalisez une présentation numérique de 6 diapositives vous permettant d'exposer ensuite à l'oral les politiques démographiques et leurs conséquences dans le pays choisi.

Richesse et pauvreté dans le monde : des inégalités croissantes

➡ **Comment évoluent les inégalités entre riches et pauvres dans le monde ?**

1 La pauvreté dans le monde

L'extrême pauvreté recule à l'échelle mondiale, mais la trajectoire est très inégale selon les régions. L'Afrique subsaharienne concentre désormais à elle seule plus de la moitié des personnes vivant avec moins de 1,90 dollar par jour. Les données de la Banque mondiale révèlent pourtant quelques bonnes nouvelles. En 2015, dernière année pour laquelle des statistiques vérifiées sont disponibles, le taux de pauvreté est tombé à 10 % de la population mondiale. En 1990, ce taux était encore de 36 %. Dans l'intervalle, plus de 1,1 milliard d'individus sont sortis de la grande misère grâce à l'amélioration de leurs conditions de vie. Malgré ces progrès incontestables, les experts notent avec inquiétude que le mouvement a ralenti ces dernières années. Et, surtout, qu'il masque de profondes disparités géographiques. Sur les 27 pays affichant les taux de pauvreté les plus élevés à travers le monde, 26 se trouvent sur le continent africain. Sans surprise, les pauvres sont plus nombreux dans les États en proie à des crises politiques ou des conflits armés. Beaucoup se situent en Afrique mais pas uniquement (Syrie, Yémen). Ce constat, insiste Caroline Sánchez-Páramo, directrice de l'unité pauvreté de la Banque mondiale, doit être interprété au sens large : « Être pauvre, cela ne concerne pas seulement le niveau de revenu et de consommation. C'est aussi faire face à toutes sortes de privations touchant l'accès à l'éducation, aux services de santé ou à l'eau potable, et être davantage exposé aux fragilités climatiques. »

Marie de Vergès, « Plus de la moitié des plus pauvres dans le monde vivent en Afrique », *Le Monde Économie*, 21 septembre 2018.

Vocabulaire

▶ **Pauvreté** : insuffisance de revenus entraînant des privations et l'incapacité pour une population de satisfaire ses besoins. Dans le cas de l'extrême pauvreté, il s'agit des besoins essentiels : se nourrir, accéder à l'eau potable, se loger, se soigner, s'éduquer.

2 Les multimillionnaires dans le monde

➕ Vidéo

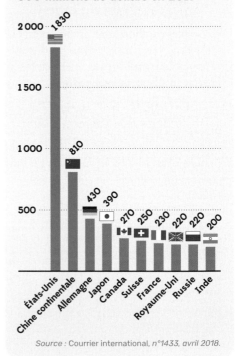

Nombre de personnes possédant un patrimoine supérieur à 500 millions de dollars en 2017

Pays	Nombre
États-Unis	1830
Chine continentale	810
Allemagne	430
Japon	390
Canada	270
Suisse	250
France	230
Royaume-Uni	220
Russie	220
Inde	200

Source : Courrier international, n°1433, avril 2018.

LA PRECARITE N'EST PAS UN METIER

3 Des inégalités dénoncées par les Gilets jaunes, 2019

Le mouvement des Gilets jaunes est un mouvement social spontané apparu en France pendant l'hiver 2018-2019 s'organisant autour de revendications sociales et fiscales.

Photographie prise à Paris, le 12 janvier 2019.

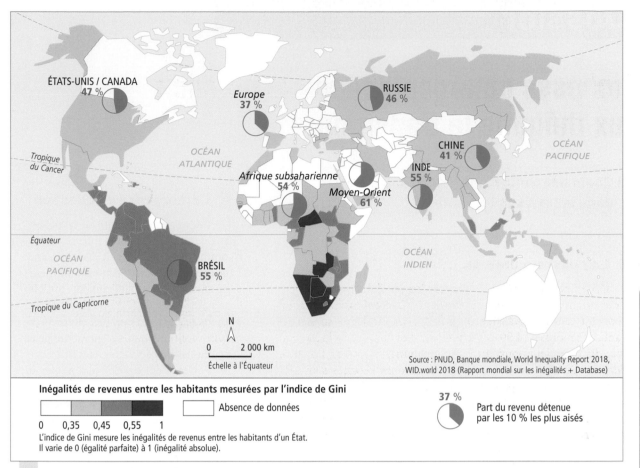

ÉTATS-UNIS / CANADA **47 %**

Europe **37 %**

RUSSIE **46 %**

CHINE **41 %**

Afrique subsaharienne **54 %**

Moyen-Orient **61 %**

INDE **55 %**

BRÉSIL **55 %**

Tropique du Cancer

Équateur

Tropique du Capricorne

OCÉAN ATLANTIQUE

OCÉAN PACIFIQUE

OCÉAN PACIFIQUE

OCÉAN INDIEN

N

0   2 000 km
Échelle à l'Équateur

Source : PNUD, Banque mondiale, World Inequality Report 2018, WID.world 2018 (Rapport mondial sur les inégalités + Database)

Inégalités de revenus entre les habitants mesurées par l'indice de Gini

Absence de données

0   0,35   0,45   0,55   1

L'indice de Gini mesure les inégalités de revenus entre les habitants d'un État. Il varie de 0 (égalité parfaite) à 1 (inégalité absolue).

37 % Part du revenu détenue par les 10 % les plus aisés

THÈME ❷

SE PRÉPARER ⭐

MONDE 🌐

FRANCE

RÉVISER

4 Les inégalités de revenus dans les États du monde

5 Un monde d'inégalités

Les inégalités à l'intérieur des pays émergents ont fortement augmenté. Tout le monde n'a pas profité du développement au même rythme, certains pays connaissant même des disparités très fortes, comme l'Inde. Du côté des pays développés, les trois dernières décennies ont vu un même accroissement des écarts de richesse internes. [...] Une étude approfondie par région permet pourtant de relativiser cette évolution : si toutes les parties du monde la connaissent, elle suit des rythmes très variés. Ainsi, les Européens s'avèrent relativement mieux protégés. La dynamique inégalitaire apparaît bien plus marquée aux États-Unis. Et le Moyen-Orient est polarisé à l'extrême entre ceux qui profitent de la manne pétrolière et les étrangers pauvres qui travaillent à leur service. Ces situations contrastées amènent un constat plus rassurant : les institutions politiques peuvent se permettre de contrôler les inégalités par une fiscalité progressive, des transferts vers les plus démunis, un salaire minimum et une offre de services publics.

Christian Chavagneux, « Un monde d'inégalités », *Alternatives économiques* n° 375, 1er janvier 2018.

Questions

Itinéraire 1

Décrire et analyser

❶ Décrivez la répartition des riches et des pauvres dans le monde. **doc. 1, 2 et 4**

❷ Comment la pauvreté et les inégalités de richesse ont-elles évolué ? **doc. 1 et 5**

❸ Comment les inégalités se manifestent-elles dans le monde ? **doc. 3 à 5**

Synthétiser et argumenter

❹ Comment les inégalités entre riches et pauvres se manifestent-elles et évoluent-elles ?

ou

Itinéraire 2

Réaliser une affiche de sensibilisation

• Vous réaliserez une affiche pour sensibiliser les élèves de votre lycée à l'objectif de développement durable n° 10 de l'ONU : « Réduire les inégalités dans les pays et d'un pays à l'autre ».

• À l'aide des documents et de recherches complémentaires, vous présenterez un bilan des inégalités entre riches et pauvres dans le monde, leur évolution et les enjeux au regard d'un développement durable.

Dossier

Les pays émergents face aux défis de la transition

➡️ **Quels sont les enjeux de la transition dans les pays émergents ?**

1 Les pays émergents dans le monde

			Classement PIB	Classement IDH	Espérance de vie moyenne
Pays émergents		Chine	2e	86e	76,4 ans
		Inde	6e	130e	68,8 ans
		Brésil	8e	79e	75,7 ans
		Indonésie	16e	116e	69,4 ans
Pays développés		Allemagne	4e	24e	81,2 ans
		France	7e	5e	82,7 ans
PMA		Afghanistan	113e	168e	64 ans
		Tchad	138e	186e	53,2 ans

Sources : PNUD, Banque mondiale, 2018.

3 Les femmes dans les pays émergents

Une employée contrôle un circuit imprimé sur le site de NPD Technology, à Ciudad Juarez au Mexique, octobre 2018.

Parole de géographe

2 L'émergence en question

L'émergence caractérise le processus par lequel un État s'intègre à l'économie mondiale grâce à une croissance économique forte pendant plusieurs années. [...] Les plus connus sont certainement les BRICS en raison de leur poids respectif et cumulé, et de la visibilité politique qu'ils se sont donnée en se réunissant régulièrement. [...]

Parler d'émergence plutôt que de développement induit des différences majeures : l'émergence est plus économique que sociale, et elle peut ne pas se traduire par l'amélioration des conditions de vie des plus pauvres. [...]

Les États émergents présentent des caractéristiques communes qui se retrouvent de façon plus ou moins prononcée et avec des écarts selon les situations : une population nombreuse mais qui a achevé sa transition démographique, un régime politique stable mais souvent autoritaire, la formation d'une classe moyenne capable de consommer et d'occuper les emplois intermédiaires dans les services et l'administration, une urbanisation rapide, et souvent un creusement de l'écart de richesse. [...] On parle parfois de pays émergés à propos de la Chine ou du Brésil, ce qui sous-entendrait qu'on peut achever l'émergence sans atteindre pour autant le stade de « pays développé ».

Jean-Benoît Bouron, *Géoconfluences*, ENS/DGESCO, 10 juillet 2018.

Vocabulaire

▸ **BRICS :** acronyme désignant les principaux pays émergents (Brésil, Russie, Inde, Chine, Afrique du Sud).

▸ **PMA (Pays les Moins Avancés) :** pays cumulant de nombreux handicaps qui empêchent ou freinent leur développement (faible espérance de vie, pauvreté, déficiences en termes d'éducation et de santé).

▸ **Pays émergent :** → voir p. 132.

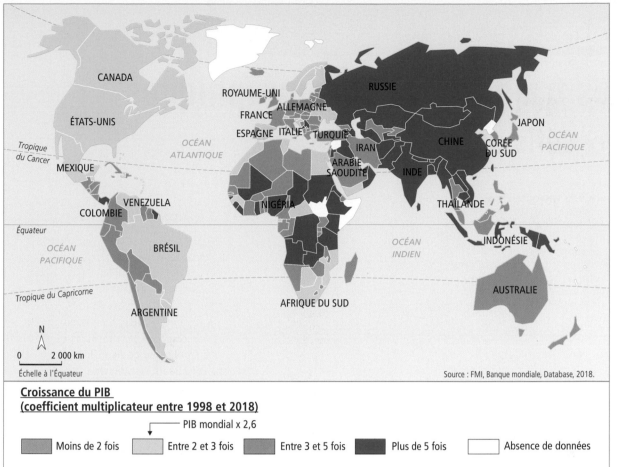

Source : FMI, Banque mondiale, Database, 2018.

Croissance du PIB
(coefficient multiplicateur entre 1998 et 2018)

PIB mondial x 2,6

Moins de 2 fois	Entre 2 et 3 fois	Entre 3 et 5 fois	Plus de 5 fois	Absence de données

4 La croissance du PIB (1998-2018)

THÈME **2**

SE PRÉPARER
★

MONDE
◯

FRANCE

RÉVISER

5 Une émergence ralentie

Le FMI (Fonds monétaire international) [estime] que la croissance en 2018 du Brésil s'élève à + 1,8 %, de la Russie à + 1,7 %, de l'Inde à + 7,3 %, de la Chine à + 6,6 % et enfin de l'Afrique du sud à + 1,5 %. Eux qui, voici quelques années encore, étaient considérés comme la locomotive mondiale en termes de croissance subissent une pression identique en termes de productivité.

En comparant deux périodes (2000-2007 et 2011-2016), la croissance moyenne des grands émergents a marqué le pas. De + 6,6 % en moyenne, elle est tombée à + 5 %. « Ce ralentissement, commun à l'ensemble des régions émergentes, est plus marqué en Amérique latine et en Asie », note une étude.

Plusieurs facteurs expliquent ce tassement. Tout d'abord, entre ces deux périodes l'effet rattrapage – économique, technologique, éducatif – s'est peu à peu estompé. Ensuite, les économies émergentes ont subi les contrecoups de la crise de 2008. De + 8,6 % en 2007, la croissance moyenne pour la seule année 2009 est tombée à + 2,8 %.

[En cause notamment], les hausses régulières des salaires qui font perdre au pays concerné des points de compétitivité-coût. Rares sont pour l'instant les économies à l'image de la Corée du Sud à avoir su sortir de ce « piège » par le haut.

Michel De Grandi, « Les pays émergents face au recul de leur productivité », *Les Échos*, 2 août 2018.

Questions

Itinéraire 1

Décrire et analyser

1 Comment se caractérise l'émergence ? **doc. 1 à 3**

2 En quoi les pays émergents se distinguent-ils des pays développés et des PMA ? **doc. 1 et 4**

3 Quels sont les pays dont le PIB a connu la plus forte croissance sur les vingt dernières années ? **doc. 2, 4 et 5**

4 Expliquez les difficultés des BRICS. **doc. 1 et 5**

Synthétiser et argumenter

5 Analysez la transition de développement que connaissent les pays émergents et soulignez-en les perspectives. **doc. 1 à 5**

ou

Itinéraire 2

Réaliser une recherche documentaire

- Choisissez un des cinq BRICS puis menez des recherches documentaires sur son émergence et ses limites.
- Vous proposerez une synthèse de vos recherches dans un support de présentation de votre choix (dossier, diaporama, affiche, reportage audio…).

Les trajectoires démographiques

Vocabulaire

▶ **Accroissement naturel :**
→ voir p. 130.

▶ **Transition démographique :**
période de forte croissance de
la population, qui est due à la
diminution massive de la mortalité
et à l'allongement de l'espérance
de vie, alors que la natalité reste
élevée. La transition s'achève
quand la natalité a baissé à son
tour et rejoint le niveau de la
mortalité.

Schéma de la transition démographique
En ‰

| pré-transition | phase 1 | phase 2 | post-transition |

50
40
30
20
10

Accroissement naturel

années

— **Taux de natalité, en ‰**
— **Taux de mortalité, en ‰**

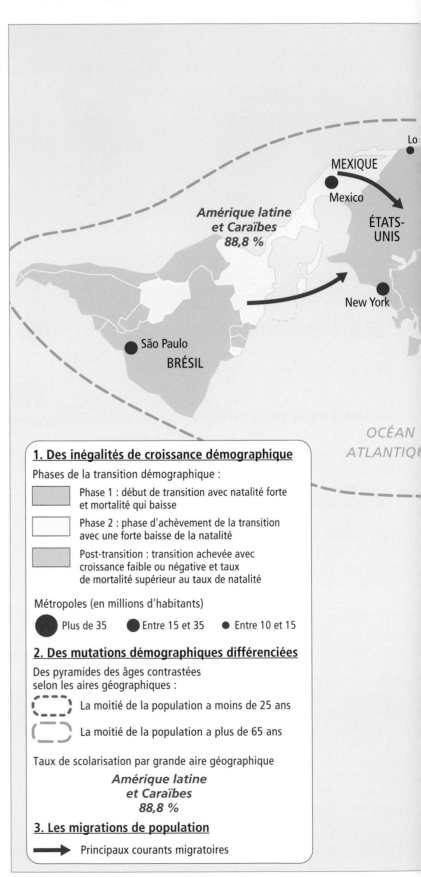

1. Des inégalités de croissance démographique

Phases de la transition démographique :

■ Phase 1 : début de transition avec natalité forte et mortalité qui baisse

□ Phase 2 : phase d'achèvement de la transition avec une forte baisse de la natalité

▨ Post-transition : transition achevée avec croissance faible ou négative et taux de mortalité supérieur au taux de natalité

Métropoles (en millions d'habitants)

⬤ Plus de 35   ● Entre 15 et 35   • Entre 10 et 15

2. Des mutations démographiques différenciées

Des pyramides des âges contrastées selon les aires géographiques :

⊏⊐ La moitié de la population a moins de 25 ans

⊏⊐ La moitié de la population a plus de 65 ans

Taux de scolarisation par grande aire géographique
Amérique latine et Caraïbes
88,8 %

3. Les migrations de population

➡ Principaux courants migratoires

(Sur la carte : MEXIQUE, Mexico, Lo..., ÉTATS-UNIS, New York, Amérique latine et Caraïbes 88,8 %, São Paulo, BRÉSIL, OCÉAN ATLANTIQU...)

Questions

❶ Quelles régions du monde ont achevé leur transition démographique ?

❷ Quels pays ont une population jeune ? Lesquels ont une population vieillissante ?

❸ De quelles régions de départ et vers quels espaces d'arrivée les principaux courants migratoires sont-ils orientés ?

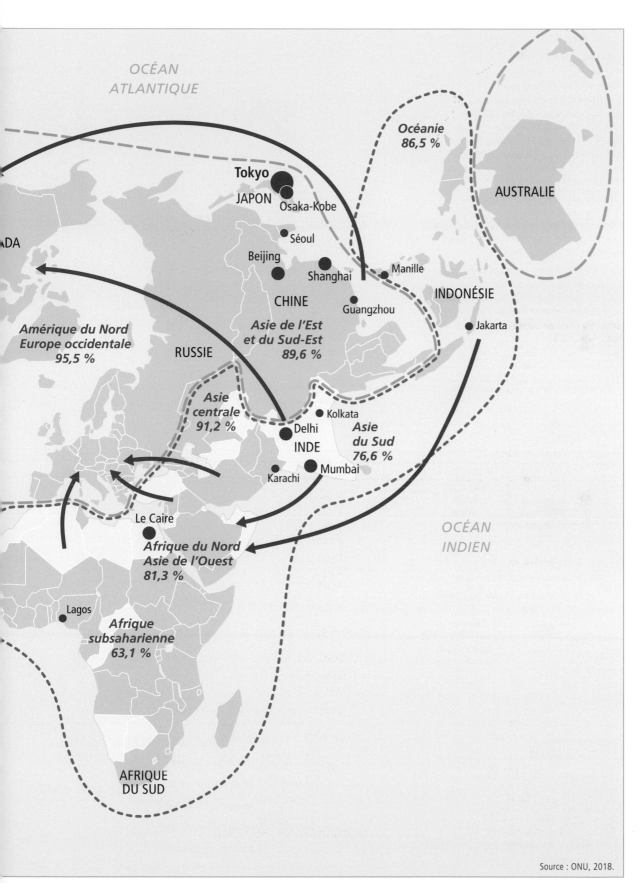

OCÉAN ATLANTIQUE

Océanie
86,5 %

AUSTRALIE

Tokyo
JAPON
Osaka-Kobe

Séoul

Beijing

Shanghai

Manille

Guangzhou

INDONÉSIE

CHINE

Asie de l'Est
et du Sud-Est
89,6 %

Jakarta

Amérique du Nord
Europe occidentale
95,5 %

RUSSIE

Asie
centrale
91,2 %

Kolkata

Delhi

INDE

Asie
du Sud
76,6 %

Karachi

Mumbai

OCÉAN
INDIEN

Le Caire

Afrique du Nord
Asie de l'Ouest
81,3 %

Lagos

Afrique
subsaharienne
63,1 %

AFRIQUE
DU SUD

Source : ONU, 2018.

Un monde inégalement développé

Vocabulaire

▶ **IDH :** → voir p. 132.

▶ **Revenu médian :** valeur du revenu séparant en deux moitiés égales une population donnée. Le nombre d'individus disposant d'un revenu inférieur au revenu médian est égal au nombre d'individus disposant d'un revenu supérieur à ce même revenu médian.

▶ **Seuil de pauvreté :** revenu minimal en dessous duquel une personne (ou une famille) est considérée comme pauvre. Ce seuil varie car il est souvent déterminé par les autorités de chaque pays.

▶ **Seuil d'extrême pauvreté :** niveau au-dessous duquel une personne est considérée comme extrêmement pauvre. Ce seuil, actuellement fixé à 1,90 dollar par jour, est régulièrement relevé par la Banque mondiale.

IDH : moyenne mondiale en 2017 **0,728**

Le plus élevé **0,953** (Norvège)

Le plus faible **0,354** (Niger)

PIB/habitant : **10 715** moyenne mondiale en $, en 2017

Le plus élevé **124 927** (Qatar)

Le plus faible **681** (République centrafricaine)

Questions

1 Quelles régions se caractérisent par un IDH très élevé ou élevé ?

2 Quelles régions se caractérisent par un IDH faible ?

3 Quelles sont les régions où la pauvreté et les inégalités sont les plus fortes ?

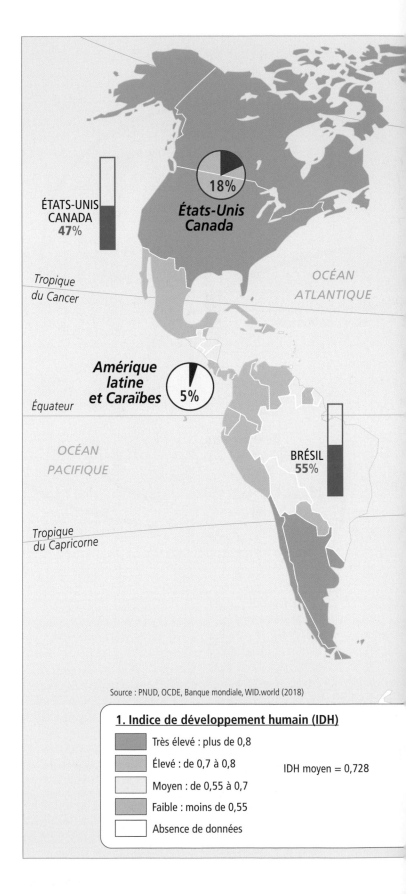

ÉTATS-UNIS CANADA **47%**

États-Unis Canada **18%**

OCÉAN ATLANTIQUE

Tropique du Cancer

Amérique latine et Caraïbes **5%**

Équateur

OCÉAN PACIFIQUE

BRÉSIL **55%**

Tropique du Capricorne

Source : PNUD, OCDE, Banque mondiale, WID.world (2018)

1. Indice de développement humain (IDH)

Très élevé : plus de 0,8

Élevé : de 0,7 à 0,8

Moyen : de 0,55 à 0,7   IDH moyen = 0,728

Faible : moins de 0,55

Absence de données

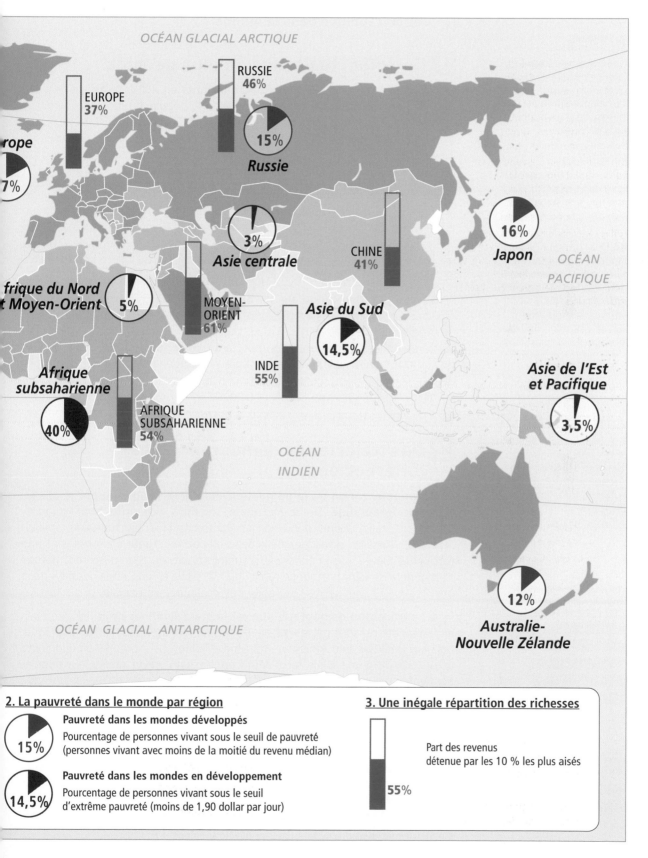

OCÉAN GLACIAL ARCTIQUE

RUSSIE
46%

EUROPE
37%

rope

7%

15%

Russie

3%

Asie centrale

CHINE
41%

16%

Japon

OCÉAN
PACIFIQUE

frique du Nord
t Moyen-Orient   5%

MOYEN-
ORIENT
61%

Asie du Sud

14,5%

*Afrique
subsaharienne*

40%

AFRIQUE
SUBSAHARIENNE
54%

INDE
55%

*Asie de l'Est
et Pacifique*

3,5%

OCÉAN
INDIEN

OCÉAN GLACIAL ANTARCTIQUE

12%

*Australie-
Nouvelle Zélande*

THÈME ②

SE
PRÉPARER

★

MONDE

FRANCE

RÉVISER

2. La pauvreté dans le monde par région

15% **Pauvreté dans les mondes développés**

Pourcentage de personnes vivant sous le seuil de pauvreté
(personnes vivant avec moins de la moitié du revenu médian)

14,5% **Pauvreté dans les mondes en développement**

Pourcentage de personnes vivant sous le seuil
d'extrême pauvreté (moins de 1,90 dollar par jour)

3. Une inégale répartition des richesses

Part des revenus
détenue par les 10 % les plus aisés

55%

Cours

Podcast du cours

Des trajectoires démographiques différenciées : les défis du nombre et du vieillissement

➡️ **Quels sont les défis posés par la transition démographique dans le monde ?**

1 Une planète de plus en plus peuplée

● **La Terre compte 7,6 milliards d'habitants en 2019.** Le XXᵉ siècle a été celui de l'explosion démographique. En 1900, la population mondiale comptait 1,5 milliard d'habitants, soit cinq fois moins qu'au début du XXIᵉ siècle. C'est dans les années 1960-1970 que la croissance démographique a été la plus rapide. Elle est désormais moins forte (environ 1,2 % par an) mais on compte environ chaque année quelque 90 millions d'habitants supplémentaires.

● **Le monde est inégalement peuplé.** À l'échelle des continents, l'Asie regroupe 59,7 % de la population mondiale, devant l'Afrique (16,6 %), l'Amérique (13,4 %) et l'Europe (9,8 %). À l'échelle des États, la Chine (1,4 milliard) et l'Inde (1,3 milliard d'habitants) regroupent 35 % de la démographie mondiale. D'autres ont vu leur population considérablement augmenter au cours des dernières décennies : l'Indonésie (260 millions d'habitants), le Brésil (206 millions)…

● **La population mondiale s'urbanise.** En 2019, 55 % de la population mondiale réside en ville. La transition urbaine planétaire se traduit par l'essor de mégapoles. Certaines ont vu leur population doubler au cours des trente dernières années, en raison d'un important exode rural, notamment en Asie du Sud (Mumbai), en Afrique (Lagos) ou en Amérique du Sud (São Paulo). Elles dépassent aujourd'hui d'autres métropoles qui avaient connu ce phénomène dans la première moitié du XXᵉ siècle (Londres, New York).

ÉTUDE DE CAS Le développement en Inde ➡️ p. 112

2 Des trajectoires démographiques différenciées

● **L'augmentation de la population mondiale s'explique par la transition démographique.** Dès le XIXᵉ siècle, certaines sociétés (Grande-Bretagne, Allemagne, Italie…) ont connu un net abaissement de leur mortalité (amélioration de l'hygiène, développement de la médecine…) tout en conservant une fécondité élevée. Ce phénomène d'augmentation de l'accroissement naturel s'est généralisé dans la seconde moitié du XXᵉ siècle à l'ensemble des pays de la planète, contribuant ainsi à l'explosion démographique mondiale.

● **La transition démographique est inégale selon les pays.** Tous les États de la planète ne sont pas au même niveau de leur transition démographique. Les pays d'Europe et d'Amérique ont achevé la leur : leur population augmente peu en raison d'une faible fécondité. Certains pays voient même leur population diminuer (Japon, Russie). À l'opposé, de nombreux pays d'Asie et d'Afrique connaissent un très fort accroissement naturel (Niger, Nigeria…).

● **Les trajectoires démographiques sont différenciées.** Les pays développés ont achevé leur transition démographique, ce qui n'est pas le cas des pays en développement. Mais chaque pays est un cas particulier. Certains ont adopté des politiques antinatalistes (Chine), d'autres des politiques en faveur de la natalité (France). La géographie de la fécondité dans le monde est très inégale et les hiérarchies entre les pays peuvent être rapidement bouleversées : d'ici quelques années, l'Inde sera le pays le plus peuplé du monde avec 1,4 milliard de personnes.

DOSSIER Politiques démographiques et développement ➡️ p. 120

Vocabulaire

▸ **Accroissement naturel :** différence entre le taux de natalité et le taux de mortalité d'une population au cours d'une année. Il peut être négatif ou positif.

▸ **Contrôle des naissances :** ➡️ voir p. 120.

▸ **Exode rural :** déplacement des populations des campagnes vers les villes.

▸ **Fécondité :** nombre moyen d'enfants par femme en âge de procréer (15-49 ans).

▸ **Mégapole :** très grande agglomération qui dépasse 10 millions d'habitants (selon les critères de l'ONU).

▸ **Politique antinataliste :** politique visant à réduire le nombre de naissances dans une population donnée.

▸ **Trajectoire démographique :** évolution des différentes composantes d'une population (fécondité, mortalité, vieillissement…).

▸ **Transition démographique :** ➡️ voir p. 126.

▸ **Transition urbaine :** processus au cours duquel une population, initialement rurale, devient majoritairement urbaine.

Les pays ayant la plus forte fécondité, nombre d'enfants par femmes en âge de procréer

Angola	5,6
Tchad	5,8
Rép. dém. du Congo	6
Somalie	6,1
Niger	7,2

Source : ONU, 2018.

Notions clés

3 Les défis à venir

● **La population mondiale devrait atteindre 9,8 milliards d'habitants en 2050.** 98 % de la croissance démographique mondiale se fera dans les pays en développement. La population africaine devrait doubler, passant de 1,2 milliard d'habitants à 2,5 milliards en 2050. Les risques liés à cette croissance sont nombreux : conflits dans des espaces de forte densité de peuplement, multiplication des bidonvilles, insécurité alimentaire dans les régions économiquement et politiquement vulnérables, etc.

● **La population mondiale est déjà en phase de vieillissement généralisé.** Le phénomène concerne aujourd'hui essentiellement les pays développés (Japon), entraînant manque de main-d'œuvre et augmentation des dépenses de santé. L'immigration y répond partiellement (Allemagne). Mais le vieillissement et l'augmentation de l'espérance de vie concernent également des pays émergents (Chine, Inde), les contraignant à abandonner le contrôle des naissances. Le reste du monde (Afrique) demeure jeune, mais d'ici 2050, la proportion des plus de 60 ans doublera dans le monde.

● **Les défis sont nombreux et divers.** L'Inde doit créer chaque année environ 12 millions d'emplois. Les pays les plus riches doivent prendre soin de leur population âgée, mais les systèmes collectifs de prise en charge sont difficiles à financer. L'immigration est une réponse au problème de pénurie de main-d'œuvre. Les pays en développement, en raison de la forte fécondité passée, doivent achever leur transition, réduire les inégalités et offrir une meilleure protection sociale.

ÉTUDE DE CAS Le développement en Inde → p. 112
ÉTUDE DE CAS Les enjeux du vieillissement au Japon → p. 118

Évolution de la population mondiale âgée de 60 ans et plus, en milliards de personnes

Source : World Population Prospects. Nations unies, 2017.

Évolution de la population mondiale
En milliards de personnes

Source : World Population Prospects. Nations unies, 2017.

THÈME ②
SE PRÉPARER
MONDE
FRANCE
RÉVISER

Du cours au schéma

Schéma interactif à compléter

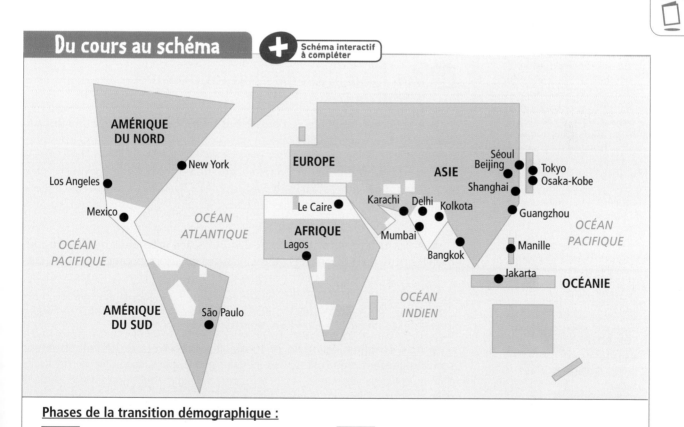

Phases de la transition démographique :

Phase 1 : début de transition avec natalité forte et mortalité qui baisse

Phase 2 : phase d'achèvement de la transition avec une forte baisse de la natalité

Post-transition : transition achevée avec croissance faible ou négative et taux de mortalité supérieur au taux de natalité

● Villes de plus de 10 millions d'habitants

Cours

Podcast du cours

Vocabulaire

▶ **IDH (Indice de développement humain) :** mesure globale du niveau de développement, il prend en compte le revenu par habitant (niveau de vie), l'espérance de vie (santé) et l'alphabétisation (deux indicateurs : durée moyenne et durée maximale de scolarisation). La valeur de l'IDH s'exprime de 0 à 1.

▶ **Pays émergent :** pays en développement dont la croissance est forte et dont les conditions de vie des habitants s'améliorent, mais qui est encore marqué par de fortes inégalités socio-spatiales.

▶ **PIB :** ensemble des richesses produites dans un pays en un an. Le PIB est exprimé en dollars.

▶ **PMA (Pays les Moins Avancés) :** pays cumulant de nombreux handicaps qui empêchent ou freinent leur développement (faible espérance de vie, pauvreté, déficiences en termes d'éducation et de santé).

▶ **Seuil d'extrême pauvreté :** niveau au-dessous duquel une personne est considérée comme extrêmement pauvre. Ce seuil, actuellement fixé à 1,90 dollar par jour, est régulièrement relevé par la Banque mondiale.

IDH 2017

Norvège
0,953

Suisse
0,944

Australie
0,939

Irlande
0,938

Allemagne
0,936

Source : PNUD, 2018.

Développement et inégalités

➡️ **Le développement contribue-t-il à réduire les inégalités ?**

1 Un monde inégalement développé

● **Le développement constitue une transition majeure dans l'histoire des sociétés.** Ce bouleversement repose sur le passage d'une économie agricole et d'une société majoritairement rurale, où la pauvreté est généralisée, à une économie urbaine et une société citadine où la pauvreté est minoritaire. Il existe plusieurs façons de mesurer le développement et les inégalités. Certains indicateurs mesurent uniquement les performances économiques (PIB, PIB/hab.) et d'autres sont plus complets (IDH).

● **Le développement est révélateur de progrès.** Il repose sur une capacité à redistribuer de manière équitable les résultats de la croissance économique. Le développement se traduit par des améliorations sociales : ainsi, depuis 1980, le PIB de l'Indonésie a été multiplié par 14, le taux d'alphabétisation des adultes est passé de 68 % à plus de 99 % et un Indonésien vit désormais en moyenne dix ans de plus. Sur le plan politique, le développement s'accompagne de progrès de la démocratie : pluralisme politique, élections libres, respect des droits de l'Homme, etc.

● **Le développement progresse dans toutes les régions du monde, mais à des rythmes différents.** En 2017, 112 pays ont un IDH élevé ou très élevé (supérieur à 0,7) et 38 ont un IDH faible (inférieur à 0,55). Toutefois, les écarts restent importants : la Norvège est première avec un IDH de 0,953 et le Niger dernier avec un IDH de 0,354. Les richesses sont aussi inégalement partagées : au Moyen-Orient, les 10 % des habitants les plus riches détiennent plus de 60 % du revenu total.

ÉTUDE DE CAS Le développement en Inde ➜ p. 112

2 Des inégalités de développement à toutes les échelles

● **À l'échelle mondiale, il n'existe pas un modèle unique de développement.** Les trajectoires de développement sont nombreuses. On distingue les pays développés à hauts revenus et les pays en développement, eux-mêmes divisés entre les pays émergents, les pays en situation intermédiaire (exemple : pays producteurs de pétrole) et les PMA (Pays les Moins Avancés). Les PMA concentrent les indicateurs socio-économiques les plus défavorables : sous-nutrition, pauvreté, manque d'accès aux soins, etc.

● **À l'échelle des continents et des États, les inégalités de développement sont fortes.** Les régions métropolitaines ou littorales concentrent la croissance et le progrès. C'est particulièrement le cas dans les pays émergents (Chine, Brésil…). Au Brésil, la région du Sudeste représente à elle seule plus de 60 % du PIB national. En revanche, les territoires intérieurs de ces États-continents (Chine intérieure) sont souvent encore en retard de développement.

● **Aux échelles régionale et locale, les inégalités de développement sont également très fortes.** Ces inégalités sont marquées entre les habitants d'un même pays : en Russie, les 1 % les plus aisés détiennent près de 75 % de la richesse totale. Elles sont marquées entre villes et campagnes : les taux de pauvreté sont plus élevés dans les zones rurales. Les inégalités sont marquées au sein des villes, tant dans les pays développés (concentration de la pauvreté dans certains quartiers) que dans les pays en développement où les bidonvilles cumulent les handicaps (insalubrité, insécurité…).

ÉTUDE DE CAS Développement et inégalités au Brésil ➜ p. 108
ÉTUDE DE CAS Développement et inégalités en Russie ➜ p. 116
DOSSIER Pays émergents ➜ p. 124

❸ Réduire les inégalités : un défi du développement durable

● **Les inégalités constituent un obstacle au développement.** La réduction des inégalités est ainsi l'un des 17 « Objectifs de Développement Durable » de l'Agenda 2030 adopté par l'ONU en 2015. L'objectif numéro 10 invite les États à réduire les inégalités en proposant plusieurs pistes : adopter des politiques visant à davantage d'égalité, stimuler l'aide publique au développement (APD) en faveur des États qui en ont le plus besoin, etc.

● **À l'échelle des États, de nombreuses initiatives sont mises en place afin de réduire la pauvreté et les inégalités :** dispositifs d'assurance santé au Cambodge, politiques sociales au Brésil, subvention des engrais pour les agriculteurs au Malawi. Ces résultats permettent des progrès considérables : entre 2000 et 2018, le nombre de personnes vivant sous le seuil d'extrême pauvreté est passé de 1,7 milliard à 660 millions. L'Afrique et l'Inde sont le continent et le pays qui comptent aujourd'hui le plus de pauvres.

● **Toutefois, les inégalités demeurent importantes.** Sept personnes sur 10 vivent dans un pays où l'écart entre riches et pauvres est plus fort qu'il y a trente ans. Les 1 % les plus fortunés détiennent plus de richesses que les 99 % des autres habitants de la planète. Ce sont les populations les plus pauvres qui sont les plus touchées par les catastrophes naturelles (Bangladesh, Haïti, Tchad…). Les inégalités ne sont pas seulement économiques, elles sont de tous types : sexe, âge, origine ethnique, religion, etc.

DOSSIER Richesse et pauvreté dans le monde → p. 122

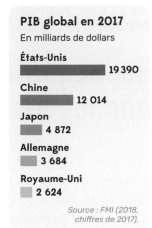

PIB global en 2017
En milliards de dollars

États-Unis ▬▬▬▬▬ 19 390

Chine ▬▬▬ 12 014

Japon ▬ 4 872

Allemagne ▮ 3 684

Royaume-Uni ▮ 2 624

Source : FMI (2018, chiffres de 2017).

Notions clés

▶ Croissance   p. 155
▶ Développement   p. 155
▶ Développement durable   p. 155
▶ Émergence   p. 156
▶ Inégalités   p. 156

Du cours au schéma

 Schéma interactif à compléter

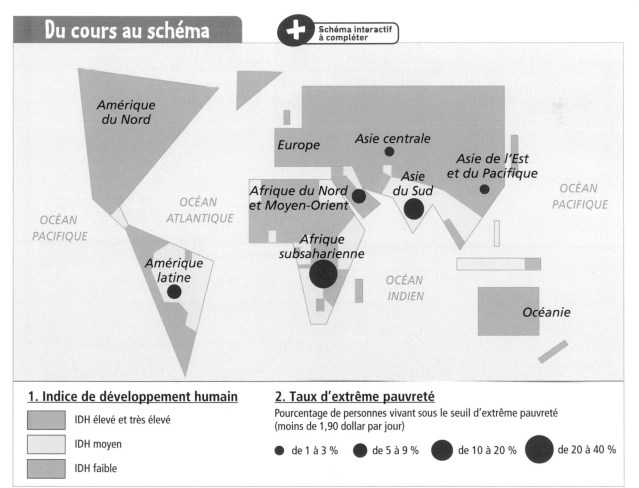

1. Indice de développement humain
- IDH élevé et très élevé
- IDH moyen
- IDH faible

2. Taux d'extrême pauvreté
Pourcentage de personnes vivant sous le seuil d'extrême pauvreté (moins de 1,90 dollar par jour)

● de 1 à 3 %   ● de 5 à 9 %   ● de 10 à 20 %   ● de 20 à 40 %

Les inégalités de développement dans les dessins de presse

Le nombre de personnes vivant sous le seuil d'extrême pauvreté s'est considérablement réduit ces dernières années, mais les écarts de richesse restent importants. Territoires et populations sont confrontés au défi de l'accroissement des inégalités. Les dessins de presse sont de bons supports pour dénoncer ces inégalités.

→ **Comment les dessins de presse dénoncent-ils les inégalités ?**

Le saviez-vous ?

▶ Les dessins de presse sont une tradition en France depuis le XIXe siècle. À partir des années 1980, le dessinateur Plantu propose un dessin à la une du journal *Le Monde*. Il est à l'initiative en 2006 de la création de *Cartooning for peace*, un réseau de plus de 180 dessinateurs engagés pour la liberté d'expression et les droits humains.

1 « Des larmes de crocodile », Polyp (2015)

« Des larmes de crocodile », Royaume-Uni (2015).
Dessin de presse publié sur le site de Polyp.

+ Aide à la lecture d'image

+ Aide à la lecture d'image

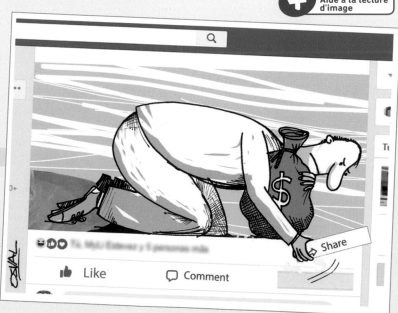

Share (« partager »), 2 Osval (2019)

Osvaldo Gutiérrez Gómez, dit Osval, *Sharing is caring, but do people care?* (« Partager c'est prendre soin, mais qui s'en soucie ? »). Dessin publié sur le site *Cartoon Movement*, 24 janvier 2019.

ET SI ON PARTAGEAIT ?

PLANQUEZ-VOUS ! IL NOUS ENVOIENT LES MIETTES !

Aide à la lecture d'image

3 « Et si on partageait ? », Lacombe (2017)

Dessin de Lacombe publié dans *Résistance*, éditions Iconovox, 2017.

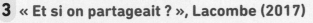

4 Combattre l'idéologie de l'inégalité

ÉCLAIRAGE

Le problème de l'idéologie inégalitaire moderne est qu'elle finit par s'enfermer dans des certitudes de plus en plus extrêmes, de plus en déconnectées de la réalité sociale. Elle s'aveugle tellement qu'elle ne se rend même plus compte que c'est la montée des inégalités qui nourrit la dérive xénophobe et identitaire, et finit par menacer toute possibilité d'un internationalisme raisonné et d'une mondialisation vraiment heureuse.

Pour combattre l'idéologie de l'inégalité, toutes les formes d'expression et tous les langages ont leur rôle à jouer. [...] Le dessin a une puissance évocatrice inouïe pour déceler les contradictions inégalitaires de notre monde, ausculter ses dimensions les plus grossières comme les plus secrètes, utiliser la dérision et le rire pour mieux nous faire revenir à ce qui pourrait être un avenir raisonnable commun.

Les dessins sont riches et variés, notamment par la multiplicité des pays représentés et la diversité des points de vue qu'ils offrent sur le monde et ses inégalités.

Thomas Piketty, « *Combattre l'idéologie de l'inégalité* », Le Monde (Blog), 2018.

Questions

Présenter les documents

1 Présentez les documents en insistant sur l'intention des auteurs. **doc. 1 à 3**

2 Que dénoncent les auteurs dans leurs dessins de presse ? **doc. 1 à 3**

Analyser les documents

3 Comparez les techniques artistiques de ces dessins de presse (composition, dessin, couleurs, etc.). **doc. 1 à 3**

4 Expliquez la démarche proposée par chacun des artistes pour sensibiliser les lecteurs aux enjeux des inégalités. **doc. 1 à 4**

Faire le lien avec la géographie

5 Que nous apprennent ces trois dessins de presse sur les inégalités de développement dans le monde ? **doc. 1 à 3**

 C'est à VOUS ! Méthode

→ Réalisez un dessin sur l'une des trois propositions suivantes :
  – Une population et des besoins croissants
  – Un développement et des inégalités qui augmentent
  – Une population développée mais vieillissante

→ **La France : dynamiques démographiques, inégalités socio-économiques**

Les territoires de la métropole et de l'outre-mer se caractérisent par des dynamiques démographiques très diverses. L'évolution démographique de la France se manifeste notamment par le vieillissement de la population. Sur le plan socio-économique, malgré la poursuite de l'accroissement de la richesse, les inégalités territoriales tendent à se creuser.

SOMMAIRE

✚ **Dans ce chapitre**

 TOUS LES TEXTES en version à imprimer

 TOUTES LES CARTES en version interactive

Zoom sur...

▶ **l'aire urbaine d'Aix-Marseille**

Population (2016)	1 756 296 habitants
Densité de population (2016)	553 hab./km²
Taux de variation annuel (2011-2016)	+ 0,4 %
Taux de pauvreté (2015)	18,7 %
Revenu médian par unité de consommation (2015)	20 404 €

Source : Insee, 2019.

Saint-Henri, La Castellane et Verduron : trois quartiers du nord de l'agglomération marseillaise, 2017.

THÈME 2

SE PRÉPARER

MONDE

FRANCE

RÉVISER

Étude de cas

La Réunion : dynamiques démographiques et inégalités socio-économiques

➡ **Comment les acteurs répondent-ils aux défis du développement sur le territoire de La Réunion ?**

A La Réunion face à ses défis démographiques

1 Dynamiques démographiques et inégalités spatiales

Vidéo

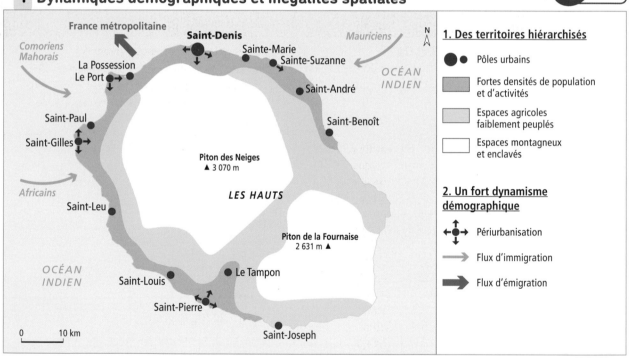

1. Des territoires hiérarchisés

● ● Pôles urbains

Fortes densités de population et d'activités

Espaces agricoles faiblement peuplés

Espaces montagneux et enclavés

2. Un fort dynamisme démographique

Périurbanisation

Flux d'immigration

Flux d'émigration

2 L'évolution démographique de La Réunion

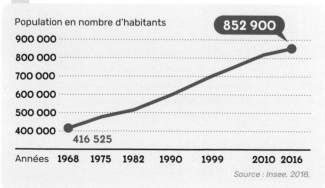

Population en nombre d'habitants

852 900

416 525

Années 1968 1975 1982 1990 1999 2010 2016

Source : Insee, 2018.

Vocabulaire

▶ **Engagisme :** type d'immigration qui se développa surtout après l'abolition de l'esclavage (1848), sous la forme de contrats de travail passés avec une main-d'œuvre peu rémunérée venue d'Inde, de Chine et de Madagascar.

▶ **Grand ensemble :** quartier d'immeubles aménagé pendant les Trente Glorieuses afin d'héberger une population en forte croissance démographique.

3 Vue aérienne de Saint-Denis

① Centre historique (époque coloniale)
② Les Camélias : grand ensemble des années 1960
③ Bellepierre : périurbanisation des années 1970
④ La Montagne : périurbanisation des années 1980
⑤ Les Hauts de La Réunion

4 Population et peuplement à La Réunion

Dans un premier temps, l'île fut un point de ravitaillement des navigateurs contournant l'Afrique sur la route des Indes. Ce n'est qu'à partir de 1663 que débute son peuplement avec l'arrivée de colons français, de serviteurs malgaches et de femmes indiennes.

Pendant plus d'un siècle et demi d'esclavagisme, où plus de 200 000 personnes originaires d'Afrique de l'Est, de Madagascar... seront arrachées à leur pays, le métissage de la population se poursuivra malgré la ségrégation du système. Après 1848, date de l'abolition de l'esclavage, le métissage s'enrichit avec l'arrivée des « engagés » indiens, puis avec la venue de Chinois.

La complexité du peuplement et le mélange des ethnies sont à l'origine de cette société plurielle, où la diversité culturelle, la richesse des modes de vie et les différentes religions s'expriment dans un respect mutuel.

Avec une forte croissance démographique, La Réunion devrait atteindre le million d'habitants d'ici 2030. Son développement se trouve de plus en plus confronté à l'exiguïté d'un territoire insulaire limité (2 500 km²) et amplement couvert d'espaces naturels (1 000 km²) et agricoles. L'urbanisation essentiellement littorale gagne rapidement les Hauts de l'île et n'est pas sans soulever de multiples problèmes : pression sur les milieux naturels, insuffisance des infrastructures routières, limitation des ressources en eau et en énergie...

« La Réunion, une montagne dans l'océan »,
Office national des forêts de La Réunion, 2019.

Questions

Itinéraire 1

Décrire et expliquer

❶ Caractérisez les évolutions de la population de La Réunion. **doc. 2 et 4**

❷ Identifiez les contrastes du peuplement sur le territoire de La Réunion. **doc. 1, 3 et 4**

❸ Expliquez l'inégale répartition du peuplement à La Réunion. **doc. 1, 3 et 4**

ou

Itinéraire 2

Réaliser un croquis de synthèse 1/2

• À l'aide des documents, sélectionnez les informations correspondant aux thèmes suivants :
  1. Des dynamiques démographiques contrastées
  2. Les facteurs explicatifs de ces contrastes

• Regroupez les informations qui renvoient au même thème.

• Sélectionnez les informations cartographiables.

• Attribuez un figuré cartographique à chacune de ces informations.

La Réunion : dynamiques démographiques et inégalités socio-économiques

B Des inégalités socio-économiques à différentes échelles

5 Quelques données socio-économiques

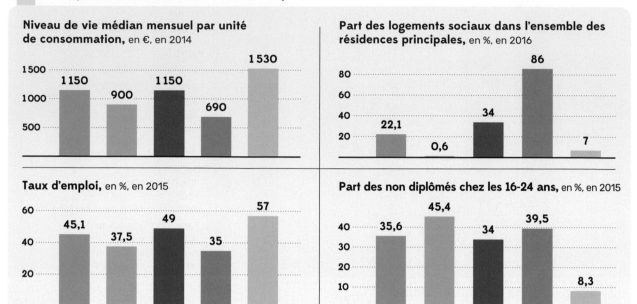

Niveau de vie médian mensuel par unité de consommation, en €, en 2014

- La Réunion : 1 150
- Salazie : 900
- Saint-Denis : 1 150
- Le Chaudron : 690
- La Bretagne : 1 530

Part des logements sociaux dans l'ensemble des résidences principales, en %, en 2016

- La Réunion : 22,1
- Salazie : 0,6
- Saint-Denis : 34
- Le Chaudron : 86
- La Bretagne : 7

Taux d'emploi, en %, en 2015

- La Réunion : 45,1
- Salazie : 37,5
- Saint-Denis : 49
- Le Chaudron : 35
- La Bretagne : 57

Part des non diplômés chez les 16-24 ans, en %, en 2015

- La Réunion : 35,6
- Salazie : 45,4
- Saint-Denis : 34
- Le Chaudron : 39,5
- La Bretagne : 8,3

● La Réunion ● Salazie ● Saint-Denis ● Le Chaudron ● La Bretagne

Source : Insee, 2018.

Salazie est une commune rurale des « Hauts » de La Réunion. Saint-Denis est la commune la plus peuplée de La Réunion. Le Chaudron et la Bretagne sont deux quartiers de la commune de Saint-Denis.

6 Salaires et coût de la vie à La Réunion

Les prix [à La Réunion] sont 7,1 % plus élevés qu'en métropole, d'après une note de l'Insee basée sur les prix de 2015. Cet écart s'explique d'abord par la cherté des produits alimentaires. [...] Les dépenses Internet et de communication sont aussi plus onéreuses. En 2015, elles étaient 18 % plus chères qu'en métropole [...]. Se soigner est aussi plus coûteux. Les « autres biens et services » (protection sociale, banques, assurances, etc.) coûtent globalement 15 % plus cher sur l'île, précise encore l'Insee. [...] Les Réunionnais font face à une précarité monétaire beaucoup plus importante qu'en métropole. [...] En moyenne, un salarié d'une entreprise de La Réunion perçoit 1 920 euros nets par mois, selon les chiffres de l'Insee[1] de 2015. Cette rémunération est inférieure en moyenne de 5 % à celle constatée dans les régions de métropole autres que l'Île-de-France [...]. Les inégalités salariales sont plus prononcées à La Réunion : les 10 % de salariés les mieux rémunérés perçoivent en moyenne un salaire 4,7 fois supérieur à celui des 10 % les moins rémunérés, contre 4,4 en province, selon l'Insee.

Mathilde Golla, Clémentine Maligorne,
« Coût de la vie à La Réunion : quels écarts avec la métropole ? », *Le Figaro*, 29 novembre 2018.

1 L'Institut national de la statistique et des études économiques (Insee) est un organisme chargé de la production et de l'analyse des statistiques officielles en France.

7 Les inégalités entre La Réunion et la métropole

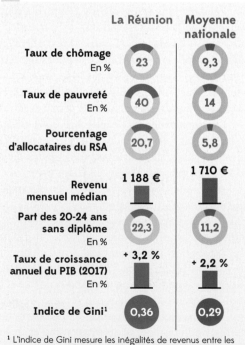

	La Réunion	Moyenne nationale
Taux de chômage En %	23	9,3
Taux de pauvreté En %	40	14
Pourcentage d'allocataires du RSA	20,7	5,8
Revenu mensuel médian	1 188 €	1 710 €
Part des 20-24 ans sans diplôme En %	22,3	11,2
Taux de croissance annuel du PIB (2017) En %	+ 3,2 %	+ 2,2 %
Indice de Gini[1]	0,36	0,29

[1] L'indice de Gini mesure les inégalités de revenus entre les habitants d'un État. Il varie de 0 (égalité parfaite) à 1 (inégalité absolue).

Source : Insee, 2014-2017.

C Les acteurs face aux défis du développement durable

8 Inégalités territoriales et actions des acteurs publics

 Vidéo

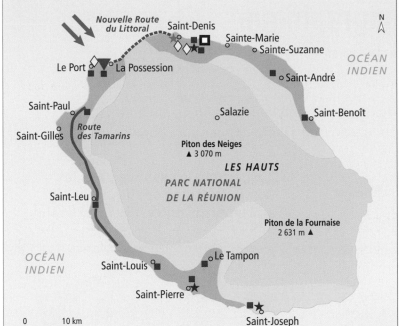

1. Un territoire sous dépendance

- Forte concentration d'emplois et de services publics
- ■ Quartiers prioritaires (aides sociales)
- ▼ Port principal
- ◻ Aéroport international

2. De multiples acteurs territoriaux

- ★ Siège du conseil régional et ses annexes
- ★ Siège du conseil départemental
- ➡ Aides de l'État français
- ➡ Aides européennes aux régions ultrapériphériques

3. Des aménagements au service du développement

- ◇ Principaux centres de recherche et de formation
- ┈┈ Amélioration du réseau de transport
- Espaces agricoles subventionnés par l'État et l'UE
- Protection environnementale et soutien à l'écotourisme

THÈME ❷

SE PRÉPARER ★

MONDE

FRANCE

RÉVISER

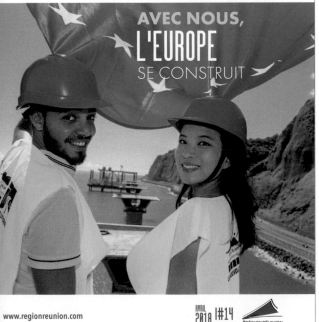

www.regionreunion.com   AVRIL 2018 | #14 #RÉGIONRÉUNION

9 Un projet de développement à La Réunion : la Nouvelle Route du Littoral

 Vidéo

Questions

Itinéraire 1

Décrire et expliquer

❹ Montrez que la Réunion présente de fortes inégalités socio-spatiales à différentes échelles. **doc. 5 à 7**

❺ Expliquez comment s'organise la lutte contre les inégalités socio-économiques à La Réunion. **doc. 8 et 9**

❻ Montrez que La Réunion est un territoire qui se développe mais qui reste très dépendant. **doc. 6 à 9**

Synthétiser et argumenter

❼ Décrivez les dynamiques démographiques à La Réunion, puis expliquez leurs conséquences sur les inégalités socio-économiques et présentez les aménagements pour tenter de les réduire.

ou

Itinéraire 2

Réaliser un croquis de synthèse 2/2

- À l'aide des documents, poursuivez le travail engagé dans l'itinéraire précédent (p. 139) et sélectionnez les informations correspondant aux thèmes 3 et 4 :
  3. Des inégalités à différentes échelles
  4. De multiples acteurs au service du développement
- Regroupez les informations qui renvoient au même thème.
- Sélectionnez les informations cartographiables.
- Attribuez un figuré cartographique à chacune de ces informations.
- Réalisez le croquis à l'aide du fond de carte.

Vieillissement démographique et silver économie

➡️ **Pourquoi peut-on dire que le vieillissement de la population française représente à la fois un défi démographique et une opportunité économique ?**

1 **Le vieillissement dans les territoires métropolitains et ultramarins**

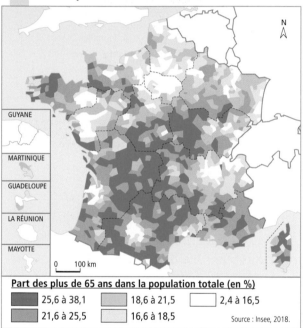

GUYANE

MARTINIQUE

GUADELOUPE

LA RÉUNION

MAYOTTE

0   100 km

Part des plus de 65 ans dans la population totale (en %)

■ 25,6 à 38,1	■ 18,6 à 21,5	□ 2,4 à 16,5
■ 21,6 à 25,5	■ 16,6 à 18,5	

Source : Insee, 2018.

2 **La gérontocroissance dans les territoires métropolitains et ultramarins entre 1999 et 2014**

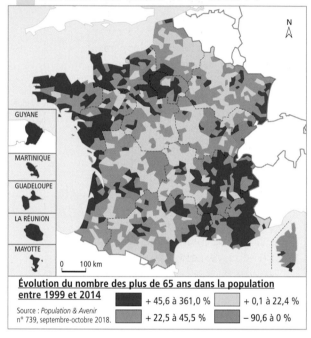

GUYANE

MARTINIQUE

GUADELOUPE

LA RÉUNION

MAYOTTE

0   100 km

Évolution du nombre des plus de 65 ans dans la population entre 1999 et 2014

Source : *Population & Avenir* n° 739, septembre-octobre 2018.

■ + 45,6 à 361,0 %	■ + 0,1 à 22,4 %
■ + 22,5 à 45,5 %	■ − 90,6 à 0 %

foodintech

Une application innovante au service de la lutte contre la dénutrition des personnes âgées

Vidéo

▲ atol Conseils & Développements   GlobalSensing Technologies   CHU

3 **L'innovation au service des personnes âgées**

Le projet de recherche Foodintech vise à développer un outil numérique permettant de mesurer la prise alimentaire chez les séniors dépendants. Il est porté par le Centre Hospitalier Universitaire (CHU) de Dijon et les entreprises Global Sensing Technologies et ATOL Conseils et Développements.

4 La silver économie : un nouveau marché

Le système des retraites a contribué à réduire considérablement la pauvreté des personnes âgées. Ce gain s'est accompagné d'un accroissement de l'espérance de vie des retraités. [...] Dans ce cadre, le vieillissement revêt de multiples dimensions économiques. Les niveaux de solvabilisation (capacité à payer directement) et de capitalisation (cumul des richesses) des retraités [...] conjugués aux pratiques de consommation et aux besoins médicaux et sociaux qu'ils génèrent, sont sources d'activités et d'emplois. [...] Le marché de la perte d'autonomie est amené à croître [...], notamment *via* le développement des nouvelles technologies, vers des domaines comme l'habitat, la mobilité ou bien la prévention. Ce marché est complété par celui des séniors qui recouvre les pratiques de consommation usuelles des ménages âgés (habillement, alimentation, énergie, transports...). [...] La « silver économie » recouvre ces deux marchés et vise à établir des liens entre eux et à développer des services et des produits basés sur la prévention, les liens intergénérationnels, le tourisme, les nouvelles technologies. [...]

Mickaël Blanchet, *Atlas des séniors et du grand âge en France*, Presses de l'EHESP, 2017.

5 Le Forum des séniors à Nantes (2018)

Vocabulaire

▶ **Gérontocroissance** : augmentation du nombre de personnes âgées sur un territoire donné.

▶ **Silver économie** : ensemble des activités économiques et de service déterminé par la forte proportion de personnes âgées sur un territoire donné.

▶ **Vieillissement** : → voir p. 148.

Questions

Itinéraire 1

Décrire et analyser

1 Montrez que les territoires français sont inégaux face au vieillissement et à la gérontocroissance. **doc. 1 et 2**

2 Identifiez les enjeux du vieillissement pour les acteurs publics. **doc. 3 et 4**

3 Expliquez pourquoi la gérontocroissance peut constituer une opportunité économique. **doc. 3 à 5**

Synthétiser et argumenter

4 Pourquoi peut-on parler d'une transition dans les représentations et le traitement de la vieillesse dans la société et sur le territoire français ? **doc. 3 à 5**

ou

Itinéraire 2 — Méthode pas à pas

Préparer un exposé à l'oral

- À l'aide des documents et de recherches complémentaires, préparez un exposé destiné à présenter les enjeux du vieillissement et de la gérontocroissance.

- Montrez que les territoires sont inégalement confrontés aux enjeux du vieillissement et de la gérontocroissance.

- Mettez en évidence les facteurs du développement de la silver économie.

- Montrez que la silver économie peut donner lieu à des coopérations entre acteurs économiques et acteurs publics.

- Vous accompagnerez votre exposé de données statistiques et d'exemples localisés et illustrés.

Les inégalités face au logement

→ **Comment se traduisent, à toutes les échelles, les inégalités face au logement ?**

1 La crise du logement

Depuis les années 1990, la raréfaction du foncier, les stratégies spéculatives, la recomposition des politiques du logement (moins d'aides à la construction contre plus d'aides pour les ménages), l'explosion des coûts de construction, les évolutions sociodémographiques ainsi que la faiblesse de l'offre en logements par rapport à la demande ont eu pour conséquence un envol des prix sur les marchés immobiliers urbains. Le problème est particulièrement aigu dans la capitale, où les prix de l'immobilier ont été multipliés par deux en moyenne durant la décennie 2000 et par trois dans les quartiers les plus populaires, comme celui de la Goutte d'Or […].

Le caractère aigu de cette crise a amené les pouvoirs publics à définir de nouvelles catégories d'action publique, en inventant par exemple la notion de « logement indigne » et en réfléchissant à de nouveaux modes d'action. La judiciarisation des moyens d'intervention en est une conséquence avec, depuis 2008, l'existence d'un droit au logement opposable (Dalo), « que l'on peut faire valoir contre autrui ».

Alexandra Monot, *La France des marges*, Bréal, 2016.

2 Les chiffres du mal-logement en France

Personnes fragilisées par rapport au logement
12 millions

 Personnes non ou très mal logées
3,8 millions

 Personnes sans domicile
141 500

 Personnes vivant dans des bidonvilles
17 929

 Personnes concernées par la précarité énergétique
12,2 millions

Source : Fondation Abbé Pierre, 2018.

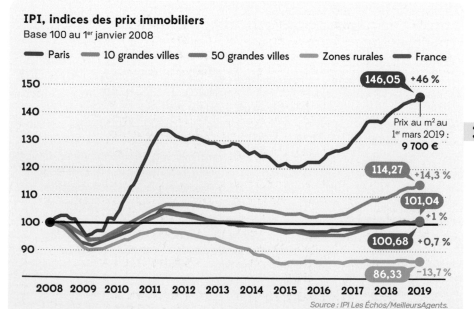

IPI, indices des prix immobiliers
Base 100 au 1er janvier 2008

— Paris — 10 grandes villes — 50 grandes villes — Zones rurales — France

146,05 +46 %

Prix au m² au 1er mars 2019 : 9 700 €

114,27 +14,3 %

101,04 +1 %

100,68 +0,7 %

86,33 −13,7 %

2008 2009 2010 2011 2012 2013 2014 2015 2016 2017 2018 2019

Source : IPI Les Échos/MeilleursAgents.

3 Accroissement du coût du logement et du poids dans les dépenses

De 2008 à 2019, les prix de l'immobilier ont progressé de 46 % à Paris, de 14,3 % dans les 10 plus grandes villes, tandis qu'ils ont diminué de 13,7 % dans les zones rurales.

4 Les Hauts de Vaugrenier, enclave périurbaine favorisée

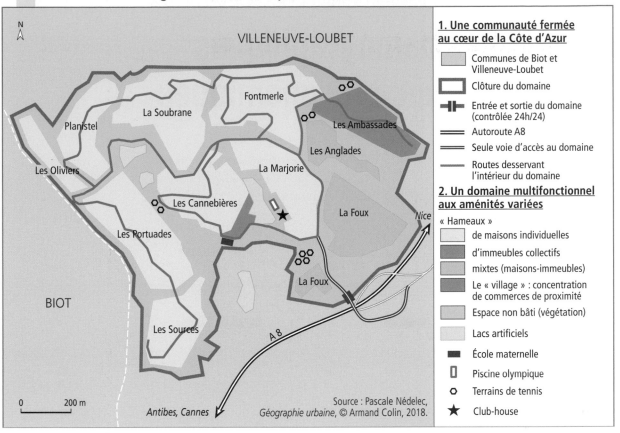

VILLENEUVE-LOUBET

Fontmerle
La Soubrane
Planistel
Les Oliviers
Les Ambassades
Les Anglades
La Marjorie
Les Cannebières
La Foux
Les Portuades
Nice
La Foux
BIOT
Les Sources
A 8
Antibes, Cannes

0   200 m

Source : Pascale Nédelec, *Géographie urbaine*, © Armand Colin, 2018.

1. Une communauté fermée au cœur de la Côte d'Azur

- Communes de Biot et Villeneuve-Loubet
- Clôture du domaine
- Entrée et sortie du domaine (contrôlée 24h/24)
- Autoroute A8
- Seule voie d'accès au domaine
- Routes desservant l'intérieur du domaine

2. Un domaine multifonctionnel aux aménités variées

« Hameaux »
- de maisons individuelles
- d'immeubles collectifs
- mixtes (maisons-immeubles)
- Le « village » : concentration de commerces de proximité
- Espace non bâti (végétation)
- Lacs artificiels
- École maternelle
- Piscine olympique
- Terrains de tennis
- ★ Club-house

THÈME ❷

SE PRÉPARER ★

MONDE

FRANCE

RÉVISER

+ Vidéo

FONDATION Abbé Pierre

L'état du mal-logement en France **2019**

RAPPORT ANNUEL #24

5 Le mal-logement, un enjeu majeur

En 2019, la Fondation Abbé Pierre a publié la 24ᵉ édition de son rapport annuel sur l'état du mal-logement. 4 millions de personnes restent mal logées ou privées de domicile. La fondation a été créée en 1988.

Questions

Itinéraire 1

Décrire et expliquer

❶ Relevez les zones les plus affectées par les inégalités d'accès au logement. **doc. 1 et 3**

❷ Montrez que les Hauts de Vaugrenier sont un ensemble résidentiel pour populations aisées. **doc. 4**

❸ Comment s'expliquent les difficultés d'accès au logement ? **doc. 1 et 3**

Synthétiser des informations

❹ Montrez que ces trois documents illustrent des situations extrêmes en matière d'inégalités face au logement. **doc. 2, 4 et 5**

ou

Itinéraire 2   **+ Méthode**

Réaliser un schéma fléché

- À l'aide des documents, sélectionnez les informations significatives pour expliquer comment se traduisent les inégalités face au logement en France.
- Regroupez les informations qui renvoient au même thème et reformulez-les sous forme de notions.
- Listez les causes et les conséquences pour chaque notion.
- Attribuez une représentation (carré, cercle) pour chaque notion.
- Reliez les notions par des flèches pour montrer un lien logique. Exemples : explique, génère, entraîne…

Cartes

Dynamiques démographiques et inégalités socio-économiques

1 Les dynamiques démographiques

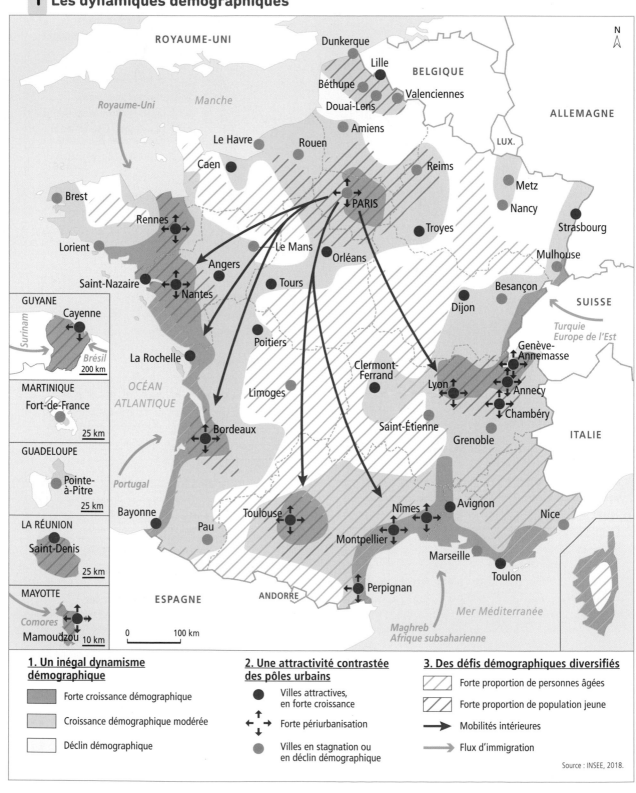

1. Un inégal dynamisme démographique

- Forte croissance démographique
- Croissance démographique modérée
- Déclin démographique

2. Une attractivité contrastée des pôles urbains

- ● Villes attractives, en forte croissance
- ←↑→↓ Forte périurbanisation
- ● Villes en stagnation ou en déclin démographique

3. Des défis démographiques diversifiés

- Forte proportion de personnes âgées
- Forte proportion de population jeune
- → Mobilités intérieures
- → Flux d'immigration

Source : INSEE, 2018.

2 Les inégalités socio-économiques

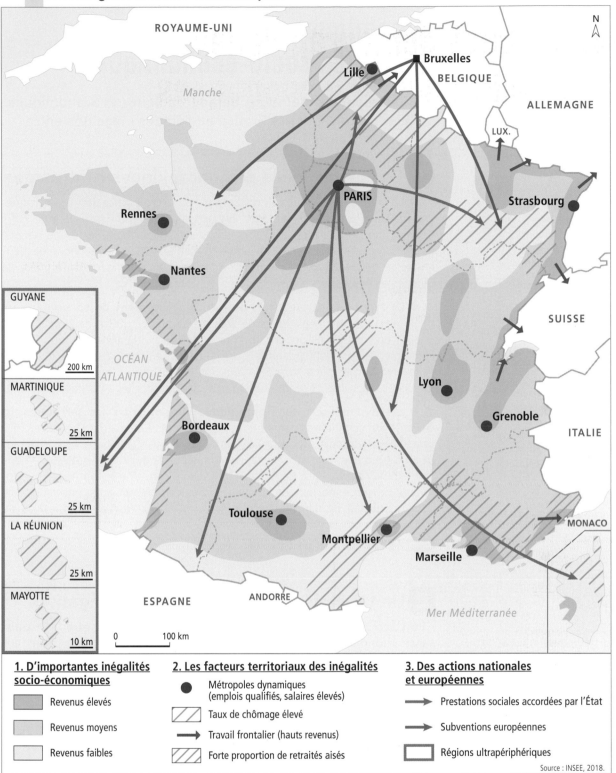

1. D'importantes inégalités socio-économiques

▓	Revenus élevés
▒	Revenus moyens
░	Revenus faibles

2. Les facteurs territoriaux des inégalités

● Métropoles dynamiques (emplois qualifiés, salaires élevés)

▨ Taux de chômage élevé

→ Travail frontalier (hauts revenus)

▨ Forte proportion de retraités aisés

3. Des actions nationales et européennes

→ Prestations sociales accordées par l'État

→ Subventions européennes

▢ Régions ultrapériphériques

Source : INSEE, 2018.

THÈME ②
SE PRÉPARER ★
MONDE 🌐
FRANCE
RÉVISER

Vocabulaire

▸ **Régions ultrapériphériques** : territoires ultramarins faisant partie de l'Union européenne. Ce statut repose sur plusieurs critères dont les contraintes de l'éloignement, de l'insularité et de la dépendance économique.

Questions

1 Montrez que le territoire français présente des dynamiques démographiques très contrastées.

2 Relevez et expliquez les inégalités socio-économiques à l'échelle nationale.

3 Identifiez les défis que les dynamiques démographiques et les inégalités socio-économiques posent aux acteurs spatiaux sur le territoire français.

Podcast du cours

La France : dynamiques démographiques, inégalités socio-économiques

➡️ **Comment les mutations démographiques et économiques confrontent-elles la France au défi des inégalités entre les territoires ?**

1 Des dynamiques démographiques contrastées

● **La France fait face au ralentissement de sa croissance démographique.** Peuplée de 67 millions d'habitants, elle occupe le 2ᵉ rang dans l'UE et le 20ᵉ à l'échelle mondiale. Après avoir longtemps présenté l'originalité d'une natalité élevée à l'échelle européenne, la France connaît en 2018 une fécondité de 1,87, en baisse depuis 2015, notamment en raison de la diminution du nombre de femmes en âge de procréer.

● **La France doit relever le défi du vieillissement de sa population.** Le nombre de personnes âgées de plus de 65 ans est passé de 8 millions en 1980 à près de 13 millions aujourd'hui, soit 19,6 % de la population. C'est la conséquence de l'allongement de l'espérance de vie et de la baisse de la natalité. À l'avenir, la capacité à faire face à la pénurie de main-d'œuvre dans certains domaines d'activités dépendra notamment des apports liés à l'immigration.

● **Les dynamiques démographiques varient entre les territoires.** La Guyane, qui cumule excédents naturel et migratoire, connaît la plus forte croissance. Les métropoles (Montpellier, Bordeaux, Nantes, Toulouse, Lyon, Rennes) bénéficient d'une forte attractivité, ce qui favorise la périurbanisation bien que son rythme ralentisse. Le déclin démographique concerne les territoires les plus ruraux, des Ardennes au Lot. Certaines villes connaissent aussi une croissance négative du fait de difficultés économiques (Douai-Lens, Valenciennes) ou du coût de l'immobilier (Paris intra-muros).

DOSSIER Vieillissement démographique et silver-économie ➜ p. 142

2 Un territoire entre croissance et inégalités

● **L'accroissement de sa richesse permet à la France d'être la 7ᵉ puissance mondiale.** Le territoire français présente une forte intégration aux marchés européens et mondiaux mais doit faire face aux défis de sa transition économique. La tertiarisation résulte de la désindustrialisation et entraîne des recompositions spatiales liées à la spécialisation économique des territoires.

● **Certains territoires bénéficient de cette transition économique.** Les plus hauts revenus se concentrent dans les métropoles (Ouest parisien, Lyon, Toulouse) où les emplois du tertiaire supérieur et de l'innovation garantissent des salaires élevés. Certains littoraux profitent de l'installation de retraités aisés (Côte d'Azur, littoral atlantique) tandis que les territoires proches de la Suisse et du Luxembourg bénéficient des retombées du travail frontalier.

● **Les évolutions différenciées des dynamiques socio-économiques conduisent au creusement des inégalités.** Malgré sa croissance économique, la France fait face à l'augmentation de la pauvreté, notamment dans les banlieues des grandes villes (Seine-Saint-Denis) mais aussi certains quartiers centraux (Marseille). La pauvreté concerne aussi bien les territoires affectés par le chômage (Hauts-de-France, Ardennes, Languedoc, outre-mer) que des régions rurales aux emplois peu qualifiés et mal rémunérés (Limousin, Corse).

ÉTUDE DE CAS La Réunion ➜ p. 138

Vocabulaire

▶ **Centre :** lieu de concentration d'activités et de pouvoir de commandement.

▶ **Décentralisation :** transfert de compétences de l'État vers des acteurs locaux.

▶ **Périphérie :** espace dépendant d'un centre entretenant des relations de plus ou moins grande complémentarité avec lui.

▶ **Périurbanisation :** extension des espaces urbains en périphérie des agglomérations.

▶ **Vieillissement :** trajectoire démographique d'une population dont l'âge moyen augmente.

Les 3 départements les plus jeunes de France
Moins de 25 ans, en %

N° 2 : 49,1 — Guyane
N° 1 : 60,6 — Mayotte
N° 3 : 37,2 — La Réunion
Source : Insee, 2018.

Les 3 départements les plus riches de France
Revenu médian, en €, par an, en 2015

N° 2 : 26 225 — Hauts-de-Seine
N° 1 : 26 430 — Paris
N° 3 : 25 616 — Yvelines
Source : Insee, 2018.

3 Les évolutions du rôle des acteurs publics

● **Des actions nationales et européennes visent à réduire les inégalités.** L'État verse des aides sociales et l'UE soutient les territoires en difficultés (montagnes, régions ultrapériphériques de l'outre-mer). La loi NOTRe (Nouvelle organisation du territoire de la République, 2015) renforce le pouvoir des régions en matière d'aménagement du territoire et de développement durable. La loi MAPTAM (Modernisation de l'action publique territoriale et d'affirmation des métropoles, 2014) donne plus d'autonomie aux métropoles afin qu'elles œuvrent elles-mêmes au renforcement de leur attractivité.

● **Néanmoins, cette décentralisation accentue les écarts entre centres et périphéries.** En favorisant la compétition entre les territoires, elle renforce les villes les mieux insérées dans la mondialisation (Lyon, Lille). Au lieu d'impulser un rééquilibrage du territoire national, elle accentue les hiérarchies spatiales entre régions gagnantes (Île-de-France, Auvergne-Rhône-Alpes) et régions perdantes (Corse, outre-mer).

● **Ce creusement des inégalités accentue la contestation sociale.** Celle-ci se traduit par la progression de l'abstention et du vote contestataire, notamment dans les régions les plus affectées par la crise (Hauts-de-France, Grand Est, Languedoc). Elle s'exprime aussi dans la multiplication des tensions sociales : mouvement des gilets jaunes (fin 2018), grève générale et émeutes en Guyane (2017) et à Mayotte (2018), manifestations contre la fermeture des services publics en zone rurale, démission d'élus locaux protestant contre la baisse de leurs dotations.

DOSSIER Les inégalités face au logement → p. 144

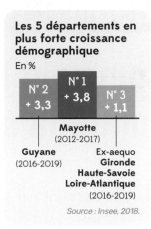

Les 5 départements en plus forte croissance démographique
En %

N° 2 + 3,3 | N° 1 + 3,8 | N° 3 + 1,1

Mayotte (2012-2017)
Guyane (2016-2019)
Ex-aequo **Gironde Haute-Savoie Loire-Atlantique** (2016-2019)

Source : Insee, 2018.

Notion clé

▶ Inégalité — p. 156

THÈME **2**

SE PRÉPARER

MONDE

FRANCE

RÉVISER

Du cours au schéma

Schéma interactif à compléter

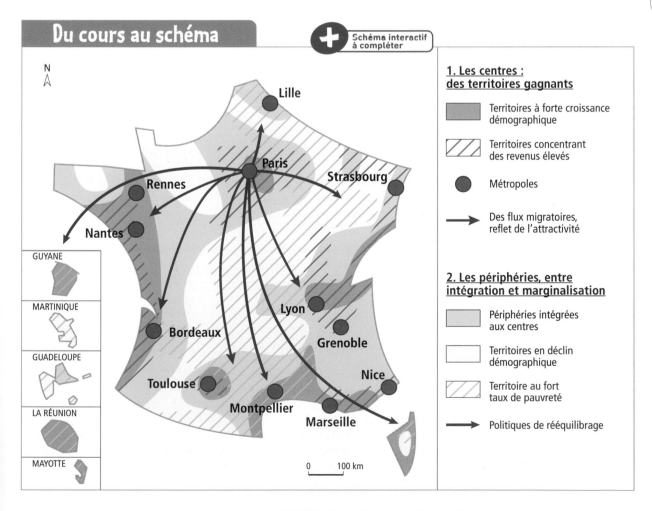

1. Les centres : des territoires gagnants

- Territoires à forte croissance démographique
- Territoires concentrant des revenus élevés
- Métropoles
- Des flux migratoires, reflet de l'attractivité

2. Les périphéries, entre intégration et marginalisation

- Périphéries intégrées aux centres
- Territoires en déclin démographique
- Territoire au fort taux de pauvreté
- Politiques de rééquilibrage

Lille · Paris · Strasbourg · Rennes · Nantes · Bordeaux · Toulouse · Montpellier · Lyon · Grenoble · Nice · Marseille

GUYANE · MARTINIQUE · GUADELOUPE · LA RÉUNION · MAYOTTE

0   100 km

Comment lutter contre la ségrégation scolaire ?

1 Carte scolaire et ségrégation résidentielle à Melun (Seine-et-Marne)

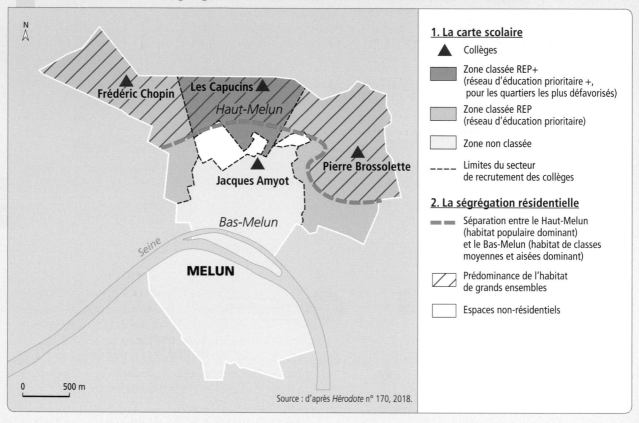

Source : d'après *Hérodote* n° 170, 2018.

2 Villes et campagnes face à la ségrégation scolaire

Les départements où la ségrégation est la plus faible sont des départements fortement ruraux (Lozère, Ariège, Lot, Aude). Dans ces départements à faible densité de population, les collèges recrutent sur un rayon pouvant dépasser les dix kilomètres : ils regroupent donc dans un même lieu des élèves d'origines différentes, ce qui favorise la mixité sociale.

À l'inverse, les départements ayant la plus forte ségrégation sociale sont essentiellement des départements urbains ou qui comportent des grandes villes (les Hauts-de-Seine et Paris se dégagent nettement, suivis des Yvelines, du Val-de-Marne, du Nord, du Rhône et des Bouches-du-Rhône). La multiplication du nombre de collèges dans ces zones augmente au contraire la ségrégation parce que s'installe une situation de concurrence qui fait émerger des collèges « souhaités » et des collèges « évités ».

Ségrégation inter- et intra-établissement dans les collèges et lycées français,
Conseil national de l'évaluation du système scolaire (Cnesco), 2016.

Vocabulaire

▶ **Carte scolaire** : découpage géographique permettant l'affectation d'un ou une élève dans un établissement scolaire.

▶ **Ségrégation** : mise à l'écart volontaire imposée à un groupe selon différents critères (économiques, sociaux ou ethniques par exemple). Elle crée une séparation nette dans l'espace entre des groupes sociaux différents.

mixité scolaire : les conditions de la réussite

Au-delà des spécificités de chaque territoire, il existe des conditions d'une mixité scolaire réussie. Voici, illustrées ci-dessous, ces conditions pour faire d'un établissement un lieu où il fait bon vivre ensemble et qui bénéficie à tous.

- **La mixité dans chaque classe ;**
- **Des pratiques pédagogiques adaptées** à la diversité des élèves et des classes ;
- Des établissements conçus comme de **véritables lieux de vie**, avec des acteurs engagés et des projets stimulants ;
- **Des relations famille-école de qualité** et des parents impliqués dans la vie des établissements ;
- **Le passage école/collège** facilité grâce à plus de liens entre le CM2 et la 6e.

la mixité scolaire
pourquoi s'en soucier ?

Parole d'acteur

fcpe

J'ai été dans mon collège de secteur même si mes parents n'étaient pas très emballés au départ car le collège avait mauvaise réputation. Finalement, ils ont compris que ça avait été une bonne expérience pour moi. J'ai pu rencontrer des gens de tous les milieux. Finalement, on est tous pareils, on avait tous le même âge mais on ne vivait pas la même chose. Cela rend plus compréhensif et aide à dépasser les préjugés."

> *JADE FRANCO, LYCÉENNE QUI PARLE DE SON EXPÉRIENCE AU COLLÈGE LES BATTIÈRES À LYON.*

THÈME ❷

SE PRÉPARER ★

MONDE

FRANCE

RÉVISER

3 Extrait d'une brochure de la FCPE (2017)

La Fédération des conseils de parents d'élèves (FCPE) est une association de parents d'élèves.

4 Les préconisations du CNESCO

Parole d'acteur

cnesco
conseil national de l'évaluation du système scolaire

À chaque terrain sa politique : les outils de la mixité sociale à l'école (ajustements de cartes scolaires, quotas d'élèves dans les établissements, transports...) doivent être adaptés aux contextes locaux car construire la mixité sociale à l'école prend des formes différentes dans la ruralité, les terrains socialement mixtes, ou au contraire les contextes socialement ultra-ségrégués...

Les 100 collèges les plus ségrégués, identifiés par le CNESCO, doivent faire l'objet d'un diagnostic et d'un plan d'urgence pour viser davantage de mixités sociale et scolaire.

– Ajustements de carte scolaire : diversifier socialement les publics ;

– Politique d'attractivité des collèges : offre de formation de qualité (scolaire, parascolaire et périscolaire) et encadrement pédagogique riche ;

– Bonus pour les élèves de ces « établissements de la nouvelle mixité » : faciliter l'orientation ;

– Dialogue très actif avec les parents.

Dossier de synthèse : mixités sociale, scolaire et ethnoculturelle à l'école, CNESCO, avril 2017.

5 Le témoignage d'un parent d'élèves

Parole d'acteur

Martine, parent d'élèves, Paris

Martine est mère de deux enfants. À la fin du CM2, sa fille aînée est affectée au collège Thomas Mann (Paris 13e). Mais elle souhaite suivre des cours de russe au plus tôt et demande une place au collège Claude Monet (Paris 13e), qui propose cette option dès la 6e. L'établissement n'étant pas au maximum de sa capacité d'accueil cette année-là, sa demande est acceptée.

Trois ans plus tard, le fils de Martine veut rejoindre sa grande sœur dans le même établissement. Martine pense alors faire jouer le regroupement de fratrie pour une nouvelle demande de dérogation. Les choses se corsent. « Les autorisations ne sont plus aussi évidentes que lors de ma première demande. L'effectif du collège Claude Monet a beaucoup augmenté durant les trois dernières années et l'accord ne m'a pas été donné d'emblée. Le principal du collège m'a en effet fait comprendre qu'il fallait que j'appuie ma demande d'une lettre pour m'assurer d'avoir toutes les chances de mon côté. » Martine rédige alors un courrier détaillé faisant valoir l'importance d'avoir frère et sœur dans le même établissement : les deux collèges étant en effet éloignés l'un de l'autre. En insistant sur ce point, Martine a pu obtenir une dérogation.

« Carte scolaire : entre obligation et dérogations », *La Voix des parents*, 20 mars 2017.

▶ **C'est à vous !**

Géo DÉBAT — Comment lutter contre la ségrégation scolaire ?

ÉTAPE 1 — Comprendre et préparer le débat

1 Où vivent les habitants les plus riches à Melun ? Où vivent les habitants les plus pauvres ? **doc. 1**

2 Pourquoi peut-on dire que la carte scolaire favorise la ségrégation plutôt que la mixité sociale ? **doc. 1**

3 Où la carte scolaire est-elle la moins efficace ? Pourquoi ? **doc. 2**

4 Montrez que la ségrégation scolaire peut être observée à différentes échelles. **doc. 1 à 5**

ÉTAPE 2 — Participer au débat

Conseils

▶ Écoutez et respectez la parole des autres.

▶ Pour convaincre, il est important de s'appuyer sur des exemples précis (localisés, datés, chiffrés).

▶ Ne lisez pas vos notes et présentez vos arguments en regardant vos auditeurs. Relisez vos notes avant de prendre la parole.

5 Avant le débat, prélevez les arguments des différents acteurs. **doc. 3 à 5** Reportez-les dans le tableau.

6 Avant le débat, en prenant appui sur les documents et votre point de vue personnel, notez vos arguments dans le tableau.

7 Pendant le débat, notez les arguments des autres élèves.

Tableau à imprimer

	Comment lutter contre la ségrégation scolaire ?
Arguments des acteurs	• • •
Mes arguments	• • •
Arguments des autres élèves	• • •

Vidéo

MULTI-COLLÈGES

« Comment Paris est devenue une ville d'apartheid ? », *Nouvel Obs*, avril 2018.

ÉTAPE 3 — Conclure le débat

8 À la suite du débat en classe, exprimez votre point de vue personnel et argumenté sur les moyens de lutter contre la ségrégation scolaire en France.

9 Les arguments échangés lors du débat vous ont-ils amené(e) à revoir votre position de départ ? Expliquez pourquoi.

Territoires, populations et développement : quels défis ?

RÉVISER & APPROFONDIR

Médecins sans frontières, association humanitaire d'origine française, apporte aide médicale et soutien psychologique à la population de Tierra Caliente, dans l'État de Guerrero au sud du Mexique (février 2018).

SYNTHÈSE

→ THÈME ❷ Territoires, populations et développement : quels défis ?

1 Des transitions démographiques différenciées

● **La Terre est de plus en plus peuplée.** Elle compte 7,6 milliards d'habitants en 2019. La très forte croissance depuis un siècle s'explique par la transition démographique. La France, comme les autres pays développés, l'a achevée il y a plusieurs décennies. Les mondes en développement, dont les pays africains, alimentent aujourd'hui l'essentiel de la croissance démographique mondiale.

● **Les trajectoires démographiques sont variées.** De nombreux pays d'Afrique et d'Asie ont des fécondités élevées. Certains pays sont confrontés au vieillissement de leur population (Japon, Allemagne, Russie…). L'Inde devrait devenir la première puissance démographique mondiale d'ici 2022.

2 Des inégalités de développement

● **Le développement des sociétés est inégal.** La transition démographique s'est accompagnée d'une transition économique et d'une redistribution inégale des richesses. La transition urbaine entre monde rural et espaces urbains témoigne d'un développement économique inégal. Le développement se réalise à des rythmes différents selon les régions et les pays du monde. L'Afrique sub-saharienne et l'Asie du Sud-Est demeurent en retard de développement.

● **Les trajectoires économiques sont diverses.** Elles se manifestent, dans les pays comme la France, par une tertiarisation de l'économie. Les recompositions territoriales s'effectuent en faveur des métropoles et les inégalités s'accroissent entre les territoires, à toutes les échelles.

3 De nombreux défis sociaux et économiques

● **L'augmentation de la population et son vieillissement sont les défis du XXIᵉ siècle.** Si l'augmentation menace la ressource disponible, le vieillissement interroge le maintien des modèles sociaux de toutes les sociétés. En France, 75 % de la population est jeune dans les DROM-COM, mais le vieillissement en métropole fragilise le système de retraite.

● **Le développement touche inégalement les territoires.** Il redéfinit le rôle des acteurs publics et privés dans des sociétés mondialisées, accentuant les écarts entre espaces dynamiques et espaces en marge.

+ Podcast de la synthèse

Chiffres-clés

▶ **7 611 000 000** d'habitants dans le monde (janvier 2019)

▶ **150 000 000** de naissances chaque année dans le monde

▶ **61 000 000** de décès chaque année dans le monde

▶ La Norvège (**0,953**) : pays avec l'IDH le plus fort

▶ Le Niger (**0,354**) : pays avec l'IDH le plus faible

Pour approfondir

 Films

● *Masaan*, de Neeraj Ghaywan, 2015, sélection officielle du Festival de Cannes.
Un film sur les inégalités et le problème des castes en Inde.

● *Médecin de campagne*, de Thomas Lilti, 2016.
Un film sur la question du vieillissement en France.

● *Les Délices de Tokyo*, de Naomi Kawase, 2015.
Un film sur le vieillissement et la crise au Japon, adapté du roman de Durian Sukegawa.

NOTIONS

CROISSANCE

Schéma interactif

■ Augmentation (dans le cas d'une croissance positive) ou diminution (dans le cas d'une croissance négative) d'une donnée chiffrée, pendant une période donnée. En matière économique, la croissance est estimée par l'évolution de la production (PIB) d'un pays.

Les facteurs de la croissance économique

Innovation technologique → Croissance économique

Infrastructures → Croissance économique

Ressources naturelles (matières premières) → Croissance économique

Capital humain (éducation et santé) → Croissance économique

Investissements → Croissance économique

Consommation (salaires) → Croissance économique

Hausse de la productivité du travail → Croissance économique

Échanges et mondialisation → Croissance économique

Environnement politique favorable → Croissance économique

THÈME ②

SE PRÉPARER
★

MONDE

FRANCE

RÉVISER

DÉVELOPPEMENT

■ Le développement est un processus de transformation politique, économique et sociale déterminée par une redistribution harmonieuse des bénéfices d'une croissance. Il se traduit généralement par une amélioration des conditions de vie des individus.

DÉVELOPPEMENT DURABLE

■ Le développement durable est un mode de développement dont l'objectif est de concilier à la fois progrès économique, harmonie sociale et culturelle et préservation de l'environnement.

Schéma interactif

SOCIÉTÉ
› Progrès social
› Respect des droits de l'Homme
› Défense de la solidarité
› Valorisation de la qualité de vie

ÉCONOMIE
› Croissance de la production
› Attractivité des territoires
› Amélioration de la compétitivité
› Partage des richesses

DÉVELOPPEMENT
Amélioration des conditions de vie matérielles

Utilisation raisonnée des ressources

DÉVELOPPEMENT DURABLE
Amélioration des conditions de vie sans compromettre celles des générations futures

Valorisation du patrimoine

ENVIRONNEMENT
› Limitation des conséquences des activités économiques
› Préservation de la biodiversité
› Lutte contre le réchauffement climatique
› Prévention des risques

Conciliation des usages et des acteurs d'un territoire

Respect de la diversité des individus

CULTURE
› Diversité culturelle
› Ouverture culturelle
› Créativité
› Coopération

POLITIQUE
› Démocratie
› Participation
› Égalité
› Diversité des acteurs décisionnels

ÉMERGENCE

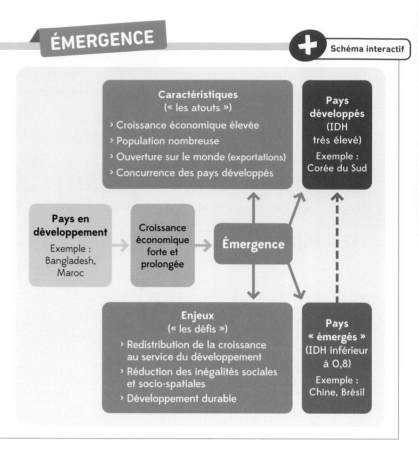

Schéma interactif

■ Processus de croissance économique forte et prolongée, lié en particulier à la bonne intégration d'un pays aux échanges mondiaux. Le niveau de vie des pays émergents converge vers celui des pays développés, mais plusieurs défis subsistent : PIB/habitant et IDH plus faibles, fortes inégalités socio-spatiales, démocratisation incomplète, etc.

Caractéristiques (« les atouts »)
> Croissance économique élevée
> Population nombreuse
> Ouverture sur le monde (exportations)
> Concurrence des pays développés

Pays développés (IDH très élevé)
Exemple : Corée du Sud

Pays en développement
Exemple : Bangladesh, Maroc

Croissance économique forte et prolongée

Émergence

Enjeux (« les défis »)
> Redistribution de la croissance au service du développement
> Réduction des inégalités sociales et socio-spatiales
> Développement durable

Pays « émergés » (IDH inférieur à 0,8)
Exemple : Chine, Brésil

INÉGALITÉ

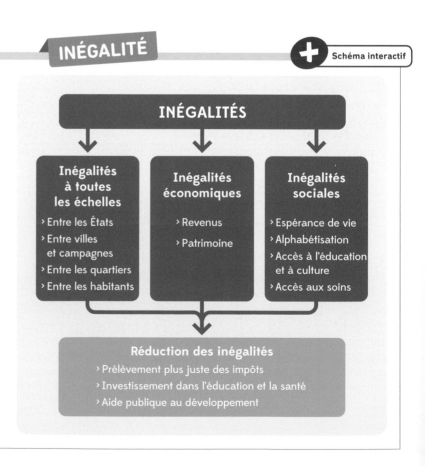

Schéma interactif

■ Différence entre individus, groupes sociaux ou territoires qui entraîne une hiérarchie entre ces individus et ces territoires, voire un sentiment d'injustice. Les inégalités peuvent se mesurer en termes de revenus, d'éducation, d'emploi, de conditions de vie, d'accès aux logements, etc.

INÉGALITÉS

Inégalités à toutes les échelles
> Entre les États
> Entre villes et campagnes
> Entre les quartiers
> Entre les habitants

Inégalités économiques
> Revenus
> Patrimoine

Inégalités sociales
> Espérance de vie
> Alphabétisation
> Accès à l'éducation et à culture
> Accès aux soins

Réduction des inégalités
> Prélèvement plus juste des impôts
> Investissement dans l'éducation et la santé
> Aide publique au développement

Schéma interactif

■ Ensemble des personnes habitant un territoire (pays, région, ville...), déterminé par des caractéristiques propres (âge, niveau de formation, niveau de développement...) et affecté par des dynamiques (mobilités). Ces composantes peuvent être soit homogènes (population d'un quartier), soit hétérogènes (population d'un vaste État très peuplé).

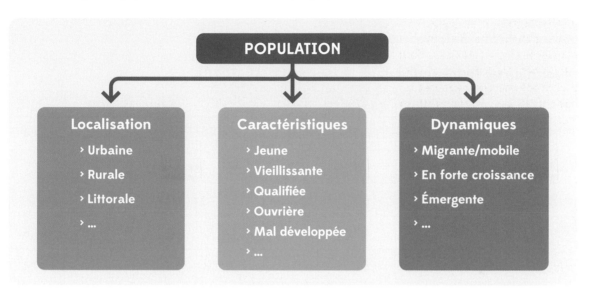

POPULATION

Localisation
> Urbaine
> Rurale
> Littorale
> ...

Caractéristiques
> Jeune
> Vieillissante
> Qualifiée
> Ouvrière
> Mal développée
> ...

Dynamiques
> Migrante/mobile
> En forte croissance
> Émergente
> ...

THÈME ❷

SE PRÉPARER
★

MONDE

FRANCE

RÉVISER

PEUPLEMENT

Schéma interactif

■ Le peuplement correspond à la répartition de la population sur un territoire. Il se caractérise par des localisations, des densités (nombre d'habitants au km²), une plus ou moins grande régularité de l'installation des sociétés humaines.

■ Il existe des variations du peuplement dans l'espace et dans le temps. Il est soit dense ou lâche, définitif ou temporaire, groupé ou dispersé, ancien ou récent.

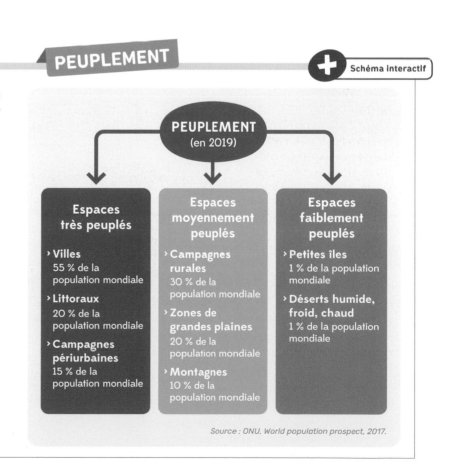

PEUPLEMENT
(en 2019)

Espaces très peuplés
> Villes
55 % de la population mondiale
> Littoraux
20 % de la population mondiale
> Campagnes périurbaines
15 % de la population mondiale

Espaces moyennement peuplés
> Campagnes rurales
30 % de la population mondiale
> Zones de grandes plaines
20 % de la population mondiale
> Montagnes
10 % de la population mondiale

Espaces faiblement peuplés
> Petites îles
1 % de la population mondiale
> Déserts humide, froid, chaud
1 % de la population mondiale

Source : ONU, World population prospect, 2017.

EXERCICES

1 Vérifier ses connaissances

⊘ Retrouvez des exercices interactifs pour tester vos connaissances sur le thème 2.

2 Analyser des statistiques

L'évolution de la fécondité dans le monde (1960-2018)

	1960	1970	1980	1990	2000	2010	2018
Monde	5	4,9	3,8	3,4	2,7	2,5	2,4
Afrique subsaharienne	6,6	6,7	6,7	6,5	5,9	5,4	4,7
Afrique du Nord	6,9	6,8	6,1	5,1	3,4	3	3
Chine	6,2	4,7	2,5	1,9	1,5	1,6	1,6
Asie du Sud	6	5,6	5	4	3,1	2,5	2,4
Europe	2,5	2,1	1,8	1,5	1,4	1,5	1,6
Amérique latine et Caraïbes	5,9	5	3,9	3	2,4	2,2	2
Amérique du Nord	3,2	2	1,7	1,8	1,9	2	1,8
Océanie	4,0	3,5	2,7	2,5	2,4	2,5	2,2
– Australie	*3,4*	*2,8*	*1,9*	*1,8*	*1,8*	*1,9*	*1,8*
– Polynésie française	*5,8*	*5,2*	*4,2*	*3,6*	*2,6*	*2,1*	*1,9*

Source : Nations unies, 2018.

Questions

1 Comparez le nombre d'enfants par femme dans le monde en 1960 et en 2018 : que constatez-vous ?

2 Pour chaque année, identifiez les régions dont la fécondité est inférieure, équivalente ou supérieure à la moyenne mondiale. Quelles évolutions remarquez-vous ?

3 Montrez que ces statistiques illustrent l'inégale transition démographique dans le monde.

4 Quel lien ces statistiques permettent-elles de faire entre transition démographique et développement ?

Vocabulaire

▸ **Fécondité** : nombre moyen d'enfants par femme en âge de procréer (15-49 ans).

Conseil

● Reportez-vous au vocabulaire page 127 de votre manuel pour revoir la notion de transition démographique.

L'indice de progrès social (2018)

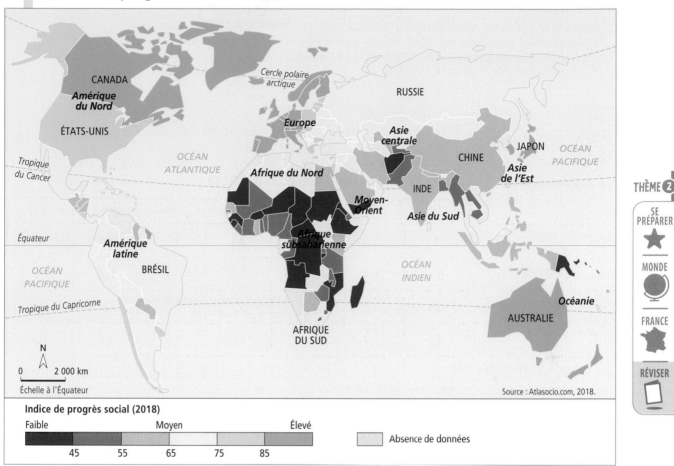

Source : Atlasocio.com, 2018.

Indice de progrès social (2018)

Faible   Moyen   Élevé

45   55   65   75   85

Absence de données

THÈME **2**

SE PRÉPARER

MONDE

FRANCE

RÉVISER

En 2018, la moyenne mondiale de l'indice de progrès social est de 63,46 (sur un total possible maximal de 100).

Questions

1 Quels sont les composants de l'indice de progrès social ?

2 Dans quelles régions se localisent principalement les États dont l'indice de progrès social est inférieur à la moyenne mondiale ?

3 Identifiez et listez les États ayant l'indice le plus élevé. Font-ils partie du top 5 des États les plus riches du monde ?

4 Comparez ce document avec le planisphère page 128-129 : les États développés sont-ils forcément les mieux classés dans l'indice de progrès social ? Quelles différences remarquez-vous ?

5 À l'aide de vos réponses, montrez que l'indice de progrès social permet de nuancer les mesures du développement et de performance économique des États.

Vocabulaire

▸ **Indice de progrès social :** il combine les « besoins humains fondamentaux » (alimentation, assainissement, logement, sécurité), les « fondements du bien-être » (éducation, santé, environnement), les « opportunités » (droits sociaux, judiciaires, politiques ; libertés ; inclusion sociale ; enseignement supérieur).

4 **Approfondir ses connaissances**

Exercice d'approfondissement

Enquêtez sur les inégalités en France à l'aide du site de l'Observatoire des inégalités.

APPRENDRE à apprendre

→ Réaliser une carte mentale

Une carte mentale est un outil qui représente votre réflexion de façon visuelle. Elle vous permet d'organiser vos idées, de développer une meilleure compréhension du cours et de le mémoriser plus facilement.

ÉTAPE 1 ▸ Repérer les informations clés

- **Lisez votre cours.**
- **Identifiez les grands thèmes du cours.**
- **Pour chacun des thèmes, listez au brouillon les informations les plus importantes :**
  - notions ;
  - définitions ;
  - exemples ;
  - chiffres-clés…

Conseil

Vous pouvez réaliser une carte mentale :

- De manière manuscrite
Le + : écrire, c'est déjà apprendre.

- Sous format numérique en utilisant ces logiciels : Mindmup, Bubble US, Framindmap, Mindmeister…
Le + : sauvegarder ses cartes mentales, les imprimer au moment des révisions.

ÉTAPE 2 ▸ Classer les informations clés

- **Sur une feuille blanche, classez et liez les informations entre elles :**

  – Au centre de la page, notez le titre de votre carte mentale dans une bulle (il peut s'agir du titre du chapitre, du cours, d'une partie du cours…).

  – Ajoutez des branches qui représentent les idées principales.

  – Poursuivez la carte mentale pour faire apparaître les idées secondaires.

  – Illustrez chacune des idées secondaires par des exemples.

Conseil

Utilisez plusieurs couleurs pour réaliser votre carte mentale :

- Pour distinguer les idées principales des idées secondaires.
- Ou pour distinguer les différents thèmes.

ÉTAPE 3 ▸ Ajouter des pictogrammes et des illustrations

- **Ils permettent à notre cerveau de repérer facilement l'information que nous avons en mémoire.**
Il n'est pas nécessaire d'être un grand dessinateur ! Des symboles ou des pictos peuvent suffire.

Ex. : Début d'une carte mentale du cours p. 148-149

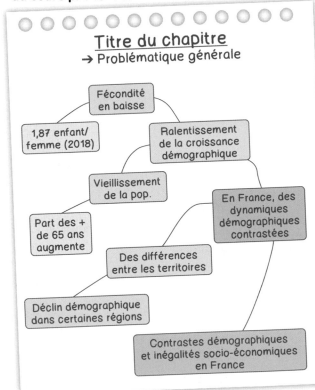

Boîte à idées

▶ Pour les parties 2 et 3 de votre cours p. 148-149

- Croissance et inégalités socio-économiques
- Transition économique
- Chômage
- 7e puissance mondiale
- Creusement des inégalités

APPRENDRE à lire une carte

→ Les surfaces colorées

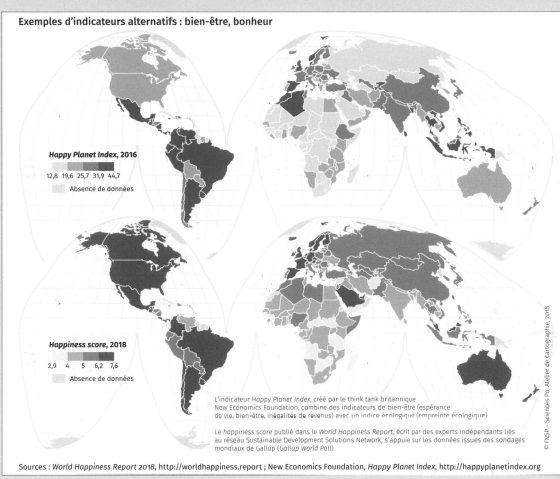

Exemples d'indicateurs alternatifs : bien-être, bonheur

Happy Planet Index, 2016

12,8 19,6 25,7 31,9 44,7

Absence de données

Happiness score, 2018

2,9 4 5 6,2 7,6

Absence de données

L'indicateur *Happy Planet Index*, créé par le think tank britannique New Economics Foundation, combine des indicateurs de bien-être (espérance de vie, bien-être, inégalités de revenus) avec un indice écologique (empreinte écologique)

Le *happiness score* publié dans le *World Happiness Report*, écrit par des experts indépendants liés au réseau Sustainable Development Solutions Network, s'appuie sur les données issues des sondages mondiaux de Gallup (*Gallup World Poll*).

© FNSP – Sciences Po, Atelier de cartographie, 2018

Sources : *World Happiness Report 2018*, http://worldhappiness.report ; New Economics Foundation, *Happy Planet Index*, http://happyplanetindex.org

Les indicateurs de bonheur

Carte extraite de *Espace mondial, l'atlas*, (https://espace-mondial-atlas.sciencespo.fr) © FNSP – Sciences Po, Atelier de cartographie, 2018.

THÈME 2

SE PRÉPARER

MONDE

FRANCE

RÉVISER

Exercice d'application

1 Quelle est l'échelle géographique de ces cartes ?

2 Les couleurs sur ces cartes constituent-elles une gradation ?

3 Les couleurs sur les cartes représentent-elles un même phénomène ou des phénomènes différents ?

4 La couleur sur les cartes est-elle utilisée pour hiérarchiser ou pour différencier ? Justifiez votre réponse en décrivant les cartes.

Info Carto

▶ Des couleurs pour hiérarchiser

• Un **dégradé de couleurs** désigne une transition progressive.

• Les **couleurs froides** (bleu, vert…) donnent une impression de froid → en cartographie, elles montrent une faible intensité.

• Les **couleurs chaudes** (orange, rouge) donnent un sentiment de chaleur → en cartographie, elles montrent un phénomène important ou intense.

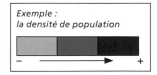

Exemple : la densité de population

− → +

▶ Des couleurs pour différencier

• Les couleurs utilisées sur une carte peuvent **représenter, symboliser des phénomènes différents.**
Par exemple :
– le vert pour l'élevage ou la forêt ;
– le bleu pour l'eau.

• Elles permettent ainsi d'indiquer la localisation, l'extension d'espaces différents, sans que l'on cherche à les hiérarchiser ou à les classer.

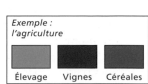

Exemple : l'agriculture

Élevage   Vignes   Céréales

MÉTHODE → Identifier les documents

SUJET

Démographie et inégalités en Europe

Consigne : À partir de l'analyse et la confrontation des documents, vous vous interrogerez sur les conséquences des inégales trajectoires démographiques en Europe.
Vous caractériserez la diversité des situations démographiques, vous expliquerez l'inégal vieillissement de la population européenne, enfin vous mettrez en évidence les liens entre démographie et inégalités sociales.

1 Croissance démographique et vieillissement en Europe

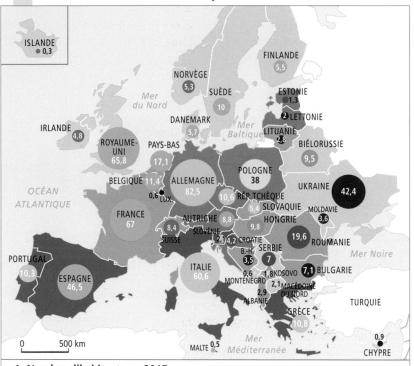

1. Nombre d'habitants en 2017
En millions
La surface des cercles est proportionnelle au nombre d'habitants

2. Variation de la population entre 1987 et 2017
En %   − 25   − 15   − 10   − 2   + 2   + 10   + 25   + 40   + 60

3. Prévisions de vieillissement en 2050
Nombre de personnes âgées de plus de 65 ans pour 100 personnes âgées de 20 à 64 ans

Moins de 50   De 50 à 55   De 56 à 65   Plus de 65

Sources : Eurostat, annuaires statistiques nationaux. Cécile Marin, *Le Monde diplomatique*, juin 2018.

2 Démographie et inégalités en Europe

En 1900, l'Europe abritait un Terrien sur quatre. En dépit d'un gain de 180 millions d'habitants entre 1950 et 2000, elle n'en abrite aujourd'hui plus qu'un sur dix. Sur tout le continent, la croissance démographique s'essouffle, une majorité de régions connaissant même une décroissance. Mais cette évolution globale cache de fortes disparités. Les habitants de l'Ouest n'ont guère pris conscience du chaos qui a suivi, dans l'Est, la chute du mur de Berlin, avec l'explosion des inégalités, de la pauvreté et de la mortalité. [...]

Dénatalité et exode conduisent à un bilan démographique sévère : vingt-quatre millions d'habitants en moins depuis 1989 dans les anciens pays de l'Est, hors Russie. Un garçon qui naît aujourd'hui en Ukraine peut espérer vivre soixante-six ans, soit treize de moins qu'un Suisse ou un Suédois. Treize années, c'est aussi ce qui sépare l'espérance de vie d'un Français riche de celle d'un Français pauvre.

« Bouleversement démographique en Europe », *Le Monde diplomatique*, juin 2018.

Retrouvez des sujets de BAC et des méthodes actualisés régulièrement sur le site
→ **lyceen.nathan.fr/geo2de-2019**

Méthode	Guide de travail

1 Analyser le sujet

→ Définir les termes de la consigne

1. Définissez : *démographie*, *inégalités*.

→ Analyser l'énoncé de la consigne

2. Quelle est la problématique de l'analyse de document ?

3. Quel plan est suggéré par la consigne ?

> **Conseil DU PROF**
> ● Reportez-vous au lexique p. 304-310 pour retrouver la définition des termes géographiques.

2 Analyser les documents

→ Identifier les documents

● Définir la nature du document : carte/schéma/article de presse/ graphique/photographie…

● Préciser la source et la date, en particulier pour expliquer un contexte ou un point de vue.

● Énoncer le thème principal du document et l'idée générale qui y est exprimée.

4. Quelle est la nature des documents ? Que pouvez-vous dire à propos de leur source ? De quand datent les documents ? Pourquoi cette information peut-elle être intéressante pour l'analyse ?

5. Quel est le thème commun aux deux documents ? Quelle idée générale expriment-ils ?

> **Exemple :** le thème commun est la démographie des États d'Europe. L'idée générale est que les États européens présentent des disparités démographiques.

THÈME ❷

SE PRÉPARER

★

MONDE

FRANCE

RÉVISER

→ Extraire et mettre en relation les informations

6. Relevez les informations permettant de répondre aux différentes parties de la consigne et complétez le tableau :

	Doc 1	Doc 2
Partie 1	Très forte croissance de la population à Chypre et dans les pays les moins peuplés d'Europe de l'Ouest et du Nord…	Décroissance de la population dans de nombreuses régions…
Partie 2	…	…
Partie 3	…	…

7. Quelles informations permettent de dégager la notion de trajectoire démographique ?

Comment le document 2 permet-il de comprendre le document 1 ?

> **Conseil DU PROF**
> ● Observez la légende du document 1 afin de ne pas faire d'erreur de lecture.

→ Expliquer les informations à l'aide des connaissances

8. Expliquez les termes spécifiques : *bilan démographique, vieillissement, exode, espérance de vie, longévité*.

3 Répondre au sujet

→ Rédiger une introduction

9. Présentez les documents en les mettant en relation avec le sujet et annoncez le plan.

→ Rédiger la réponse au sujet

10. Rédigez la réponse au sujet en suivant le plan annoncé dans la consigne.

→ Rédiger une conclusion

11. Pour conclure, faites un bilan de votre étude.

VERS LE BAC › Croquis

→ Méthode et description de l'épreuve p. 284

MÉTHODE → Classer les informations dans la légende

SUJET

Dynamiques démographiques et inégalités socio-économiques des territoires en France

> **Dynamiques démographiques et inégalités socio-économiques des territoires en France**
>
> **Le dynamisme démographique des territoires est contrasté**
>
> Le dynamisme démographique de la population française est variable selon les territoires. Le déclin démographique et le vieillissement de la population marquent principalement les territoires ruraux isolés et faiblement métropolisés comme l'intérieur de la Bretagne et de la Normandie. Ce phénomène est particulièrement important dans les régions de montagne : les Ardennes, le Massif central, les Pyrénées, le centre des Alpes, le centre de la Corse. En revanche, les régions littorales atlantiques et méditerranéennes sont caractérisées par une forte croissance démographique (+1,1 % en Gironde et Loire-Atlantique). Le reste du territoire se situe dans la moyenne nationale avec une croissance modérée de la population.
>
> **Les disparités socio-économiques sont importantes**
>
> De nombreux facteurs expliquent les inégalités entre les territoires français. La géographie des revenus est marquée par l'opposition entre les grandes villes offrant des emplois qualifiés et des hauts salaires d'une part et, d'autre part, les territoires frappés par la désindustrialisation et par le chômage (Nord de la France, Ardennes) ainsi que les espaces ruraux en difficulté (Languedoc-Roussillon, vallée de la Garonne entre Toulouse et Bordeaux, Creuse) où les revenus sont faibles.
>
> **Les territoires sont inégalement attractifs**
>
> Une partie du territoire est marquée par un solde migratoire négatif. De nombreuses villes perdent leur attractivité en raison des difficultés économiques ou du prix très élevé des logements. Ces villes se trouvent principalement au nord d'un axe Le Havre-Paris-Besançon. Elles sont un point de départ de flux de populations vers les métropoles dynamiques situées dans un grand arc allant de Rennes à Annecy en passant par Bordeaux, Toulouse, Montpellier et Lyon.

Thèmes principaux indiquant les parties du plan de la légende du croquis

Informations à représenter sur le croquis

Lieux concernés par le sujet

Méthode	Guide de travail

1 Déterminer l'objectif du croquis

→ **Analyser les termes du sujet**

1. Repérez les mots clés du sujet et précisez leur sens.
2. Que devra montrer le croquis ?

2 Relever les informations dans le texte

→ **Identifier les informations cartographiables** (faits, phénomènes géographiques ou spatiaux)

3. Quelle aide les titres des parties donnent-ils pour sélectionner les informations ?
Montrez que les informations sélectionnées dans les paragraphes 1 et 3 correspondent au sujet.

• Relever uniquement les informations en rapport avec le sujet du texte.

4. Dans le paragraphe 2 du texte, relevez les trois facteurs expliquant les inégalités socio-économiques entre les territoires.

Conseil DU PROF

• Vous pouvez aussi trouver des informations complémentaires dans les différentes pages du chapitre (cours, cartes, synthèse).

Méthode

Guide de travail

3 Passer du texte à la légende du croquis

→ **Classer les informations dans la légende**

- La légende comporte trois parties, chaque partie comporte un titre et regroupe deux ou trois informations.
- Le titre de chaque partie doit exprimer une idée construite.

5. Transformez sous forme de titres les phrases du texte qui indiquent les parties du plan.

Exemple : « Le dynamisme démographique des territoires est contrasté » devient « Un dynamisme démographique contrasté ».

Conseil DU PROF
- Évitez les titres trop simplistes comme « La croissance démographique ».

6. À l'aide du travail effectué sur le texte, complétez les titres et les informations manquantes dans la légende ci-dessous :

A. Un dynamisme démographique contrasté
- Croissance démographique forte
- ....
- ....

B. ....
- ....
- ....
- ....

C. ....
- ....
- ....
- Flux migratoires

Conseil DU PROF
- Dans chaque partie, classez les informations en les hiérarchisant par ordre d'importance.

→ **Représenter les informations par des figurés**

7. Quel type de figuré convient pour représenter :
- Les phénomènes étendus à l'échelle des régions ?
- Les métropoles ?
- Les flux ?

8. Quelles couleurs peuvent représenter :
- Des dynamiques fortes ou positives ?
- Des dynamiques faibles ou négatives ?

9. Déterminez un figuré adapté pour chacune des informations.

Conseil DU PROF
- Aidez-vous du langage cartographique à la fin de votre manuel.

4 Réaliser le croquis

10. Sur le fond de carte fourni :
- Indiquez le nom des lieux (la nomenclature).
- Recopiez sous le croquis la légende complétée.
- Donnez un titre au croquis en reprenant celui du texte.

Conseil DU PROF
- Reprenez le titre du texte car il exprime l'idée principale ou la question problématique du croquis.

THÈME ②
SE PRÉPARER
★
MONDE
FRANCE
RÉVISER

Retrouvez des sujets de BAC et des méthodes actualisés régulièrement sur le site
→ **lyceen.nathan.fr/geo2de-2019**

SUJET

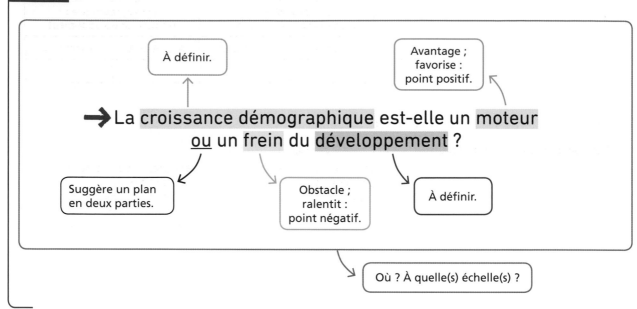

À définir.

Avantage ; favorise : point positif.

→ La croissance démographique est-elle un moteur ou un frein du développement ?

Suggère un plan en deux parties.

Obstacle ; ralentit : point négatif.

À définir.

Où ? À quelle(s) échelle(s) ?

Démarche	Guide de travail

1 Analyser le sujet

→ **Définir les mots clés du sujet, l'échelle ou l'espace concerné par l'étude**

1. Analysez l'énoncé du sujet en vous aidant des encadrés de couleurs ci-dessus.

2. Que devrez-vous démontrer à partir de la question problématisée ?

Conseil DU PROF

• L'énoncé de la question donne les indications pour guider votre réflexion et pour mobiliser les connaissances permettant d'y répondre.

2 Mobiliser et organiser ses connaissances

→ **Rassembler les connaissances et les exemples en rapport avec le sujet**

3. Au brouillon, en vous aidant du cours, des études de cas et des dossiers du thème 2, listez :
– les mots clés et notions en lien avec le sujet ;
– les arguments à développer et les exemples utiles pour traiter le sujet.

Exemple : population jeune et dynamique ; surcroît de main-d'œuvre/chômage ; augmentation de la consommation intérieure ; transition démographique ; pays les moins avancés, etc.

Conseil DU PROF

• Vérifiez que les connaissances sélectionnées correspondent bien au sujet.

 Ne pas confondre développement et croissance économique.

Méthode	Guide de travail

→ Classer les connaissances

4. Classez-les dans les thèmes du tableau ci-dessous :

I. La croissance démographique : moteur du développement		II. La croissance démographique : frein au développement	
Arguments	Exemples	Arguments	Exemples

3 Rédiger la réponse à la question

→ Rédiger une courte introduction

5. Présentez le sujet et le plan.

Exemple : Concilier la croissance démographique, résultant du solde naturel et migratoire, et le développement, c'est-à-dire l'amélioration des conditions et de la qualité de vie d'une population, est un défi pour de nombreux États.
La croissance démographique est-elle un moteur ou un frein du développement ?
Nous montrerons qu'une population nombreuse peut dynamiser le développement, mais qu'elle peut aussi entraver ce processus.

→ Rédiger le développement

6. Pour chaque partie du plan, rédigez un paragraphe argumenté dans lequel vous développerez les idées importantes, les explications et un ou deux exemples précis.

Conseil DU PROF

• Faites des phrases courtes ; utilisez un vocabulaire précis ; rédigez une phrase de transition entre chaque partie du développement.

→ Rédiger la conclusion

7. Rédigez une réponse à la question problématisée.

Conseil DU PROF

• La conclusion ne doit pas comporter d'informations ou d'exemples nouveaux.

Exemple : La démographie n'est qu'un facteur du développement qui dépend avant tout de la qualité de la gouvernance et des choix politiques, économiques et sociaux des États.

Retrouvez des sujets de BAC et des méthodes actualisés régulièrement sur le site
→ lyceen.nathan.fr/geo2de-2019

THÈME **2**
SE PRÉPARER
MONDE
FRANCE
RÉVISER

▶▶▶ ORIENTATION

→ Jean-Bernard, directeur d'hôpital

Fiche Métier → Directeur(trice) d'hôpital

- **Niveau minimum d'accès :** `BAC +5`
- **Salaire d'un débutant :** environ `3 000 €`
- **Statut :**
  ☑ salarié ☑ fonctionnaire ☐ indépendant
- **Compétences requises :**
  ☑ grande capacité de travail
  ☑ rigueur
  ☑ résistance au stress

LE **CV** EXPRESS de Jean-Bernard

Jean-Bernard, 35 ans, Créteil (Val-de-Marne)

Formation

- Bac ES, Rodez (Aveyron)
- Classes préparatoires littéraires (hypokhâgne et khâgne), Toulouse (bac + 2)
- Master en Service public, Sciences Po (IEP), Aix-en-Provence (bac +5)
- Master en Administration générale, Paris (bac + 5)
- Doctorat en Aménagement des territoires, Aix-en-Provence, Bac +8
- École des Hautes Études en Santé Publique (EHESP), Rennes

Expérience professionnelle

- **Groupement hospitalier Val-de-Marne Est (Créteil) Directeur général adjoint**
- Hôpitaux universitaires Henri Mondor AP-HP (Créteil), Directeur des ressources humaines
- Inspection Générale des Finances (Paris), Inspecteur des Finances

Le métier de Jean-Bernard au quotidien

Que tirez-vous au quotidien de vos études de géographie ?

Jean-Bernard : Elles m'ont permis d'acquérir des réflexes utiles en termes d'observation et d'analyse spatiale des problématiques contemporaines. Ce regard critique et curieux est toujours utile aujourd'hui plusieurs années après la fin de mon doctorat.

Que vous ont apporté vos études à Sciences Po dans votre vie professionnelle ?

Jean-Bernard : Une ouverture d'esprit et la possibilité de réaliser un stage long à l'étranger, ce que je recommande à tout étudiant ! J'ai eu la chance de travailler pendant près d'un an auprès d'un consul général à Séville en Espagne.

Quelles sont vos tâches au quotidien ?

Jean-Bernard : Elles sont très diverses. Il s'agit de décider rapidement dans des disciplines variées pour faire évoluer notre organisation au service des patients du bassin de population. Je passe beaucoup de temps en réunion avec des acteurs très variés (médecins, usagers, administratifs...) et dois également dégager quelques heures chaque jour pour traiter des dossiers de fond.

Quels sont les aspects de votre métier qui vous plaisent le plus ?

Jean-Bernard : Le sentiment que je ne travaille pas dans un univers cloisonné, mais au contraire ouvert sur une multiplicité de parcours et d'horizons sociaux, géographiques, culturels... J'ai souhaité travailler dans le secteur public pour avoir le sentiment d'être utile.

 **Témoignage complet**

L'employeur de Jean-Bernard

Groupement hospitalier Val-de-Marne Est
Groupe composé de deux hôpitaux publics

☐ Secteur privé ☑ Secteur public

1 150 lits et places | **4 400** professionnels de santé

235 000 urgences prises en charges en 2018

7 000 accouchements par an

→ VOTRE PROJET D'ORIENTATION

- Êtes-vous prêt(e) à vous engager dans des études longues ?
- Identifiez les parcours d'études qui vous semblent les plus appropriés pour vous orienter dans cette voie.

▶▶▶ ORIENTATION

→ Julien, statisticien

Fiche Métier → Statisticien(ne)

- **Niveau minimum d'accès :** BAC +2
- **Salaire d'un débutant :** environ 1 800 €
- **Statut :**
  ☑ salarié ☑ fonctionnaire ☐ indépendant
- **Compétences requises :**
  ☑ rigueur
  ☑ abnégation
  ☑ attention portée aux données observées

LE CV EXPRESS de Julien

Julien, 38 ans, Paris (Île-de-France)

Formation

- Bac S, Ploërmel (Morbihan)
- Licence Mathématiques appliquées et sciences sociales, Vannes (bac +3)
- DESS Statistique pour l'entreprise (ex-Master 1), Rennes (bac +4)
- Maîtrise de Sciences et Techniques Économétrie (ex-Master 2), Rennes (bac +5)

Expérience professionnelle

- **Samusocial de Paris, Statisticien** (élaboration de statistiques et réalisation d'études, contrôle de la qualité des données)
- Médiamétrie (Levallois Perret), statisticien (estimation des indicateurs d'audience, utilisation de techniques de sondage)
- MSA de Bretagne (Rennes), statisticien (études économiques sur la clientèle et les dépenses en cardiologie)

THÈME ❷

SE PRÉPARER ★

MONDE

FRANCE

RÉVISER

Le métier de Julien au quotidien

En quoi consiste votre métier ?

Julien : Une partie de mon travail est de rendre compte aux pouvoirs publics de l'activité et des tendances observées sur le terrain. En lien avec l'observatoire du Samusocial (organisme pluridisciplinaire composé d'épidémiologistes, de statisticiens…) nous élaborons des rapports et préconisations sur des thématiques spécifiques (santé mentale et sans abrisme, personnes vieillissantes sans abri, enfance et familles sans abri hébergées à l'hôtel, état de santé des personnes migrantes, parcours de vie et de migration des femmes sans abri, sans abrisme et handicap…). Une autre partie du travail consiste à proposer de nouveaux outils d'analyse correspondant aux enjeux naissants.

Pourquoi avez-vous fait le choix de travailler dans le secteur public ?

Julien : Le Samusocial de Paris est considéré comme parapublic. L'intérêt pour moi est de rendre service à la collectivité et au public sur une cause qui me tient à cœur. J'ai la chance de côtoyer des personnes très investies (domaine social) et de travailler dans un domaine humain en perpétuel mouvement.

Pourriez-vous nous présenter en quelques mots un projet sur lequel vous avez travaillé ?

Julien : Nous travaillons sur les moyens de maintenir la joignabilité du numéro 115 en tenant compte de l'évolution de la population des sans-abris (féminisation, augmentation du nombre de familles, vieillissement, migrations…).

Témoignage complet

L'employeur de Julien

Samusocial de Paris   samusocial deParis

Réception des appels des personnes sans abri, coordination des maraudes parisiennes, gestion des centres d'hébergement

☐ Secteur privé ☑ Secteur public

 600 salariés

Numéro d'urgence
115 joignable
24 h/24 et **7 jours/7**

→ VOTRE PROJET D'ORIENTATION

- Envisagez-vous de travailler dans le secteur public ou dans le secteur privé ?
- Si le métier de statisticien vous intéresse, identifiez les choix de « spécialités » qui vous semblent les plus appropriés pour vous orienter dans cette voie.

Paris

FRANCE

Des mobilités généralisées

Les mobilités humaines n'ont jamais été aussi importantes que depuis le début du XXIe siècle. Chaque jour, des dizaines de millions d'individus se déplacent pour des raisons économiques, professionnelles, familiales, touristiques ; de manière temporaire ou définitive. Les migrations et les mobilités touristiques internationales révèlent l'importance d'une planète hyper-nomade.

Quelle est l'ampleur des mobilités dans le monde d'aujourd'hui et quels défis soulèvent-elles ?

THÈME **3**

SE PRÉPARER
★

MONDE

FRANCE

RÉVISER

Des touristes asiatiques se photographient devant le musée du Louvre à Paris, en 2018.

La diversité des mobilités

VU AU COLLÈGE

en **4e**
- Un monde de migrants
- Le tourisme et ses espaces

en **3e**
- Les aires urbaines, une nouvelle géographie d'une France mondialisée
- Les espaces de faible densité (espaces ruraux, montagnes, secteurs touristiques peu urbanisés) et leurs atouts

1 ▸ Vérifier ses repères géographiques

1 Un monde de migrants

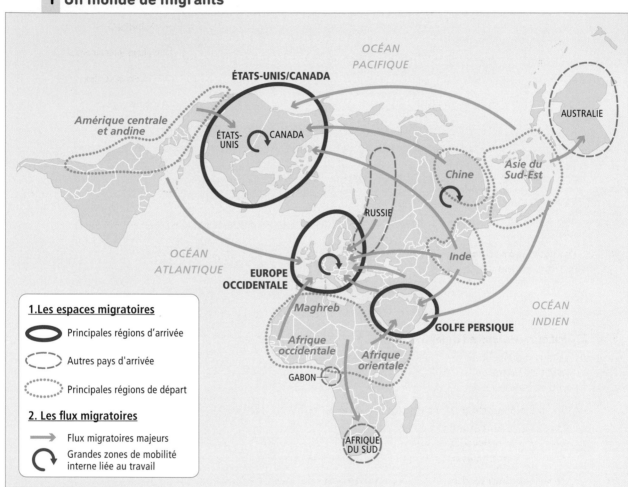

1. Les espaces migratoires

⬭ Principales régions d'arrivée

⬭ Autres pays d'arrivée (tirets)

⬭ Principales régions de départ (pointillés)

2. Les flux migratoires

→ Flux migratoires majeurs

↻ Grandes zones de mobilité interne liée au travail

❶ **doc. 1 Parmi les propositions suivantes, localisez trois grandes régions d'arrivée de migrants.**
- a L'Europe occidentale
- b L'Australie
- c L'Amérique centrale
- d L'Amérique du Nord
- e Le golfe Arabo-persique

❷ **doc. 1 Parmi les propositions suivantes, localisez trois grandes régions de départ des migrants vers d'autres continents.**
- a La Russie
- b L'Asie centrale
- c L'Afrique australe
- d L'Afrique occidentale
- e L'Amérique centrale
- f L'Asie du Sud

❸ **doc. 1 Les flux migratoires sont plus importants :**
- a du Sud vers le Nord
- b du Sud vers le Sud
- c du Nord vers le Nord
- d du Nord vers le Sud

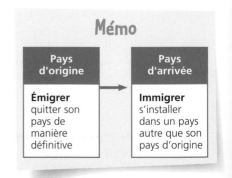

Mémo

Pays d'origine	Pays d'arrivée
Émigrer quitter son pays de manière définitive	**Immigrer** s'installer dans un pays autre que son pays d'origine

2 Les réseaux de transport en France métropolitaine

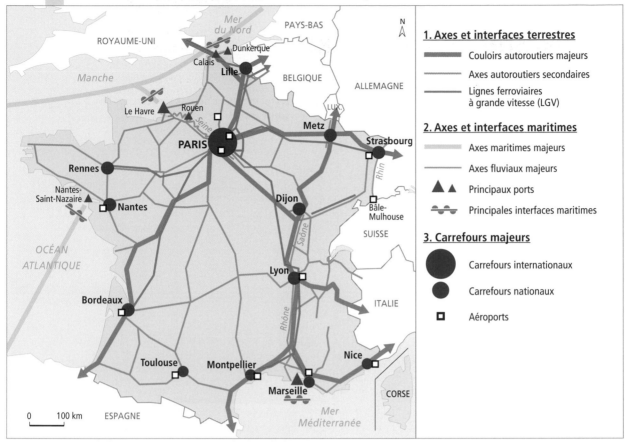

1. Axes et interfaces terrestres
- Couloirs autoroutiers majeurs
- Axes autoroutiers secondaires
- Lignes ferroviaires à grande vitesse (LGV)

2. Axes et interfaces maritimes
- Axes maritimes majeurs
- Axes fluviaux majeurs
- ▲ ▲ Principaux ports
- Principales interfaces maritimes

3. Carrefours majeurs
- ● Carrefours internationaux
- ● Carrefours nationaux
- ▫ Aéroports

4 doc. 2 **Parmi les propositions suivantes, localisez deux grandes villes françaises qui sont des carrefours nationaux.**

- a Lyon
- b Nancy
- c Poitiers
- d Lille
- e Brest
- f Nantes

5 doc. 2 **Quel espace domine l'organisation des réseaux de transport français ?**

- a La région parisienne
- b La région lyonnaise
- c La région lilloise

6 doc. 2 **Quel axe majeur de communication organise le territoire national ?**

- a L'axe Rennes-Paris-Strasbourg
- b L'axe Paris-Lyon-Marseille
- c L'axe Lille-Paris-Bordeaux

7 doc. 2 **Quels fleuves du territoire français sont des axes de circulation importants ?**

- a Le Rhône
- b La Garonne
- c Le Rhin
- d La Loire
- e La Seine

8 doc. 2 **Le territoire métropolitain est ouvert sur :**

- a la mer Méditerranée
- b l'océan Atlantique
- c l'océan Pacifique
- d l'océan Indien

9 doc. 2 **Quelle façade maritime accueille le nombre de grands ports le plus important ?**

- a La Méditerranée
- b L'Atlantique
- c La Manche – mer du Nord

10 doc. 2 **Où se concentre le plus grand nombre d'aéroports ?**

- a Dans la région marseillaise
- b Dans la région lyonnaise
- c Dans la région parisienne
- d Dans la région lilloise

THÈME 3

SE PRÉPARER ★

MONDE 🌐

FRANCE

RÉVISER 📖

Mémo
Les types de transports

▶ **Transports individuels** 🚲
→ automobile, vélo, moto, trottinette...

▶ **Transports collectifs** 🚋
→ train, bus, tramway, avion, métro...

▶ **Transports de marchandises** 🚚
→ camion, train, bateau, avion...

2 ▶ Tester ses connaissances

11 **En 2017, le nombre de migrants dans le monde est de :**

- **a** 260 millions de personnes
- **b** 500 millions de personnes
- **c** 1 milliard de personnes

12 **Pour aller au travail et en revenir chaque jour, les Français mettent en moyenne :**

- **a** 10 minutes
- **b** 20 minutes
- **c** 50 minutes

13 **Les modes de déplacements considérés comme « doux » sont :**

- **a** le taxi
- **b** le bus
- **c** la marche à pied
- **d** le vélo
- **e** le scooter
- **f** la trottinette
- **g** l'overboard
- **h** les rollers

14 **Le nombre de touristes internationaux dépasse aujourd'hui :**

- **a** 1 million de personnes
- **b** 100 millions de personnes
- **c** 1 milliard de personnes

15 **Les principales destinations touristiques mondiales sont :**

- **a** l'Europe
- **b** les États-Unis
- **c** l'Afrique
- **d** l'Amérique latine
- **e** la France
- **f** le bassin méditerranéen

16 **Les touristes sont surtout originaires :**

- **a** des pays émergents
- **b** des pays développés
- **c** des pays en développement

17 **Les migrations de populations s'expliquent par des raisons :**

- **a** politiques
- **b** économiques
- **c** récréatives
- **d** environnementales

18 **Associez chacune des photographies à un type de tourisme.**

a. Tourisme culturel   **b.** Tourisme balnéaire

c. Tourisme vert   **d.** Tourisme récréatif

3 Mobiliser le vocabulaire et les notions

19 Sur le schéma, placez les termes suivants :

émigré   immigré   flux migratoire

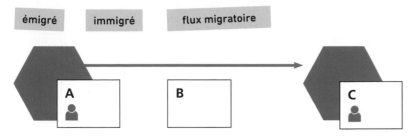

A 👤   B   C 👤

20 Retrouvez à quel mot correspond chaque définition :

1. Émigration •
2. Immigration •
3. Clandestin •
4. Touriste •
5. Mobilités pendulaires •

• **a.** Fait de s'installer définitivement dans un autre pays que son pays d'origine.

• **b.** Déplacements quotidiens des personnes.

• **c.** Fait de quitter définitivement son pays.

• **d.** Personne qui quitte son domicile, pour des raisons personnelles ou professionnelles, pour une durée supérieure à 24 heures.

• **e.** Immigré illégal.

21 Complétez et donnez un titre à ce schéma en choisissant parmi les propositions suivantes :

domicile   migrations touristiques   quartier

mobilités quotidiennes   mobilités pendulaires

Titre : ....

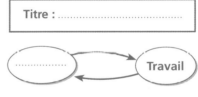

.... ⟷ Travail

THÈME **3**

SE PRÉPARER ⭐

MONDE 🌐

FRANCE

RÉVISER

4 Valider des situations géographiques

22 Indiquez quelle(s) proposition(s) justifie(nt) les situations géographiques suivantes.

1. Les migrations internationales sont Sud/Nord mais également Sud/Sud.

[a] Six migrants sur 10 sont originaires d'un pays du Sud.
[b] Les principales régions d'arrivée sont situées dans les pays du Sud.
[c] Les flux migratoires du Sud vers le Nord (34 %) sont moins nombreux que les migrations entre pays du Sud (38 %).

2. Certains États cherchent à attirer des migrants.

[a] Le solde naturel est négatif et provoque à terme un manque de main-d'œuvre.
[b] La recherche de main-d'œuvre qualifiée sert le développement des entreprises.
[c] Les migrants servent le développement économique du pays.

3. Les motivations des touristes sont diverses :

[a] Ils cherchent un emploi qualifié.
[b] Ils sont à la recherche d'activités récréatives.
[c] Ils voyagent pour des raisons médicales.
[d] Ils voyagent pour des raisons religieuses.

Dans ces pages ➕

🔲 **TOUS LES EXERCICES** en version interactive

📄 **TOUS LES CORRIGÉS** en PDF

⬇️ **COURS DU COLLÈGE** à télécharger

Des mobilités généralisées

DANS LE MONDE

→ **Les migrations internationales**

→ **Les mobilités touristiques internationales**

 Dans ce chapitre

 TOUS LES TEXTES
en version à imprimer

TOUTES LES CARTES
en version interactive

Zoom sur...

▶ **le Venezuela**

Population (2019)	32 millions d'habitants
PIB	96 md $ (65e rang mondial)
PIB/hab.	3 000 $ (est.) (80e rang mondial)
Superficie	916 445 km²
Densité de population	35 hab./km²
Nombre de Vénézuéliens vivant à l'étranger	2,5 millions (8 % de la pop.)

Migrants vénézuéliens fuyant leur pays.
Photographie prise en Équateur, 2018.

 Vidéo

SE PRÉPARER

MONDE

FRANCE

RÉVISER

ÉQUATEUR

VENEZUELA

AMÉRIQUE
DU SUD

177

Étude de cas

La mer Méditerranée : un bassin migratoire

Zoom sur...

▶ **la mer Méditerranée**

Superficie	2,5 millions de km²
Nombre de pays bordiers	24
Population des régions bordières (2018)	350 millions d'habitants (est.)
Superficie des régions bordières	2,3 millions de km²

➡️ **En quoi les déplacements de populations font-ils de la mer Méditerranée un bassin migratoire ?**

A Un espace de flux migratoires

1 Les flux migratoires en mer Méditerranée

La Méditerranée est l'un des principaux espaces migratoires au monde […]. La majorité des flux migratoires vers l'Europe en sont issus, compte tenu des liens historiques et de voisinage qu'elle entretient avec cette région et des complémentarités démographiques et économiques qu'offrent ces deux espaces […]. La proximité historique, géographique et culturelle continue à expliquer l'envie et le choix de l'Europe. Il en va ainsi de l'Espagne, où les migrants marocains constituent la seconde nationalité parmi les migrants, de l'Italie où les plus nombreux sont les Roumains, les Albanais et les Marocains, de la Grèce où les Albanais forment les deux tiers des étrangers, de la France avec les ressortissants du Maghreb […]. Le sud de la Méditerranée constitue une région d'émigration considérable : Maroc (3,5 millions d'émigrés), Turquie (5,3 millions), Égypte (2,7 millions), Algérie (1 million) […]. Certains pays de la rive sud de la Méditerranée sont aussi des pays d'immigration. C'est le cas pour Israël, la Turquie, la Jordanie […]. Dans le même temps, on voit apparaître, avec le « dévieillissement » des seniors (meilleur état physique et mental au même âge que pour la génération précédente), des phénomènes de migrations nord-sud qui sont souvent un prolongement du tourisme international, l'installation durable au soleil.

Catherine Wihtol de Wenden, directrice de recherche au CNRS, spécialiste des migrations internationales, *Annuaire de l'Institut européen de la Méditerranée* (IEMed), 2015.

2 Les migrations transméditerranéennes

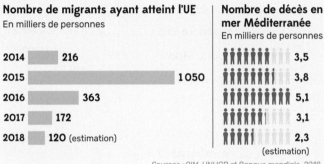

Nombre de migrants ayant atteint l'UE
En milliers de personnes

2014	216
2015	1 050
2016	363
2017	172
2018	120 (estimation)

Nombre de décès en mer Méditerranée
En milliers de personnes

2014	3,5
2015	3,8
2016	5,1
2017	3,1
2018	2,3 (estimation)

Sources : OIM, UNHCR et Banque mondiale, 2018.

3 La Tunisie : un pays de départ
Libération, 5 juin 2018.

4 La mer Méditerranée : une interface migratoire

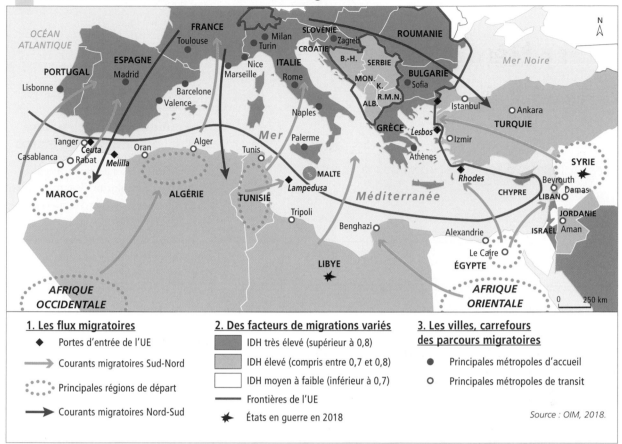

1. Les flux migratoires
- ◆ Portes d'entrée de l'UE
- → Courants migratoires Sud-Nord
- ⋯ Principales régions de départ
- → Courants migratoires Nord-Sud

2. Des facteurs de migrations variés
- ▮ IDH très élevé (supérieur à 0,8)
- ▮ IDH élevé (compris entre 0,7 et 0,8)
- ▯ IDH moyen à faible (inférieur à 0,7)
- — Frontières de l'UE
- ✶ États en guerre en 2018

3. Les villes, carrefours des parcours migratoires
- ● Principales métropoles d'accueil
- ○ Principales métropoles de transit

Source : OIM, 2018.

5 Un parcours migratoire

Dorcas est une Camerounaise de 28 ans partie de Douala le 15 juillet 2017. Elle a été récupérée par l'Aquarius[1] à la mi-août 2018.

« On était 25 à bord dans un petit bateau en bois. J'ai eu très peur de mourir quand les passeurs nous ont abandonnés sans moteur. Ça a duré trois jours. Heureusement, l'*Aquarius* nous a récupérés. À Malte, j'ai pu appeler ma sœur. Ma famille pensait que j'étais peut-être parmi les migrants disparus en mer dont la télé parle tous les jours. »

Ils sont six, comme elle, rescapés de l'*Aquarius*, à avoir rejoint la Moselle, dans le cadre d'une opération de relocalisation.

Sa vie était devenue impossible au Cameroun. « Mon père est décédé quand j'avais dix ans. Ma mère était épileptique. J'étais l'aînée. Je devais faire la manche pour payer ses médicaments. Une amie m'a proposé de rejoindre son frère au Nigeria. Puis nous sommes partis en Libye. Vous savez, c'est un terrible voyage que je viens de faire. »

Alain Morvan, *Le Républicain lorrain* [en ligne], septembre 2018.

1 Bateau affrété entre février 2016 et décembre 2018 par l'association SOS Méditerranée pour sauver les migrants en mer Méditerranée.

Questions

Itinéraire 1

Décrire et expliquer

❶ Quelles sont les principales régions de départ et d'arrivée des flux migratoires dans le bassin méditerranéen ? **doc. 1, 3 et 4**

❷ Quels types de flux migratoires se distinguent dans le bassin méditerranéen ? **doc. 1, 4 et 5**

❸ Comparez les migrations en direction de l'Europe et celles en provenance de l'Europe. **doc. 1 et 4** Que constatez-vous ?

Mettre en relation et argumenter

❹ Quelles sont les causes des migrations ? **doc. 1, 3, 4 et 5**

❺ Distinguez les différents éléments permettant d'affirmer que les migrations en direction de l'Europe sont difficiles. **doc. 2 à 5**

ou

Itinéraire 2

Réaliser une carte mentale 1/2

- À l'aide des documents, réalisez une carte mentale qui montre en quoi la mer Méditerranée est un bassin migratoire.
- Autour d'un noyau central indiquant le sujet, votre carte pourra s'articuler autour de trois axes principaux : Les principaux flux migratoires / Les facteurs des migrations / Les limites aux migrations.

THÈME ❸

SE PRÉPARER ★

MONDE 🌐

FRANCE

RÉVISER

B Les effets des migrations

6 Travailleuses marocaines dans une exploitation agricole

En 2018, le gouvernement espagnol a autorisé 10 400 contrats de travailleurs agricoles saisonniers marocains pour la cueillette des fruits. La priorité est donnée aux femmes mariées, ayant des enfants et qui s'engagent à retourner au Maroc une fois leur contrat expiré.

8 Migrations et remises[1]

Les envois de fonds internationaux effectués par les migrants montrent que ces transferts représentent un montant plus élevé que l'aide publique au développement et sont plus stables que l'investissement étranger direct, et constituent donc une source essentielle et stable de financement extérieur pour l'Afrique. Les envois de fonds ont représenté 51 % des flux de capitaux privés vers l'Afrique en 2016, contre 42 % en 2010.

Les membres de la diaspora, c'est-à-dire les migrants et leurs descendants, qui maintiennent un lien avec leur pays d'origine participent activement à des activités de promotion du commerce grâce à leur réseau de contacts professionnels et à leur connaissance de leur pays d'origine. En outre, la validité de la thèse du retour des cerveaux est de plus en plus avérée. Les membres de la diaspora sont une source précieuse de connaissances, de savoir-faire et de transfert de technologie pour les pays d'origine. Plusieurs initiatives sont apparues pour associer la diaspora aux trajectoires de développement de pays d'origine africains.

D'après la Conférence des Nations unies sur le commerce et le développement (CNUCED), *Le Développement économique en Afrique, Les migrations au service de la transformation structurelle*, 2018.

1 → voir p. 192.

7 Politique migratoire : une coopération Europe-Maroc

Ce n'est plus en passant par la Libye que la majorité des migrants tentent la traversée de la Méditerranée mais depuis le Maroc.

Il semble que le Maroc est aujourd'hui davantage enclin à coopérer avec les Européens et à endiguer les départs vers les côtes espagnoles. Rabat accepte de reprendre les migrants qui ont réussi à franchir les barrières des enclaves espagnoles de Ceuta et Melilla. Il fait aussi valoir qu'il a intercepté 54 000 migrants en mer en 2018.

« Le Maroc fait figure de bon élève dans le contrôle des flux migratoires », confirme Jean-Louis Arcand, professeur d'économie et spécialiste du Maghreb à l'Institut de hautes études internationales et de développement (IHEID). Le gouvernement est mieux à même de gérer ses frontières que la fragile Tunisie, sans parler de la Libye, consumée par les combats entre milices. « Mais le Maroc n'est pas en mesure de reconduire à la frontière les clandestins africains, poursuit-il. Il manque pour cela une volonté politique. Car le Maroc ne veut pas compromettre ses bonnes relations avec ses partenaires africains, alors qu'il souhaiterait intégrer la communauté économique des États de l'Afrique de l'Ouest (Cedeao). »

À défaut d'expulsions, les migrants africains interceptés par les Marocains sont arrêtés, puis déplacés *manu militari* dans le sud du Maroc, aux portes du désert. D'où ils reviendront vers la Méditerranée pour tenter une nouvelle fois leur chance.

Simon Petite, « Le Maroc, l'autre gendarme contre l'immigration vers l'Europe », *Le Temps*, septembre 2018.

C La fermeture de l'Europe ?

9 Ceuta et Melilla : une frontière de l'Europe en Méditerranée

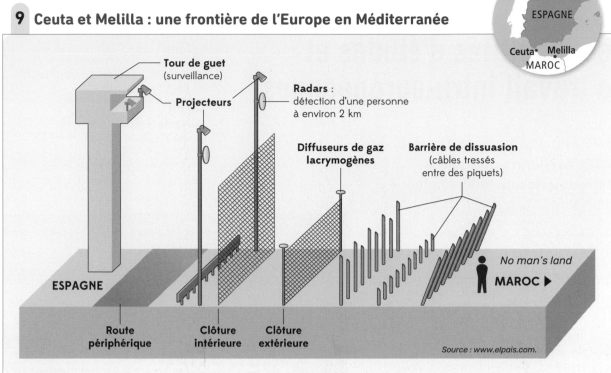

ESPAGNE

Ceuta • Melilla
MAROC

Tour de guet (surveillance)

Projecteurs

Radars : détection d'une personne à environ 2 km

Diffuseurs de gaz lacrymogènes

Barrière de dissuasion (câbles tressés entre des piquets)

No man's land

MAROC ▶

ESPAGNE

Route périphérique

Clôture intérieure

Clôture extérieure

Source : www.elpais.com.

Vocabulaire

▶ **Remises :** → voir p. 192.

10 Manifestation contre l'arrivée de migrants en Espagne

Le 16 juin 2018, le groupe espagnol d'extrême droite « España 2000 » manifeste contre l'arrivée de migrants dans le port de Valence.

Traduction : « Nous ne voulons pas de réfugiés ».
À gauche : « Adhérez au seul parti qui défend les Espagnols ».

Questions

Itinéraire 1

Décrire et expliquer

6 Quelles sont les conséquences des migrations dans le bassin méditerranéen pour les pays d'arrivée ? **doc. 6 et 7**

7 Quelles sont les conséquences pour les pays de départ ? **doc. 6 et 8**

8 À quelles difficultés les migrants vers l'Europe sont-ils exposés ? **doc. 7, 9 et 10**

Synthétiser et argumenter

9 Montrez que la mer Méditerranée est un bassin migratoire complexe : diversité des flux et des parcours, multiplicité des facteurs, contraintes aux migrations. **doc. 1 à 10**

ou

Itinéraire 2

Réaliser une carte mentale 2/2

À l'aide des documents, complétez la carte mentale commencée dans l'itinéraire précédent (p. 179).

THÈME **3**

SE PRÉPARER
★

MONDE

FRANCE

RÉVISER

Étude de cas

Les mobilités d'études et de travail intra-européennes

➡️ **Pourquoi la mobilité des étudiants et travailleurs européens prend-elle une telle ampleur ?**

1 Les migrations intra-européennes au XXIe siècle

3 % des Européens sont installés dans un État membre autre que leur pays de nationalité. C'est l'Allemagne et le Royaume-Uni qui attirent le plus, ainsi que le Nord de l'Europe. Les nouveaux migrants européens sont, eux, majoritairement originaires de l'Est et du Sud de l'UE. Avec la crise de 2008, on a observé le retour d'une immigration récente vers le pays d'origine pour ceux ayant les statuts les plus précaires et les qualifications les plus faibles. Tel a été le cas des Polonais venus travailler au Royaume-Uni et en Irlande après 2004. En Espagne, en Irlande et en Grèce, la crise a ainsi poussé de jeunes diplômés à envisager leur avenir à l'étranger. De leur côté, les étudiants disposent du programme Erasmus, leur permettant de rejoindre une université d'un autre pays membre (l'Espagne et les pays anglophones étant les plus prisés), mais seuls 5 % des étudiants européens y souscrivent. Par ailleurs, des politiques « ethniques » sont mises en œuvre par quelques pays européens de l'Est pour se rapprocher de leurs diasporas[1]. C'est le cas de la Hongrie qui, afin de réunifier la nation, a décidé en 2011 d'accorder la nationalité hongroise aux minorités magyares des pays voisins. La Roumanie pratique la même politique à l'égard des Moldaves qui, à 65 %, parlent roumain.

Catherine Wihtol de Wenden, Directrice de recherche au CNRS, spécialiste des migrations internationales, *Atlas des migrations*, Éditions Autrement, 2018.

1 Dispersion d'un peuple à travers le monde.

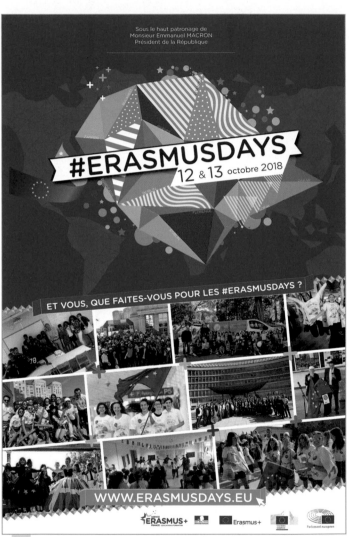

2 Affiche pour les Erasmus Days (2018)

Lancés en 2017, les Erasmus Days ont pour but de promouvoir le programme Erasmus à travers divers événements organisés dans toute l'Europe.

Vocabulaire

▶ **Programme Erasmus :** programme d'échange d'étudiants et d'enseignants entre les universités, les grandes écoles européennes et des établissements d'enseignement, créé en 1987.

▶ **Espace Schengen :** espace géographique défini par la convention de Schengen garantissant depuis 1995 la libre circulation des marchandises et des individus.

3 Les travailleurs européens en Europe

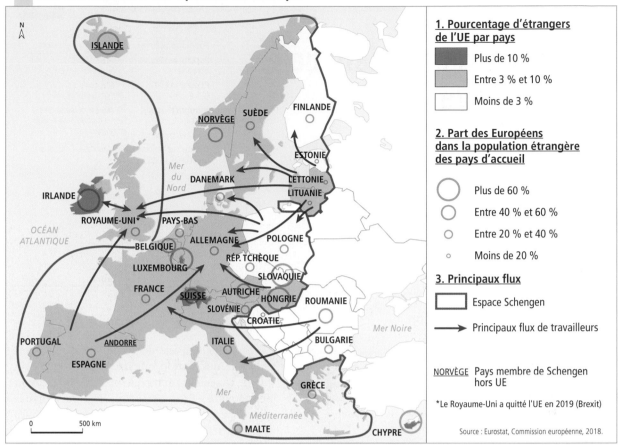

1. Pourcentage d'étrangers de l'UE par pays
- Plus de 10 %
- Entre 3 % et 10 %
- Moins de 3 %

2. Part des Européens dans la population étrangère des pays d'accueil
- Plus de 60 %
- Entre 40 % et 60 %
- Entre 20 % et 40 %
- Moins de 20 %

3. Principaux flux
- Espace Schengen
- Principaux flux de travailleurs

NORVÈGE Pays membre de Schengen hors UE

*Le Royaume-Uni a quitté l'UE en 2019 (Brexit)

Source : Eurostat, Commission européenne, 2018.

4 Erasmus : principaux pays de départ et d'arrivée

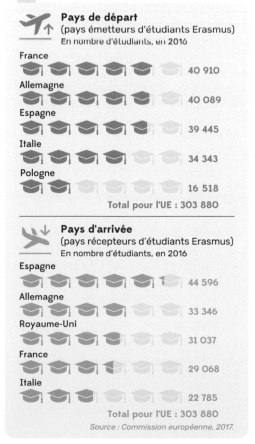

Pays de départ
(pays émetteurs d'étudiants Erasmus)
En nombre d'étudiants, en 2016

- France 40 910
- Allemagne 40 089
- Espagne 39 445
- Italie 34 343
- Pologne 16 518

Total pour l'UE : 303 880

Pays d'arrivée
(pays récepteurs d'étudiants Erasmus)
En nombre d'étudiants, en 2016

- Espagne 44 596
- Allemagne 33 346
- Royaume-Uni 31 037
- France 29 068
- Italie 22 785

Total pour l'UE : 303 880

Source : Commission européenne, 2017.

Questions

Itinéraire 1

Situer et décrire

1 Quels pays européens accueillent le plus de travailleurs étrangers ? Quels sont ceux qui en accueillent le moins ? **doc. 1 et 3**

2 Qu'est-ce que le programme Erasmus ? Quelles sont les principales destinations choisies ? **doc. 2 et 4**

Synthétiser et argumenter

3 Montrez l'importance des mobilités d'études et de travail en Europe et expliquez les facteurs de ce phénomène migratoire. **doc. 1 à 4**

ou

Itinéraire 2

Réaliser une brochure d'information

- À l'occasion de la Journée de l'Europe, le Conseil de Vie Lycéenne (CVL) de votre lycée souhaite informer les élèves sur les mobilités en Europe. Le Conseil vous charge de réaliser une brochure.

- À l'aide des documents et de recherches complémentaires, vous présenterez les mobilités d'études et de travail intra-européennes en expliquant les raisons de ce phénomène.

THÈME 3
SE PRÉPARER
MONDE
FRANCE
RÉVISER

Étude de cas

Dubaï : un pôle touristique et migratoire

➡️ **Comment les mobilités humaines contribuent-elles à l'émergence économique de Dubaï ?**

A Un territoire attractif

1 L'évolution de la population et du tourisme à Dubaï

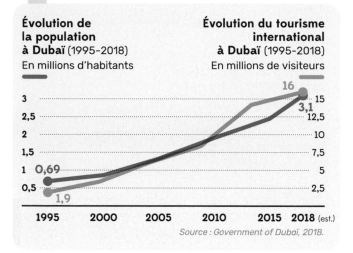

Évolution de la population à Dubaï (1995-2018)
En millions d'habitants

Évolution du tourisme international à Dubaï (1995-2018)
En millions de visiteurs

Source : Government of Dubaï, 2018.

2 L'origine géographique des touristes

En %

2017

- Europe occidentale
- Pays du CCG (Conseil de coopération du Golfe)[1]
- Asie du sud
- Pays arabes (hors CCG)
- Asie orientale
- Russie, Europe orientale
- Amériques
- Afrique
- Océanie

1 Organisation régionale regroupant l'Arabie saoudite, Oman, le Koweït, Bahreïn, les Émirats arabes unis et le Qatar.

Source : Dubaï Statistics Center, 2018.

3 Dubaï et le tourisme

Parole de géographe

En l'espace d'une décennie, Dubaï est devenue une destination touristique en vogue et a fait de ce secteur un moteur de sa diversification économique. Près de 16 millions de touristes ont visité Dubaï en 2017, et les autorités locales espèrent atteindre 20 millions à l'horizon 2020, grâce notamment à ses infrastructures hôtelières haut de gamme et son réseau aérien porté par la compagnie publique Emirates. Le tourisme est devenu un secteur prioritaire pour l'Émirat. Les voyagistes de la destination, soutenus par les autorités, ciblent une clientèle européenne de rang moyen, en se fondant sur ses atouts réels : la mer, le soleil, le désert, le shopping, la capacité hôtelière, et en créant de toutes pièces le « produit » Dubaï avec son décor artificiel. Mais les visiteurs proviennent aussi du voisinage régional (Arabie saoudite, Koweït, Iran, Inde).

Tous les projets sont bons pour faire parler d'elle. Les derniers en date sont le creusement d'un canal, le Dubaï Water Canal, qui relie Business Bay, le quartier des affaires, à la mer, et l'organisation de l'Exposition universelle de 2020. Dubaï joue sur sa modernité pour accroître son attractivité touristique, à l'inverse de la majorité des grandes destinations touristiques qui jouent, elles, sur le patrimoine historique ou des paysages. Les projets à l'architecture d'avant-garde sont par conséquent autant un outil de promotion et de revitalisation touristiques qu'un accélérateur du tourisme, contribuant au rayonnement mondial de la ville. Ces projets participent à la mondialisation de Dubaï, car ils contribuent à générer des mobilités touristiques.

Frank Tétart, Docteur en géopolitique, spécialiste du Moyen-Orient, *La Péninsule arabique*, © Armand Colin, 2017, Malakoff.

① Burj Al Arab (hôtel de luxe 7 étoiles)
② Jumeirah Beach Hotel
③ Mina a'salam Hotel
④ Souk Madinat Jumeirah (centre commercial et artisanal)
⑤ Îles artificielles « The World » (projet suspendu) dans les eaux du Golfe
⑥ Parc aquatique Wild Wadi

4 Un littoral touristique

5 La population étrangère aux Émirats arabes unis

En millions de personnes, en 2017

Inde	2,62
Pakistan	1,21
Bangladesh	0,71
Philippines	0,53
Iran	0,45
Égypte	0,40
Népal	0,30
Sri Lanka	0,30
Chine	0,2
Autres pays	1,71

* Les données chiffrées concernent l'ensemble des ÉAU.

Source : www.globalmediainsight.com.

THÈME ❸

SE PRÉPARER
★

MONDE
🌐

FRANCE

RÉVISER

Questions

Itinéraire 1

Décrire et caractériser

❶ Décrivez l'évolution de la population de Dubaï et de sa fréquentation touristique. **doc. 1 et 2**

❷ Quelles sont les raisons qui expliquent cette attractivité ? **doc. 3 et 4**

❸ Décrivez le **doc. 4** et expliquez en quoi il est représentatif de l'attractivité touristique de Dubaï.

Synthétiser et argumenter

❹ Montrez que Dubaï est un pôle migratoire et touristique international. **doc. 1 à 5**

ou

Itinéraire 2

Utiliser un tableau pour organiser l'information 1/2

À l'aide des documents, complétez le tableau suivant puis utilisez-le pour rédiger une réponse à la problématique.

	Les atouts de Dubaï	L'attractivité touristique	La dynamique migratoire
Document 1			
...			

B Une métropole en transition

6 L'organisation spatiale de Dubaï

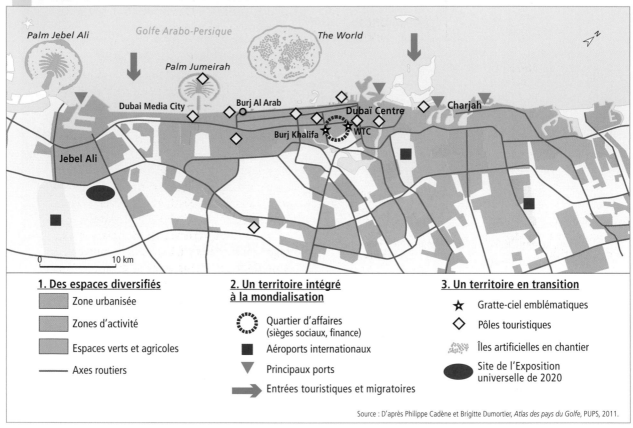

1. Des espaces diversifiés

Zone urbanisée

Zones d'activité

Espaces verts et agricoles

—— Axes routiers

2. Un territoire intégré à la mondialisation

Quartier d'affaires (sièges sociaux, finance)

Aéroports internationaux

Principaux ports

Entrées touristiques et migratoires

3. Un territoire en transition

★ Gratte-ciel emblématiques

◇ Pôles touristiques

Îles artificielles en chantier

Site de l'Exposition universelle de 2020

Source : D'après Philippe Cadène et Brigitte Dumortier, *Atlas des pays du Golfe*, PUPS, 2011.

7 Dubaï et les migrants

Le déséquilibre démographique [de Dubaï] explique le statut spécifique des migrants, tant en termes d'encadrement, de droits et de durée de séjour, à travers le système de la kafala[1], qui oblige tout étranger résidant dans les pays du Golfe à avoir un garant local (le kafil). Ce système ne leur permet pas d'accéder à la propriété, ni à la naturalisation et entretient un sentiment de précarité chez les travailleurs étrangers. Il favorise aussi les excès. Comme le migrant se voit confisquer son passeport à son arrivée, il est parfois payé de manière irrégulière, en retard, voire privé de salaire, il peut être affecté à un poste qui ne correspond pas à celui inscrit sur son contrat et être logé dans des conditions très précaires. La kafala est contestée par l'Organisation mondiale du commerce (OMC), et critiquée par de nombreuses ONG.

Frank Tétart, *Dubaï, l'espace mondialisé par excellence ?*, Diploweb.com, le 27 mai 2018.

1 Procédure permettant à un employeur d'établir une tutelle sur son employé d'origine étrangère en restreignant les droits de ce dernier.

8 Des travailleurs étrangers sur un chantier urbain (2017)

C Un carrefour mondial des mobilités

9 L'aéroport de Dubaï en chiffres

 Dubai Airports

Trafic (2018) :
90 millions de passagers

Nombre de passagers depuis son ouverture (1960) : **1** milliard de passagers

Nombre de destinations : **240**

Nombre de bagages manipulés chaque année : **55** millions

Volume de marchandises (cargo) :
2,5 millions de tonnes chaque année

Surface de l'aéroport :
12,5 km²
(1 800 terrains de football)

Source : Dubaï Airports, 2018.

10 L'Exposition universelle de 2020

Pour la première fois dans l'histoire des pays arabes, une exposition universelle se tiendra à Dubaï, du 20 octobre 2020 au 10 avril 2021. L'objectif de l'Exposition universelle est d'attirer 25 millions de visiteurs, dont 70 % venus de l'étranger. L'Exposition 2020 atteste d'une réelle volonté de poursuivre la métropolisation de Dubaï, mais affiche également un changement. Jusqu'alors c'est l'arrivée massive de migrants qui a provoqué la croissance urbaine ; dorénavant, c'est la croissance urbaine qui doit attirer la population. Les infrastructures seront en grande partie conservées. Les voies de communication destinées à acheminer les visiteurs à l'exposition deviendront des voies en site propre réservées aux taxis, covoiturage et autobus. L'Exposition universelle pose donc les jalons pour la création d'une nouvelle centralité urbaine à Dubaï avec la création d'un nouveau quartier créé *ex nihilo* sur l'axe principal de la ville, incarné par la Shaykh Zayed Road, elle-même parallèle à la mer. La naissance de ce nouveau quartier, le Dubaï Trade Center Jebel Ali, ne sera qu'une nouvelle curiosité urbanistique comme il y en a déjà plusieurs à Dubaï.

Laure Semple, doctorante en géographie et enseignante au lycée G. Pompidou de Dubaï, « Dubaï 2020 : Exposition universelle et fabrique de la ville mondiale », *Population et Avenir*, n° 734, sept.-oct. 2017.

THÈME 3

SE PRÉPARER

MONDE

FRANCE

RÉVISER

Questions

Itinéraire 1

Décrire et expliquer

5 Quelles activités économiques se sont développées à Dubaï ? Comment se traduisent-elles dans le paysage urbain ? **doc. 6, 8 et 9**

6 Quelles sont les raisons qui expliquent l'importance des populations étrangères à Dubaï ? **doc. 7 et 8**

7 Quels sont les facteurs qui contribuent à rendre Dubaï toujours plus dynamique ? **doc. 9 et 10**

Synthétiser et argumenter

8 Montrez que les mobilités touristiques et les migrations de travail contribuent à l'émergence économique de Dubaï. **doc. 1 à 10**

ou

Itinéraire 2

Utiliser un tableau pour organiser l'information 2/2

Poursuivez le travail engagé sur le tableau précédent (p. 185), puis utilisez-le pour rédiger une réponse à la problématique.

	Les atouts de Dubaï	L'attractivité touristique	La dynamique migratoire
Document 1			
...			

Étude de cas

Les États-Unis : pôle touristique majeur à l'échelle mondiale

Zoom sur...

▶ **le tourisme aux États-Unis**

Poids économique du tourisme (2017)	1 036 milliards de dollars (dont 211 milliards pour le tourisme international)
Nombre d'emplois	8,8 millions
Touristes internationaux	76,9 millions (3ᵉ rang mondial)
Déplacements touristiques intérieurs (touristes étasuniens)	2,250 milliards

Source : US Travel and Tourism overview (2018).

➡ **Quels atouts font des États-Unis un pôle majeur du tourisme dans le monde ?**

1 Les États-Unis, destination touristique

Parole de géographes

Du cercle polaire en Alaska au tropique du Cancer, situé au nord d'Hawaï, l'immensité du territoire des États-Unis permet au pays de développer tous les types de tourisme, qu'il s'agisse d'activités balnéaires, thermales, de montagne, urbaines ou culturelles. Ceci en fait une destination de vacances privilégiée, aussi bien pour les nationaux que pour les étrangers.

Particulièrement plébiscités par les Canadiens, les Mexicains, les Britanniques et les Japonais, les États-Unis se classent au 3ᵉ rang des destinations touristiques mondiales (en 2017) avec 76,9 millions de touristes étrangers. En revanche, le pays est au premier rang en termes de recettes (211 milliards de dollars en 2017). On peut estimer que parmi les 50 premières attractions les plus visitées au monde, 26 sont situées aux États-Unis : de grandes métropoles mêlant patrimoine historique et architecture (New York, San Francisco), des parcs d'attraction (Disney) et des parcs naturels (Yellowstone), auxquels il faut ajouter les célèbres stations de ski du Colorado (Aspen) et les stations balnéaires (Hawaï, Floride).

Le tourisme est partie prenante du mode de vie des Américains même si leur nombre de jours de congé annuels est relativement restreint (15 en moyenne). Le tourisme intérieur représente ainsi 2,250 milliards de nuitées en 2017 dont 29 % pour motifs professionnels.

Christian Montès et Pascale Nedelec, spécialistes des États-Unis, *Atlas des États-Unis*, cartographie Cyrille Suss, © Éditions Autrement, 2016.
Les données ont été actualisées (2017).

2 Fremont Street à Las Vegas : capitale américaine des jeux (2016)

3 Les parcs de loisirs américains

Rang mondial	Noms des parcs	Localisation	Fréquentation (2017) en millions de visiteurs
1	Magic Kingdom (Walt Disney World Resort)	Lake Buena Vista, Floride (É.-U.)	20,4
2	Disneyland Park	Anaheim, Californie (É.-U.)	18,3
6	Disney's Animal Kingdom (Walt Disney Resort)	Lake Buena Vista, Floride (É.-U.)	12,5
7	Epcot Center (Walt Disney Resort)	Lake Buena Vista, Floride (É.-U.)	12,2
9	Disney's Hollywood Studios	Lake Buena Vista, Floride (É.-U.)	10,7
10	Universal Studios Florida	Orlando, Floride (É.-U.)	10,2

4 Les espaces du tourisme aux États-Unis

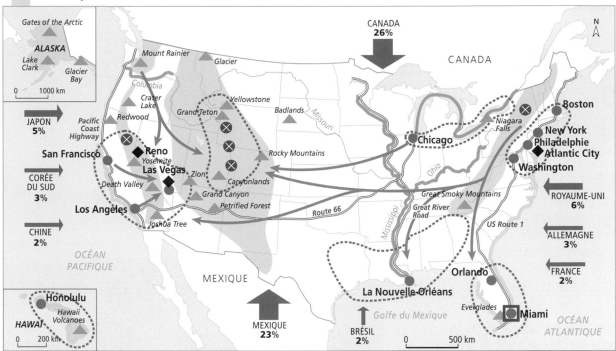

1. Les atouts de la nature

- ⊗ Espace de montagne (stations de sport d'hiver)
- ▲ Principaux parcs nationaux
- ⠀ Littoraux touristiques
- ━ Croisières fluviales

2. Les lieux et les sites les plus visités

- ● Métropoles touristiques attractives
- ◆ Villes de jeux (concentration de casinos)
- ☐ Pôle de croisières
- ═ Routes touristiques

3. Les flux touristiques internationaux et nationaux

- ⠒⠒ Principales aires touristiques attractives
- ➡ Principaux flux internationaux (10 principaux émetteurs)
- ➝ Principaux flux intérieurs (nationaux)

Sources : US Travel and Tourism overview (2018), AFCOM (2018), M. Gravari-Barbas et S. Jacquot, *Atlas mondial du tourisme et des loisirs*, Autrement, 2018.

THÈME ❸

SE PRÉPARER ★

MONDE 🌐

FRANCE

RÉVISER

GUIDE OFFICIEL DE VOYAGE AUX USA
WELCOME TO THE USA !

EXPLOREZ LES USA

PRÉPAREZ VOTRE VOYAGE

CONTACTEZ-NOUS

WWW.OFFICE-TOURISME-USA.COM

5 Brochure officielle de l'office de tourisme des États-Unis en France (2018)

Questions

Itinéraire 1

Connaître et se repérer

1. Identifiez les régions touristiquement les plus attractives aux États-Unis. **doc. 1, 4 et 5**

Mettre en relation et contextualiser

2. Quels sont les types de tourisme pratiqués ? **doc. 1, 2, 4 et 5**
3. Sur quels atouts l'attractivité touristique des États-Unis repose-t-elle ? **doc. 1 à 5**
4. Montrez que les États-Unis constituent un pôle touristique majeur à l'échelle mondiale. **doc. 1 à 5**

ou

Itinéraire 2

Réaliser un croquis de synthèse

- À l'aide des documents, sélectionnez les informations correspondant aux thèmes suivants :
  1. La diversité des espaces touristiques
  2. Les facteurs d'attractivité des lieux touristiques
  3. L'importance des flux touristiques
- Sélectionnez les informations cartographiables.
- Attribuez un figuré cartographique à chacune de ces informations.
- Réalisez le croquis à l'aide du fond de carte.

Dossier

Les réfugiés dans le monde

➡ **Quelle place occupe la question des réfugiés dans les migrations internationales ?**

BANGLADESH
•Dhaka

1 La situation des réfugiés dans le monde en 2017

Fin 2017, on compte à travers le monde près de 68,5 millions de personnes ayant été forcées de quitter leur foyer pour fuir les persécutions, la violence ou la guerre. 40 millions de ces personnes sont déplacées à l'intérieur de leur propre pays et n'ont pas pu franchir une frontière internationale. Environ 25,4 millions d'entre elles ont trouvé protection en demandant l'asile dans un autre pays. Ces migrants sont appelés « réfugiés ». On dénombre également 3 millions de demandeurs d'asile en cours de procédure [...].

Les réfugiés quittent leur pays parce que leur vie ou leur liberté est en danger. Ils ne sont pas protégés dans leur pays, et sont même souvent persécutés par leur propre gouvernement. S'ils ne trouvent pas de protection dans un autre pays, ils risquent d'être tués ou de devoir survivre sans droits. La plupart des réfugiés fuient vers d'autres régions à l'intérieur de leur pays ou dans un pays voisin. Ils se trouvent donc principalement dans des pays en développement, qui n'ont pas toujours la possibilité de les protéger. Actuellement, ce sont la Turquie, le Pakistan, l'Ouganda, le Liban et l'Iran qui accueillent le plus grand nombre de réfugiés. Moins d'un réfugié sur cinq fuit vers les pays industrialisés en quête de protection.

Qu'est-ce qu'un réfugié ?, CIRÉ[1],
Bruxelles, novembre 2018.

1 Le CIRÉ est une association d'aide aux réfugiés et de sensibilisation de l'opinion publique.

2 Un camp de réfugiés Rohingyas au Bangladesh (2017)

Les Rohingyas sont une minorité musulmane du Myanmar. Chassés par les autorités de leur pays, une grande partie a trouvé refuge au Bangladesh voisin dans des camps de réfugiés gérés par le Haut-Commissariat des Nations unies pour les réfugiés (UNCHR).

3 Réfugiés et personnes déplacées dans le monde

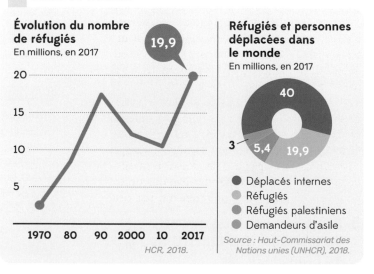

Évolution du nombre de réfugiés
En millions, en 2017

19,9

20
15
10
5

1970 80 90 2000 10 2017

HCR, 2018.

Réfugiés et personnes déplacées dans le monde
En millions, en 2017

40
3
5,4
19,9

● Déplacés internes
● Réfugiés
● Réfugiés palestiniens
● Demandeurs d'asile

Source : Haut-Commissariat des Nations unies (UNHCR), 2018.

4 L'arc des réfugiés dans le monde

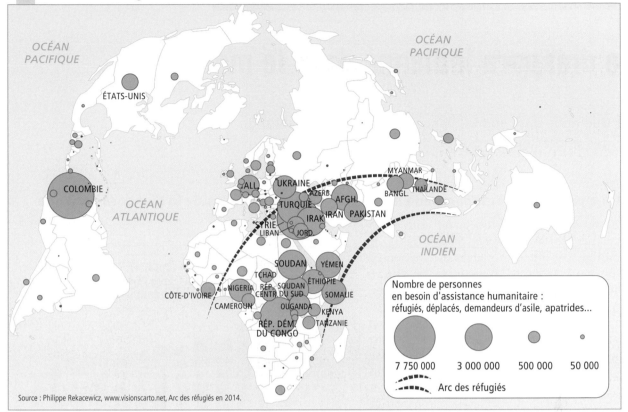

Source : Philippe Rekacewicz, www.visionscarto.net, Arc des réfugiés en 2014.

5 Réfugiés et camps de réfugiés

Camps de réfugiés ou de déplacés, campements de migrants, zones d'attente pour personnes en instance, camps de transit […], centres d'accueil de demandeurs d'asile, « jungles », hotspots… Ces mots occupent l'actualité de tous les pays depuis la fin des années 1990. Les camps ne sont pas seulement des lieux de vie quotidienne pour des millions de personnes ; ils deviennent l'une des composantes majeures de la « société mondiale » […]. Le phénomène d'« encampement » a pris des proportions considérables au XXIᵉ siècle, dans un contexte de bouleversements politiques, écologiques et économiques. On peut désigner par ce terme le fait pour une autorité quelconque (locale, nationale ou internationale), exerçant un pouvoir sur un territoire, de placer des gens dans une forme ou une autre de camp, ou de les contraindre à s'y mettre eux-mêmes, pour une durée variable.

En 2017, 6 millions de personnes, surtout des peuples en exil [Rohingyas au Bangladesh, Sahraouis en Algérie, Palestiniens au Proche-Orient […], résidaient dans l'un des 450 camps de réfugiés gérés par des agences internationales (Haut-Commissariat des Nations unies pour les réfugiés) ou, plus rarement, par des administrations nationales […].

Michel Agier, « La fabrique des indésirables »,
Le Monde diplomatique, mai 2017.

Vocabulaire

▶ **Demandeur d'asile** : individu qui sollicite une protection internationale hors des frontières de son pays, mais qui n'a pas encore été reconnu comme réfugié.

Questions

Itinéraire 1

Décrire et analyser

❶ Quelles sont les régions de départ et d'accueil des réfugiés dans le monde ? **doc. 1, 2, 4, 5**

❷ Dans quels espaces spécialement aménagés les réfugiés sont-ils accueillis ? Quels types d'organismes mettent en place cet accueil ? **doc. 2 et 5**

Expliquer et contextualiser

❸ Quelles raisons expliquent le nombre important de réfugiés dans le monde ? **doc. 1 et 5**

ou

Itinéraire 2

Rédiger un article

Concevez un article pour un magazine d'actualité sur la question des réfugiés dans le monde.

• Décrivez la géographie des flux de réfugiés dans le monde, puis expliquez les raisons de ces mobilités forcées, avant de montrer le rôle de certains acteurs pour les prendre en charge.
• Accompagnez votre article d'une carte à l'échelle mondiale.
• Pour illustrer votre article, choisissez une photographie légendée.

THÈME ❸

SE PRÉPARER

MONDE

FRANCE

RÉVISER

La diaspora indienne dans le monde

→ Que nous apprend la diaspora indienne de l'évolution des migrations de population dans le monde ?

1 Le poids de la diaspora indienne

Par diaspora [indienne], on entend les expatriés[1], les *Non Resident Indians* (NRI), de l'ordre de 13,3 millions[2], mais aussi les personnes d'origine indienne (*Persons of Indian Origin*, PIO), encore plus nombreuses (17,9 millions) qui, bien qu'ayant la nationalité d'un autre pays, sont rattachées à l'Inde par leur origine (naissance, nationalité des parents ou du conjoint)… Une journée annuelle leur est consacrée depuis 2003, la *Pravasi Bharatiya Divas* (Journée des Indiens de l'étranger), par laquelle le gouvernement fédéral reconnaît et célèbre la contribution de sa diaspora au développement de l'Inde. L'année suivante [en 2004] un ministère des Indiens d'Outre-Mer a été créé. Que ce soit en Afrique, en Asie, en Europe ou aux États-Unis, les Indiens réussissent dans les affaires, la médecine et la haute technologie… Dans les années 1950, les Indiens y auraient vu un abandon, une fuite des cerveaux ; aujourd'hui, leur fierté ne connaît plus de bornes […]. Leurs transferts financiers s'élèvent annuellement à environ 70 milliards de dollars, ce qui place l'Inde en tête des pays bénéficiaires. Par leur existence même, les Indiens de l'étranger sont autant d'ambassadeurs bénévoles et ils constituent un lobby[3] pro-indien qui a appris à s'organiser et à se faire entendre, notamment aux États-Unis où il tire parti de l'affichage des valeurs partagées de l'Amérique avec la « plus grande démocratie du monde ».

Olivier Da Lage, journaliste rédacteur en chef à RFI, *L'Inde, désir de puissance*, © Armand Colin, 2017, Malakoff.

1 Personnes résidant à l'étranger.
2 Chiffres actualisés en 2018.
3 Groupe de pression.

Vocabulaire

▶ **Diaspora** : dispersion d'une communauté (ethnique, religieuse…) dans le monde. Celle-ci parvient à conserver son identité culturelle en maintenant des liens de solidarité forts entre ses membres et avec le pays d'origine.

▶ **Remises** : ensemble des capitaux transférés par les migrants travaillant à l'étranger à leurs proches restés dans le pays d'origine.

2 Les remises de la diaspora indienne

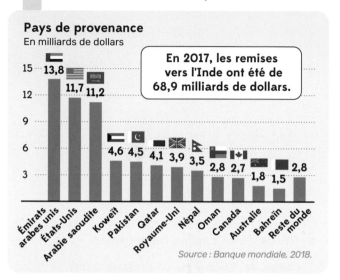

Pays de provenance
En milliards de dollars

En 2017, les remises vers l'Inde ont été de 68,9 milliards de dollars.

Émirats arabes unis	États-Unis	Arabie saoudite	Koweït	Pakistan	Qatar	Royaume-Uni	Népal	Oman	Canada	Australie	Bahrein	Reste du monde
13,8	11,7	11,2	4,6	4,5	4,1	3,9	3,5	2,8	2,7	1,8	1,5	2,8

Source : Banque mondiale, 2018.

3 Parade de la communauté indienne dans les rues de New York

India Day Parade, New York, 19 août 2018.

4 La population d'origine indienne vivant à l'étranger

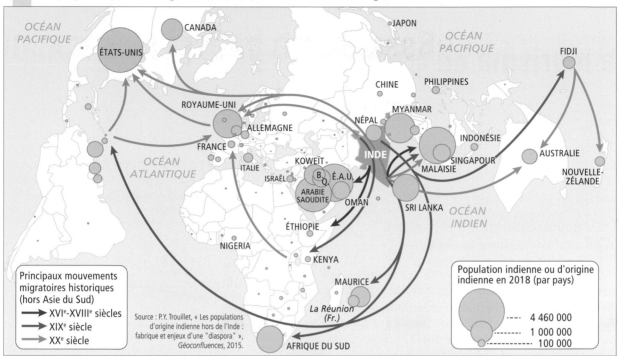

Principaux mouvements migratoires historiques (hors Asie du Sud)
→ XVIᵉ-XVIIIᵉ siècles
→ XIXᵉ siècle
→ XXᵉ siècle

Source : P.Y. Trouillet, « Les populations d'origine indienne hors de l'Inde : fabrique et enjeux d'une "diaspora" », Géoconfluences, 2015.

Population indienne ou d'origine indienne en 2018 (par pays)
---- 4 460 000
-------- 1 000 000
------------ 100 000

5 Étudier et travailler en France

Parole d'acteur

Suryesh Chatwani, ancien étudiant de l'École centrale d'électronique de Paris, est aujourd'hui installé en France.

Pourquoi avez-vous choisi la France comme destination d'études ?

Pendant mes études secondaires, j'ai étudié le français. Pendant ma Licence en Informatique, j'ai suivi des cours à l'Alliance française de Mumbai pendant mon temps libre. Après ma Licence, j'ai choisi la France, car je parlais déjà le français couramment.

Que retenez-vous de cette expérience ?

J'ai appris beaucoup de choses aussi bien au niveau culturel que politique en échangeant avec des personnes de nationalités différentes. J'ai également appris à cuisiner. En tant que végétarien, c'était nécessaire sachant que la France n'est pas beaucoup adaptée au régime végétarien.

Avant votre séjour d'études, aviez-vous prévu de travailler en France ?

Non, j'étais initialement venu pour un Master. Je suis resté pour deux raisons principales. Un conseiller d'études en Inde m'a recommandé de rester travailler pour valoriser mes études et aussi pour acquérir une expérience professionnelle à l'étranger qui est un véritable avantage en termes de carrière. De plus, mon stage de 6 mois à Bouygues Telecom s'étant très bien passé, j'ai découvert un domaine dans lequel je travaille aujourd'hui à Campus France[1] qui m'a beaucoup plu : l'informatique décisionnelle. Toutes ces raisons m'ont amené à m'installer en France.

Les Dossiers de Campus France, n° 34, décembre 2016.

1 Agence française pour la promotion de l'enseignement supérieur, l'accueil et la mobilité internationale.

Questions

Itinéraire 1

Connaître et se repérer

1 Localisez les principales régions de concentration de la diaspora indienne. **doc. 4**

2 Montrez que la diaspora indienne s'est constituée au cours de plusieurs périodes migratoires. **doc. 4**

Expliquer et contextualiser

3 Montrez que la diaspora indienne constitue un atout important pour l'Inde. **doc. 1 à 3**

4 Quelles fonctions tiennent les Indiens de la diaspora au sein du pays d'accueil ? **doc. 1 et 5**

5 Que nous apprend la diaspora indienne sur l'évolution des migrations de population dans le monde ?

ou

Itinéraire 2

Préparer un exposé oral

À partir d'une métropole de votre choix dans laquelle vit une importante communauté indienne, présentez :
• les actions culturelles menées par cette communauté ;
• le poids politique et économique de cette communauté.
• Vous accompagnerez votre exposé d'un diaporama composé de photographies, graphiques, cartes, etc.

THÈME **3**

SE PRÉPARER ★

MONDE

FRANCE

RÉVISER

Le tourisme de croisière

➡️ **Que nous apprend le tourisme de croisière sur la mondialisation des mobilités touristiques ?**

1 Le développement du tourisme de croisière dans le monde

Entre 2005 et 2017, le nombre de croisiéristes a fait un bond de 62 % [pour atteindre] 25,3 millions de passagers. Cette activité représente près d'un million [d'emplois] et génère, selon l'Association internationale des compagnies de croisières (CLIA), une somme de 117 milliards de dollars injectée dans l'économie mondiale […]. Les navires se sont considérablement agrandis […]. Les économies d'échelle ont débouché sur une concentration du marché qui s'organise autour de quatre grands groupes : les américains Carnival et Royal Caribbean International, Norwegian Cruise Line et la compagnie basée à Genève MSC. L'offre s'est segmentée, ce qui a contribué à démocratiser les croisières […]. La clientèle rajeunit et réunit nombre de représentants de la génération Y, cette population de trentenaires qui a grandi avec Internet […]. Les escales dans des îles privées appartenant aux compagnies se banalisent, tandis que la cuisine de chefs célèbres embarqués est très prisée […]. Les capacités disponibles ne cessent de se développer. En 2017, 26 nouveaux navires [ont été] mis en service pour un investissement total de 6,8 milliards de dollars. Le plus gros paquebot du monde est actuellement *Harmony of the Seas*, construit par la compagnie américaine Royal Caribbean International. Sur 362 m de long, il transporte 2 100 membres d'équipage pour 6 360 passagers.

Mary Vakaridis, « Les croisières ont le vent en poupe », Bilan [en ligne], 15 février 2017.

2 Les croisières en chiffres

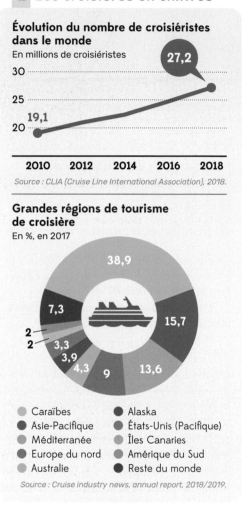

Évolution du nombre de croisiéristes dans le monde
En millions de croisiéristes

27,2 — 19,1

2010 · 2012 · 2014 · 2016 · 2018

Source : CLIA (Cruise Line International Association), 2018.

Grandes régions de tourisme de croisière
En %, en 2017

38,9 — 15,7 — 13,6 — 9 — 4,3 — 3,9 — 3,3 — 2 — 2 — 7,3

● Caraïbes   ● Alaska
● Asie-Pacifique   ● États-Unis (Pacifique)
● Méditerranée   ● Îles Canaries
● Europe du nord   ● Amérique du Sud
● Australie   ● Reste du monde

Source : Cruise industry news, annual report, 2018/2019.

Vocabulaire

▶ **Croisière** : voyage d'agrément effectué sur un paquebot ou sur un navire de plaisance (voilier…).

▶ **Croisiériste :**
1. Touriste effectuant une croisière.
2. Entreprise organisatrice de croisières.

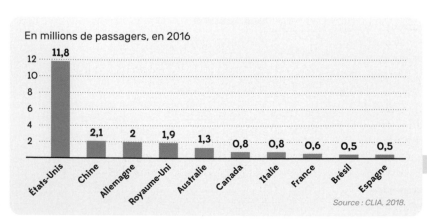

En millions de passagers, en 2016

11,8 — États-Unis
2,1 — Chine
2 — Allemagne
1,9 — Royaume-Uni
1,3 — Australie
0,8 — Canada
0,8 — Italie
0,6 — France
0,5 — Brésil
0,5 — Espagne

Source : CLIA, 2018.

3 L'origine géographique des passagers

4 Paquebots de croisière dans le port de Miami (Floride, États-Unis)

Avec 5,3 millions de passagers en 2017, Miami est la capitale mondiale du tourisme de croisière.

① Chenal principal
② Terminaux de croisière des compagnies
③ Parkings
④ Voie rapide autoroutière
⑤ Ville de Miami (Ocean drive)

ÉTATS-UNIS

• Miami

5 Limites et défis du croisiérisme mondial

Parole de géographe

Le gigantisme des méga-paquebots pouvant transporter plus de 6 000 clients et 2 000 membres d'équipage n'est pas sans risque. [...] Les questions relatives aux conditions d'évacuation en cas d'incendie ou de naufrage, mais aussi à la sécurisation de la clientèle face à la menace terroriste, particulièrement en Méditerranée, sont d'actualité. Tout comme celles associées aux conditions de travail des membres d'équipage, souvent originaire d'Asie du Sud-Est (Philippins). Les impacts environnementaux sont aussi nombreux. Certains sites portuaires et urbains sont vulnérabilisés par le passage incessant des paquebots. [...] À bord, le rejet des eaux usées et des déchets immergeables dans la mer constitue une pratique guère éco-compatible même si des efforts de recyclage ont été effectués sur les navires de nouvelle génération. Les enjeux sanitaires ne sont pas absents et les épisodes récents d'épidémie de gastro-entérite à bord de paquebots ont confirmé les risques liés à la vie en circuit fermé de plusieurs milliers de personnes. Mais, malgré ces problèmes, les perspectives de croissance de ce secteur sont au beau fixe et les projections évoquent le chiffre de 36 millions de croisiéristes pour 2025.

Éric Janin, « Le monde s'amuse en croisière », *Carto*, n° 36, juillet-août 2016.

Questions

Itinéraire 1

Décrire et analyser

❶ Localisez et nommez les principaux lieux du tourisme de croisière dans le monde. **doc. 2 à 4**

❷ Quelles raisons expliquent l'augmentation récente du tourisme de croisière dans le monde ? **doc. 1**

❸ Quels éléments font de Miami un pôle majeur du tourisme de croisière dans le monde ? **doc. 2 à 4**

❹ Quelles sont les limites du développement du tourisme de croisière dans le monde ? **doc. 5**

Synthétiser et argumenter

❺ Montrez les évolutions récentes du tourisme de croisière dans le monde. **doc. 1 à 5**

ou

Itinéraire 2

Réaliser un croquis de synthèse

- À l'aide des documents, sélectionnez les informations correspondant aux thèmes suivants :
  1. Les principaux bassins de croisières
  2. Les principales clientèles
  3. Le centre mondial du tourisme de croisière
- Regroupez les informations qui renvoient au même thème.
- Sélectionnez les informations cartographiables.
- Attribuez un figuré cartographique à chacune de ces informations.
- Réalisez le croquis à l'aide du fond de carte.

THÈME ❸

SE PRÉPARER
★

MONDE

FRANCE

RÉVISER

Les migrations internationales

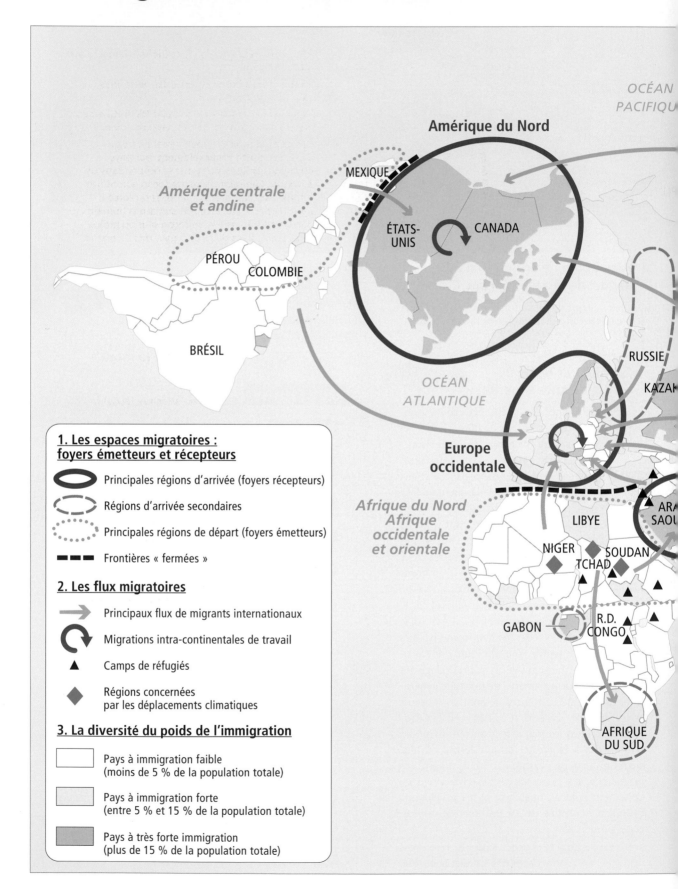

1. Les espaces migratoires : foyers émetteurs et récepteurs

- ⬭ Principales régions d'arrivée (foyers récepteurs)
- ⬭ Régions d'arrivée secondaires
- ⬭ Principales régions de départ (foyers émetteurs)
- ▬ ▬ ▬ Frontières « fermées »

2. Les flux migratoires

- → Principaux flux de migrants internationaux
- ↻ Migrations intra-continentales de travail
- ▲ Camps de réfugiés
- ◆ Régions concernées par les déplacements climatiques

3. La diversité du poids de l'immigration

- ☐ Pays à immigration faible (moins de 5 % de la population totale)
- ☐ Pays à immigration forte (entre 5 % et 15 % de la population totale)
- ☐ Pays à très forte immigration (plus de 15 % de la population totale)

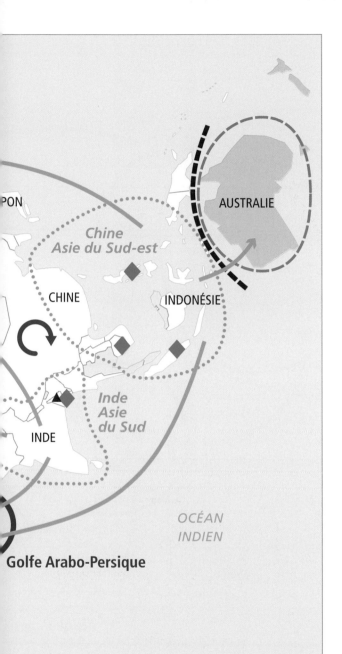

PON

*Chine
Asie du Sud-est*

CHINE

INDONÉSIE

AUSTRALIE

*Inde
Asie
du Sud*

INDE

*OCÉAN
INDIEN*

Golfe Arabo-Persique

Les migrations dans le monde

258 millions
de migrants internationaux (2017)

52% d'hommes   **48%** de femmes

39
Âge médian des migrants : **39 ans**

14%
ont moins de **20 ans**

Près de **23 millions** de réfugiés dans le monde

Source : ONU, 2017.

THÈME ❸

SE PRÉPARER ★

MONDE

FRANCE

RÉVISER

Questions

❶ Quels sont les principaux foyers émetteurs et récepteurs des migrants ?

❷ Montrez que les migrations de population s'effectuent à différentes échelles.

Les mobilités touristiques internationales

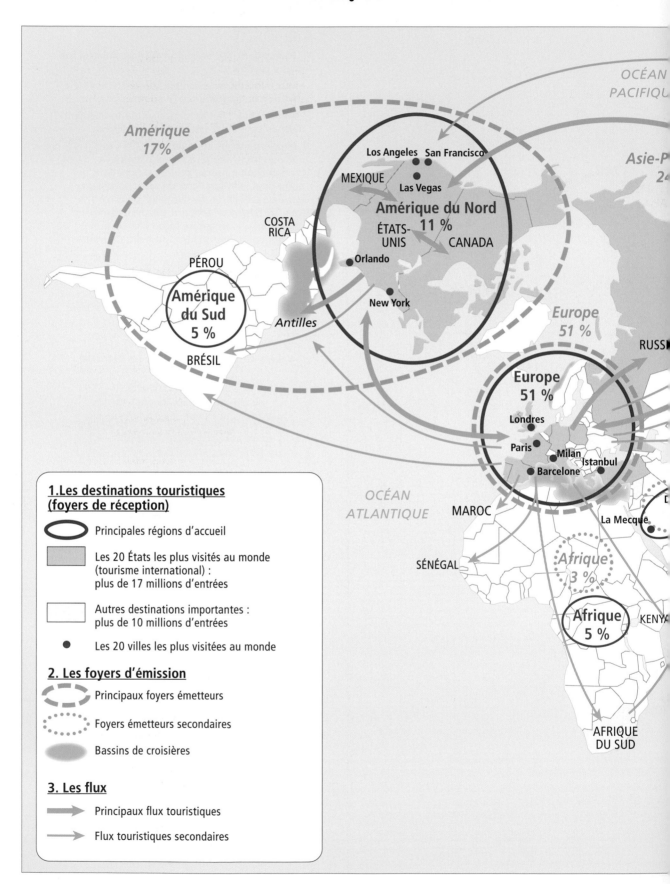

Amérique 17%

Amérique du Nord 11 %

ÉTATS-UNIS — CANADA

Los Angeles — San Francisco

MEXIQUE — Las Vegas

COSTA RICA

Orlando

New York

PÉROU

Amérique du Sud 5 %

Antilles

BRÉSIL

OCÉAN PACIFIQU

Asie-P 2

Europe 51 %

RUSS

Europe 51 %

Londres

Paris — Milan — Istanbul

Barcelone

OCÉAN ATLANTIQUE

MAROC

La Mecque

SÉNÉGAL

Afrique 3 %

Afrique 5 % — KENYA

AFRIQUE DU SUD

1.Les destinations touristiques (foyers de réception)

⬭ Principales régions d'accueil

▢ Les 20 États les plus visités au monde (tourisme international) : plus de 17 millions d'entrées

▢ Autres destinations importantes : plus de 10 millions d'entrées

● Les 20 villes les plus visitées au monde

2. Les foyers d'émission

⬭ Principaux foyers émetteurs

⬭ Foyers émetteurs secondaires

▬ Bassins de croisières

3. Les flux

➡ Principaux flux touristiques

➡ Flux touristiques secondaires

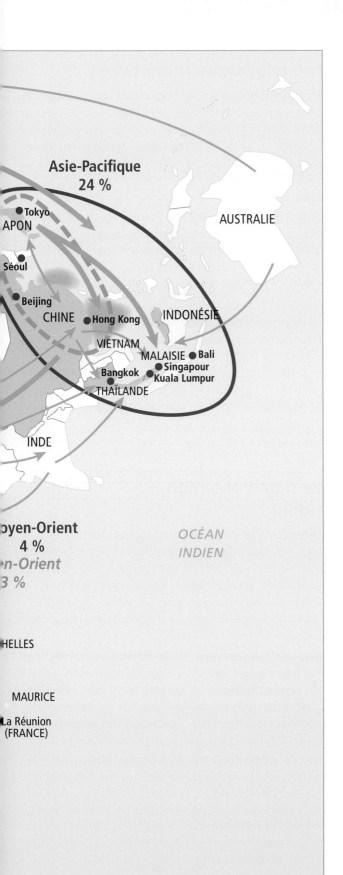

Asie-Pacifique
24 %

Tokyo
APON

Séoul

Beijing

CHINE Hong Kong

AUSTRALIE

INDONÉSIE

VIETNAM
MALAISIE ● Bali
● Singapour
Bangkok ● Kuala Lumpur
THAÏLANDE

INDE

OCÉAN
INDIEN

oyen-Orient
4 %
n-Orient
3 %

HELLES

MAURICE

La Réunion
(FRANCE)

THÈME ❸

SE
PRÉPARER
★

MONDE

FRANCE

RÉVISER

▶ **Tourisme :** activité qui consiste à quitter son domicile, pour des raisons personnelles (détente, visite familiale, pèlerinage…) ou professionnelles (congrès…), pour une durée supérieure à 24 heures et inférieure à un an.
On parle de **tourisme international** lorsqu'un touriste traverse une frontière et passe du temps dans un autre pays que le sien.

Le tourisme dans le monde

 1,3 milliard de touristes internationaux en 2017

 Dépenses touristiques mondiales (2017) :
1 340 milliards de dollars

 Europe : **première destination mondiale (51% des arrivées)**

 57 % des touristes internationaux voyagent par avion

 55 % des voyages internationaux s'effectuent pour des motifs récréatifs

Source : OMT, 2018.

❶ Quels sont les principaux foyers émetteurs et récepteurs de touristes internationaux dans le monde ?

❷ Quelles sont les régions du monde en marge de la mondialisation des mobilités touristiques ?

❸ Comparez la carte sur les mobilités touristiques internationales avec celle sur les mouvements migratoires p. 196-197. Que constatez-vous ?

+ Podcast du cours

Les migrations internationales

➡️ **Quels enjeux sont liés à la transition des migrations internationales de population au XXIᵉ siècle ?**

1 Un phénomène migratoire planétaire

● **Parmi les mobilités internationales, les migrations de population constituent un phénomène majeur.** Chaque jour, des milliers de personnes se déplacent et traversent les frontières pour des motifs économiques ou politiques : fuir la misère (Venezuela, Niger...), éviter le danger dans un pays en guerre (Yémen, Mali, Syrie...), échapper aux persécutions (Rohingyas du Myanmar...) ou bien partir travailler dans un pays étranger pour son entreprise (61 % des migrants sont des travailleurs).

● **Le nombre de migrants internationaux n'a jamais été aussi important.** Selon l'ONU, 258 millions de personnes résidaient officiellement en dehors de leur pays d'origine en 2018, soit deux fois plus qu'au début des années 1980. Malgré cette augmentation, la part des migrants dans la population mondiale demeure stable, autour de 3,5 %. Le monde pourrait compter près de 320 millions de migrants en 2020.

● **Les acteurs de ce phénomène migratoire sont nombreux.** Les entreprises internationales peuvent demander à leurs salariés de travailler à l'étranger (expatriés) ; les États définissent des politiques migratoires plus ou moins restrictives ; aux frontières de pays en guerre, le Haut-Commissariat aux réfugiés de l'ONU gère les camps de migrants ; l'agence Frontex (chargée de la surveillance des frontières de l'UE) lutte quant à elle contre l'immigration clandestine.

ÉTUDE DE CAS Les mobilités intra-européennes ➜ p. 182
DOSSIER Les réfugiés dans le monde ➜ p. 190

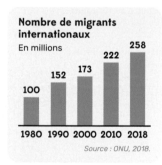

Nombre de migrants internationaux
En millions

- 1980 : 100
- 1990 : 152
- 2000 : 173
- 2010 : 222
- 2018 : 258

Source : ONU, 2018.

2 Des flux entre mondialisation et régionalisation

● **Les migrations internationales sont un phénomène planétaire.** Les pays développés accueillent 57 % des migrants, mais certains pays ont émergé comme foyers de réception (Arabie saoudite, Afrique du Sud, Colombie) ou pays de transit (Turquie, Mexique). On compte 76 millions de migrants sur le continent européen, soit 30 % du total mondial, dont 53 millions pour l'Union européenne. L'Amérique du Nord compte ensuite 54 millions de migrants, dont 49 millions pour les États-Unis.

● **Les migrations sont majoritairement régionales.** La majorité des parcours migratoires s'effectue sur des distances courtes ou moyennes. En Europe, 67 % des migrants sont européens ; en Afrique, 53 % sont africains ; en Asie, 60 % sont asiatiques ; en Amérique du Nord, 59 % des migrants proviennent des pays du continent américain. Les flux migratoires entre pays du Sud sont désormais les plus importants pour atteindre 37 % du total mondial.

Les 5 pays accueillant le plus de migrants
En millions, en 2017

- États-Unis : 49,8
- Arabie saoudite : 12,2
- Allemagne : 12,2
- Russie : 11,7
- Royaume-Uni : 8,8

Source : ONU, 2018.

● **De nouvelles formes de migrations internationales émergent.** Certaines régions du monde, comme l'Union européenne, favorisent la mobilité des travailleurs. De plus en plus de « seniors » des pays développés décident de passer leur retraite dans un pays où leurs pensions leur donnent un surplus de pouvoir d'achat. Par ailleurs, la répétition des catastrophes naturelles (Asie du Sud, Caraïbes, etc.) devrait augmenter le nombre de déplacés climatiques (ou environnementaux) dans les prochaines décennies.

ÉTUDE DE CAS La mer Méditerranée ➜ p. 178
ÉTUDE DE CAS Les mobilités intra-européennes ➜ p. 182

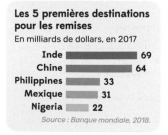

Les 5 premières destinations pour les remises
En milliards de dollars, en 2017

- Inde : 69
- Chine : 64
- Philippines : 33
- Mexique : 31
- Nigeria : 22

Source : Banque mondiale, 2018.

3 Des enjeux multiples pour les foyers de départ et d'arrivée

● **Les enjeux des migrations sont économiques.** Les migrants contribuent à la croissance des pays d'accueil par leur force de travail. Ils participent aussi au développement économique de leur pays d'origine en rapatriant une part de leurs revenus : 1 milliard de personnes dépendent de ces remises évaluées en 2018 à 642 milliards de dollars dans le monde. Ces transferts représentent par exemple 42 % du PIB du Tadjikistan, 28 % du Népal.

● **Les migrations internationales permettent le brassage des cultures.** Les métropoles mondialisées (Istanbul, Paris, New York, Londres, Dubaï) constituent la destination finale des migrants. Les opportunités d'emploi y sont nombreuses et les solidarités socio-culturelles plus fortes en raison des migrants déjà installés. C'est au cœur de ces métropoles que l'on retrouve les diasporas les plus nombreuses.

● **Les tensions sociales et politiques entre communautés d'accueil et migratoires s'intensifient.** Ces migrations peuvent provoquer des tensions dans les pays d'accueil avec les populations locales. Dans les pays développés (Australie, UE, États-Unis), les flux migratoires sont souvent perçus comme une invasion et donnent lieu à des politiques de fermeture des frontières, d'expulsion des migrants clandestins, voire de construction de murs. Toutefois, le droit à la mobilité et à la migration est réaffirmé comme un droit universel de l'Homme depuis 1948.

ÉTUDE DE CAS Dubaï → p. 184
DOSSIER La diaspora indienne → p. 192

Vocabulaire

▶ **Mobilités internationales** : ensemble des déplacements (temporaires ou définitifs) des individus qui nécessitent de traverser une frontière et de se rendre dans un pays tiers.

▶ **Pays de transit** : nom donné à un pays-étape dans le parcours migratoire d'un individu.

▶ **Réfugié** : personne reconnue en danger dans son pays d'origine et qui obtient le droit de s'installer dans un autre pays.

▶ **Remises** : ensemble des capitaux transférés par les migrants travaillant à l'étranger à leurs proches restés dans le pays d'origine.

Notions clés

▶ Mobilité   p. 225
▶ Migration   p. 226

Du cours au schéma

Schéma interactif à compléter

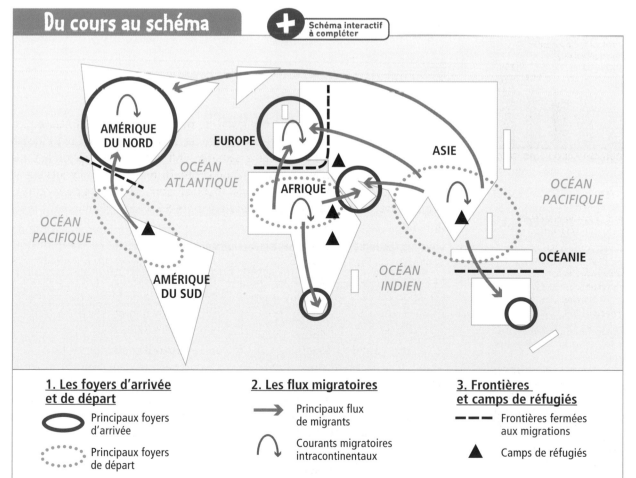

1. Les foyers d'arrivée et de départ
- ⬭ Principaux foyers d'arrivée
- ⬭ (pointillés) Principaux foyers de départ

2. Les flux migratoires
- → Principaux flux de migrants
- ⤵ Courants migratoires intracontinentaux

3. Frontières et camps de réfugiés
- – – – Frontières fermées aux migrations
- ▲ Camps de réfugiés

THÈME ③
SE PRÉPARER
★
MONDE
🌐
FRANCE
RÉVISER

Les mobilités touristiques internationales

Podcast du cours

➡ **Quels sont les défis qui accompagnent la forte croissance des mobilités touristiques internationales ?**

Vocabulaire

▶ **Flux :** volume de marchandises, de personnes, de capitaux ou d'informations en circulation.

▶ **Infrastructures :** ensemble des installations nécessaires pour la réalisation d'activités (transport, hébergement, etc.) comme les aéroports, les ports, les complexes hôteliers…

▶ **Mobilité touristique :** déplacement hors de son domicile, pour des raisons personnelles (vacances, visite familiale, pèlerinage…) ou professionnelles (congrès…), pour une durée supérieure à 24 heures et inférieure à une année.

▶ **Surtourisme :** nom donné au tourisme de masse, qui entraîne la saturation des espaces d'accueil et provoque parfois des dégradations des lieux et des bâtiments.

1 L'explosion récente du tourisme international

● **Le nombre de touristes internationaux ne cesse de croître.** En 2017, plus d'1,3 milliard de touristes internationaux ont parcouru le monde, soit trois fois plus qu'en 1990. Plusieurs facteurs expliquent cette intensification de la mobilité touristique : la diminution du coût du transport aérien, l'élévation du niveau de vie des populations, le développement des médias et d'Internet, la publicité en faveur des foyers de réception, la multiplication et la diversité des infrastructures d'accueil (campings, hôtels…).

● **Le tourisme international s'est mondialisé.** Si les dix premières destinations (majoritairement en Europe, 51 % des arrivées) reçoivent 41 % des flux et 48 % des dépenses, l'ensemble du monde est concerné par le tourisme. La Chine, la Turquie, la Thaïlande, la Malaisie sont récemment devenues des destinations majeures. En revanche, les pays d'Afrique (4,7 %) et du Moyen-Orient (4,4 %) restent en retrait malgré quelques destinations attractives (Maroc, Dubaï).

● **Les flux touristiques se complexifient.** Ils sont importants entre aires géographiques proches (Europe-Amérique du nord) ou à l'intérieur des aires continentales. Le tourisme intra-continental concerne 80 % des flux : l'Europe attire majoritairement des Européens. Mais aujourd'hui, les flux ne sont plus uniquement du Nord vers le Sud, mais également entre les pays du Sud, et du Sud vers le Nord.

ÉTUDE DE CAS Dubaï ➡ p. 184
ÉTUDE DE CAS Les États-Unis ➡ p. 188

2 La diversité des acteurs

● **Les entreprises du tourisme international sont nombreuses et diversifiées.** L'économie du tourisme international a longtemps été contrôlée par des opérateurs des pays du Nord (Thomas Cook, TUI, American Express…). À présent, des groupes chinois, indiens ou originaires des pays du Golfe bousculent la hiérarchie en rachetant des groupes occidentaux (Le Club Méditerranée, propriété du groupe chinois Fosun). D'autres acteurs sont apparus sur Internet : vente de voyages (Expedia), plateformes de réservation (Airbnb)…

● **Chaque touriste est un acteur du tourisme international.** Les motivations du départ sont variées. 55 % d'entre eux voyagent pour un motif récréatif (parcs à thème, vacances à la mer, à la montagne, croisières), culturel (visites de sites, de musées, de monuments) ou sportif. 27 % ont une motivation affinitaire (rendre visite à des proches), religieuse (Rome, La Mecque, Jérusalem) ou sanitaire (opération chirurgicale dans un pays étranger) et 13 % pour des raisons professionnelles (tourisme d'affaires).

● **La mobilité touristique n'est pas accessible à tous.** Les pays développés et émergents constituent les principaux foyers émetteurs de touristes. Mais une très grande majorité de la population mondiale demeure exclue de cette dynamique touristique. Les populations les plus pauvres des pays d'Afrique, d'Amérique latine ou d'Asie n'ont pas accès à ce marché.

GÉO AUTREMENT Publicité et tourisme ➡ p. 204

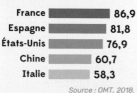

Les 5 premières destinations touristiques mondiales
En millions d'arrivées, en 2017

France	86,9
Espagne	81,8
États-Unis	76,9
Chine	60,7
Italie	58,3

Source : OMT, 2018.

Principaux pays émetteurs de touristes internationaux
En millions, en 2016

Chine	135
Hong Kong	92
Allemagne	91
Royaume-Uni	78
États-Unis	71

* Un touriste international peut voyager à l'étranger plusieurs fois par an.

Source : OMT, 2017.

3 Les effets du tourisme international sur les territoires

● **Le tourisme international est un levier d'aménagement des territoires.** Les grandes métropoles se dotent d'infrastructures de communication et de transport gigantesques (aéroports, ports de croisière, autoroutes). Les chaînes hôtelières multiplient les investissements, notamment dans l'hôtellerie de luxe ou dans les complexes de loisirs et les parcs d'attractions. Des grands musées voient le jour (Louvre à Abou Dhabi) afin d'accueillir une clientèle de plusieurs millions de visiteurs par an.

● **Le tourisme international contribue à l'insertion des économies et des territoires dans la mondialisation.** Les dépenses touristiques internationales ont été estimées à 1 340 milliards de dollars en 2017. Plus largement, l'économie planétaire du tourisme pèse pour 10 % du PIB mondial. De nombreux États insulaires (Seychelles, Maldives...) dépendent fortement du tourisme international et s'inscrivent ainsi dans la mondialisation des échanges.

● **Les espaces du tourisme sont de plus en plus vulnérables.** La popularité de certaines destinations (Venise, château de Versailles, temples d'Angkor, parcs nationaux américains) entraîne le surtourisme. On voit émerger des phénomènes de tourismophobie (Barcelone, certaines îles grecques…). Les prix de l'immobilier augmentent dans les principales destinations urbaines ce qui accentue les phénomènes de ségrégation socio-spatiale.

DOSSIER Le tourisme de croisière → p. 194

Principales recettes touristiques
En milliards de dollars, en 2017

États-Unis	210
Espagne	68
France	61
Thaïlande	57
Royaume-Uni	51

Source : OMT, 2017.

Notions clés

▸ Mobilité   p. 225
▸ Tourisme   p. 227

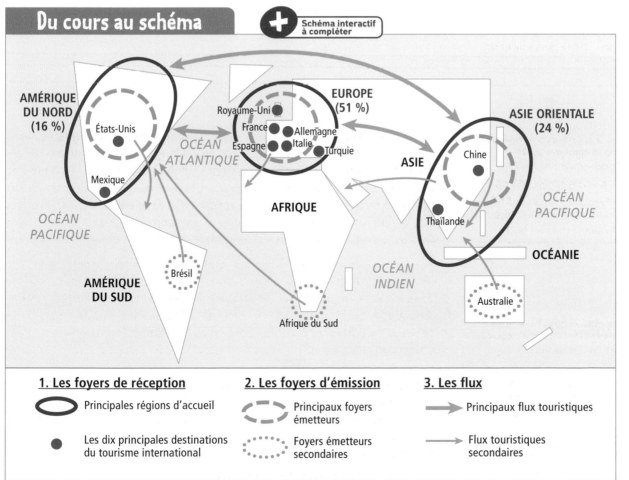

Du cours au schéma

Schéma interactif à compléter

1. Les foyers de réception
- ⬭ Principales régions d'accueil
- ● Les dix principales destinations du tourisme international

2. Les foyers d'émission
- ⬭ Principaux foyers émetteurs
- ⬭ Foyers émetteurs secondaires

3. Les flux
- → Principaux flux touristiques
- → Flux touristiques secondaires

La publicité, un facteur de mobilités touristiques

En 2018, environ 1,4 milliard de touristes internationaux ont parcouru le monde et ce nombre ne cesse de croître. Les campagnes publicitaires et la communication à travers les réseaux sociaux invitent au voyage et valorisent les destinations à partir de slogans et de photographies de paysages plus ou moins fantasmés.

→ **Comment la publicité contribue-t-elle au développement des mobilités touristiques ?**

Le saviez-vous ?

▶ Le développement du tourisme constitue l'une des profondes mutations liées à l'émergence de la société de loisirs du XIXe siècle. Ce phénomène s'accompagne de la multiplication des affiches destinées à promouvoir les différentes destinations touristiques.

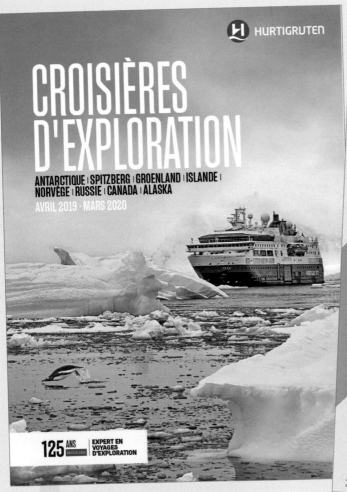

1 **Brochure d'une compagnie de croisières (2019/2020)**

2 **Publicité de la compagnie aérienne Air France (2018)**

Air France a lancé en 2018 une campagne promotionnelle *France is in the air* (« La France est dans l'air »). L'un des objectifs de la compagnie est de mettre en avant « l'art de vivre à la française ».

malaysia.truly.asia ●

1 196 publications   60,5k abonnés   186 abonnements

Tourism Malaysia
Tourism Malaysia's official account. Tag us @malaysia.truly.asia and #MalaysiaTrulyAsia
#cuticutimalaysia for your chance to be featured on our page.
Malaysia.Travel

 Lien vers le site

3 Compte Instagram de la Malaisie (2019)

Traduction : « Compte officiel du Tourisme en Malaisie. Identifiez-nous
et ajoutez le hashtag pour avoir l'opportunité de voir votre photo publiée sur notre page ».

4 La mobilité construit l'imaginaire des lieux

ÉCLAIRAGE

La mobilité intègre aujourd'hui l'horizon idéologique de la mondialisation libérale. Une attention particulière est à porter à l'analyse des discours – individuels, institutionnels, commerciaux – qui construisent un imaginaire de la mobilité fort, une croyance collective en une norme (publicités, etc.). […]

Les discours circulant à l'échelle mondiale donnent une visibilité très forte à certains lieux, notamment en lien avec leur fréquentation touristique. Ces discours, sous forme d'images, produits aussi bien par des journalistes, des professionnels du tourisme que par des internautes, façonnent l'imaginaire des lieux. La mobilité des individus vers un lieu est indissociable des discours qui circulent à l'échelle mondiale sur ce lieu de destination. Les discours qui sont accessibles en amont des voyages, contribuent à attirer ou repousser, à façonner les projets et les pratiques sur place, et à leur tour, les individus mobiles diffusent au sein de leur réseau social et sur internet des discours sur les lieux.

L'objectif est de saisir ce que ces imaginaires veulent bien nous montrer des lieux. Les sources iconographiques sont en effet très nombreuses sur Internet et marquent fortement le regard qu'un futur voyageur porte sur un lieu.

Brenda Le Bigot, *Penser les rapports aux lieux
dans les mobilités privilégiées*, combinaison d'extraits
d'une thèse de géographie soutenue en mai 2017
à l'Université Paris 1 Panthéon-Sorbonne.

Questions

Présenter les documents

1 Présentez les documents et situez les lieux représentés. **doc. 1 à 3**

2 Qui sont les acteurs à l'origine de ces supports de communication ? À qui s'adressent-ils ? **doc. 1 à 3**

Analyser les documents

3 Quels sont les atouts touristiques mis en avant sur ces affiches ? **doc. 1 à 4**

4 Expliquez comment ces publicités façonnent l'imaginaire des lieux touristiques. **doc. 1 à 4**

Faire le lien avec la géographie

5 Montrez que la publicité contribue au développement des mobilités touristiques.

C'est à **vous !**   **Aide et conseils**

→ Réalisez une affiche publicitaire qui fasse la promotion d'un territoire (imaginaire ou réel), présentant de très nombreux atouts touristiques.

THÈME 3

 SE PRÉPARER

 MONDE

 FRANCE

RÉVISER

Des mobilités généralisées EN FRANCE

➜ La France : mobilités, transports et enjeux d'aménagement

En France, les mobilités se sont accrues et diversifiées au cours des dernières décennies. Carrefour européen largement ouvert sur le monde, le territoire métropolitain est structuré par des réseaux de transport denses et performants. Cependant, ces mobilités présentent des enjeux économiques, sociaux et environnementaux qui amènent à interroger leur durabilité.

SOMMAIRE

+ Dans ce chapitre

🖨 **TOUS LES TEXTES** en version à imprimer

👆 **TOUTES LES CARTES** en version interactive

Zoom sur... 🚲 🚗

▶ **les mobilités à Brest**

Population desservie	208 000 habitants (Brest Métropole)
Réseau	17 lignes de bus, 1 ligne de tramway, 1 téléphérique
Nombre de stations	850
Nombre annuel de passagers du téléphérique	675 000

Le téléphérique de Brest, inauguré en novembre 2017, est le premier téléphérique urbain intégré à une ligne de transport en France.

THÈME **3**

SE PRÉPARER

MONDE

FRANCE

RÉVISER

Étude de cas

Lyon Part-Dieu : un carrefour des mobilités

Zoom sur...

▸ **Lyon Part-Dieu**

Nombre de voyageurs	3 millions par an
Carrefour multimodal	150 TGV/jour, 400 TER, 3 lignes de métro, 3 de tramway, 3 de trolleybus, 13 lignes de bus, 25 stations Vélo'v
Quartier d'affaires	2 500 entreprises, 55 000 salariés (2e en France)

➡ **Comment l'aménagement de Lyon Part-Dieu participe-t-il à la transition des mobilités ?**

FRANCE
Lyon

A Un carrefour multimodal

1 Lyon Part-Dieu au cœur des réseaux

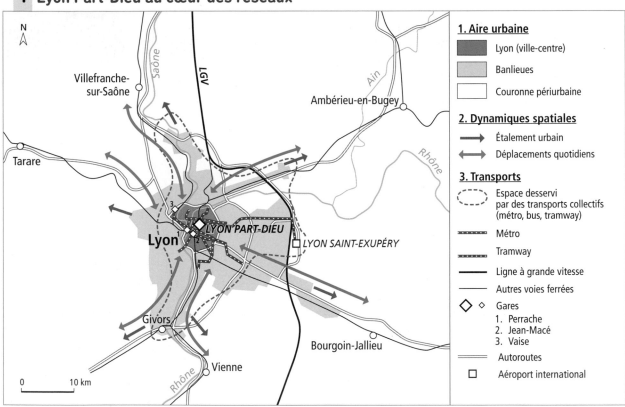

1. Aire urbaine
- Lyon (ville-centre)
- Banlieues
- Couronne périurbaine

2. Dynamiques spatiales
- → Étalement urbain
- ↔ Déplacements quotidiens

3. Transports
- Espace desservi par des transports collectifs (métro, bus, tramway)
- Métro
- Tramway
- Ligne à grande vitesse
- Autres voies ferrées
- ◇ ◇ Gares
  1. Perrache
  2. Jean-Macé
  3. Vaise
- Autoroutes
- ▢ Aéroport international

0   10 km

2 Les déplacements des habitants du centre de Lyon

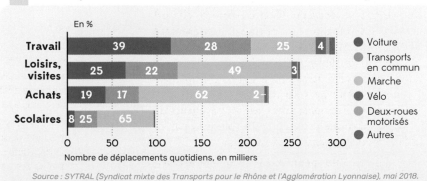

En %

	Voiture	Transports en commun	Marche	Vélo	Deux-roues motorisés	Autres
Travail	39	28	25	4		
Loisirs, visites	25	22	49	3		
Achats	19	17	62	2		
Scolaires	8	25	65			

Nombre de déplacements quotidiens, en milliers

Source : SYTRAL (Syndicat mixte des Transports pour le Rhône et l'Agglomération Lyonnaise), mai 2018.

Vocabulaire

▸ **Multimodalité :** présence de plusieurs moyens de transports.

▸ **Mobilité :** → voir p. 225.

3 La gare de Lyon Part-Dieu (2016)

4 Un carrefour saturé

Mise en service à l'été 1983, succédant à la gare des Brotteaux, la gare de Lyon Part-Dieu constitua à cette époque l'incarnation de la gare moderne, avec le TGV arrivé deux ans plus tôt. La Part-Dieu, c'est un condensé d'urbanisme des années 1970, avec ses réussites et ses défauts.

La gare de Lyon Part-Dieu a profité à plein de son rôle de carrefour national au point de devenir la première gare de France hors Paris, plaque tournante du réseau à grande vitesse et du réseau régional rhônalpin.

Mais Lyon Part-Dieu est une gare réputée malcommode car elle est saturée, avec 125 000 entrants par jour. Trop exiguë malgré les travaux successifs réalisés depuis son ouverture, elle est aussi encombrée d'un flux de transit, représentant 37 % des utilisateurs du hall de la gare, qui depuis 2006 est aussi devenu un couloir de correspondance du réseau urbain. Le choix d'implanter 2 lignes de tramway sur le flanc Est de la gare s'est révélé une catastrophe, tant pour les voyageurs de ces tramways que ceux du train (bloqués par ce flot qui vient couper les accès aux quais).

« Lyon Part-Dieu : une décennie de transformation », Transportrail [en ligne], 15 septembre 2017.

Questions

Itinéraire 1

Situer et décrire

1 Situez la gare et le quartier de Lyon Part-Dieu. **doc. 1**

2 Décrivez les flux qui s'orientent chaque jour à la Part-Dieu : origines, types, chiffres, motifs. **doc. 1 à 4**

3 Quels moyens de transports sont utilisés à la Part-Dieu ? **doc.1, 3 et 4**

4 Expliquez pourquoi la gare de Lyon Part-Dieu est aujourd'hui surfréquentée. **doc. 4**

Synthétiser et argumenter

5 Montrez que cette gare et ses environs immédiats correspondent à une plateforme multimodale. **doc. 1 à 4**

ou

Itinéraire 2

Réaliser une carte mentale 1/2

- À l'aide des documents, réalisez une carte mentale qui montre en quoi l'aménagement de Lyon Part-Dieu participe à la transition des mobilités.

- Autour d'un noyau central indiquant le sujet, votre carte pourra s'articuler autour de trois axes principaux : Un carrefour saturé / Un projet d'aménagement / Vers des mobilités durables.

THÈME **3**

SE PRÉPARER

MONDE

FRANCE

RÉVISER

B Lyon Part-Dieu : un aménagement urbain

1 UNE GARE PLUS SPACIEUSE
TRAVÉE NORD

7 UNE 12ᵉᵐᵉ VOIE POUR LA GARE
VOIE L

5 LA PLACE DE FRANCFORT RÉAMÉNAGÉE

1 UNE GARE PLUS SPACIEUSE
GALERIE VILLETTE

6 UN NOUVEAU PÔLE LOUEURS
AGENCES + PARKING

1 UNE GARE PLUS SPACIEUSE
GALERIE BÉRAUDIER

8 UN ESPACE HÔTEL + BUREAUX
TO-LYON

4 UN NOUVEAU LIEN INTERMODAL
PLACE BASSE
+ UN PARKING SOUTERRAIN

3 UN PARVIS VÉGÉTALISÉ
PLACE BÉRAUDIER

2 DE NOUVEAUX ACCÈS AUX QUAIS
GALERIE POMPIDOU

UNE CIRCULATION REPENSÉE
BD. VIVIER MERLE

5 Un centre des affaires qui se transforme

Agence Gares Centre Est Rhône-Alpin, décembre 2018.

6 L'extension de la gare

Parole d'acteur

Le projet d'extension de la gare de Lyon Part-Dieu fait partie intégrante du projet partenarial de reconfiguration du Pôle d'échanges multimodal (PEM) de Part-Dieu qui se situe à l'échelle des espaces publics et des moyens de transport immédiatement environnants. De ce fait, il implique l'Europe, l'État, le Conseil régional Auvergne-Rhône-Alpes, la métropole, la ville de Lyon et le SYTRAL[1].

Les objectifs poursuivis par ce projet sont multiples :
– Développer l'intermodalité et l'accessibilité du pôle d'échanges. Le projet fait la part belle aux piétons en améliorant le rôle de traversée urbaine que joue la gare. 2 000 places de stationnement sécurisées vont être créées pour les vélos, toutes les liaisons avec les transports en commun vont être améliorées, une station taxi sera placée immédiatement en sortie de chaque côté de la gare ainsi qu'un dépose minute et un parking de stationnement longue durée.
– Développer les services et les commerces de la gare dont les surfaces totales auront triplé à l'issue du projet.
– S'imbriquer le mieux possible dans la recomposition urbaine avoisinante.

Frédéric Longchamp, directeur des Projets Nationaux Grenoble et Part-Dieu, SNCF Mobilités - Gares & Connexions, Agence Gares Centre Est Rhône-Alpin, décembre 2018.

1 Le Syndicat mixte des Transports pour le Rhône et l'Agglomération Lyonnaise (SYTRAL) est l'autorité gestionnaire des transports en commun du département.

7 Un projet d'aménagement sur 20 ans

Faire de Lyon Part-Dieu un quartier encore plus agréable à vivre → **3 enjeux** ← Réaliser un quartier d'affaires européen de référence

↑ Repenser les mobilités

Une gare **2 x** plus grande
+ 100 000 voyageurs dans la gare par jour
+ 2 500 places de vélos

+ 2 200 logements
+ 3 000 habitants
30 hectares d'espaces publics réaménagés

Le projet 2010-2030

2,5 milliards € d'investissements publics et privés

+ 50 000 m² d'équipements créés

+ 650 000 m² de bureaux
+ 40 000 emplois

Source : SPL Lyon Part-Dieu, 2018.

C Vers des mobilités nouvelles

 Vidéo

Réinventer les mobilités — LYON PART-DIEU

Le projet   Se déplacer   Vivre   S'implanter   Participer   **Opérations**   **Chantiers**

9 Accroître les mobilités douces

Renforcer l'intermodalité et les mobilités durables
- Valoriser les mobilités durables en rendant les espaces publics plus agréables.
- Augmenter la desserte en transports en commun.
- Repenser la circulation automobile.
- Améliorer les livraisons et le stationnement.

Piétons
- Mettre fin à la fragmentation de l'espace public sur plusieurs niveaux (urbanisme de dalle) et rendre les espaces publics plus agréables.

Vélo
- Renforcer la part du vélo en augmentant la capacité de stationnement et en tenant compte des mobilités durables.

Transports en commun
- Accroître la fréquence et la capacité.
- Créer une voie en site propre* pour améliorer l'accès en transports en commun.

Circulation automobile
- Offrir des services alternatifs dans un espace éco-mobilité (auto-partage, vélos, voitures et scooters électriques...) pour diminuer la place de la voiture sans l'exclure.

* Voie de circulation réservée à un mode de transport.

Source : SPL Lyon Part-Dieu, 2018.

8 Un portail Internet dédié au projet

Le portail Internet de la Société Publique Locale (SPL) Lyon Part-Dieu permet à la population d'être associée au projet et de s'informer sur la nature et l'évolution des travaux.

Questions

Itinéraire 1

Décrire et caractériser

6 Décrivez le projet d'aménagement de Lyon Part-Dieu. **doc. 5 à 7**

7 Quels aménagements renforcent l'offre multimodale ? **doc. 5 à 9**

8 Relevez les acteurs du projet d'aménagement. **doc. 6 et 8**

Synthétiser et argumenter

9 En quoi ce projet d'aménagement favorise-t-il les nouvelles mobilités ? **doc. 6 à 9**

ou

Itinéraire 2

Réaliser une carte mentale 2/2

À l'aide des documents, complétez la carte mentale commencée dans l'itinéraire précédent (p. 209).

THÈME 3

SE PRÉPARER

MONDE

FRANCE

RÉVISER

Repenser les mobilités automobiles

→ Comment réinventer les mobilités automobiles pour accompagner la transition écologique ?

1 La dépendance automobile

Même si elle n'a plus autant la cote auprès de ses propriétaires, même si elle est de plus en plus perçue comme une charge plutôt que comme un marqueur de prestige social, même si elle a légèrement marqué le pas au début des années 2010 sous l'effet de la crise, la voiture continue de régner en maîtresse des routes, avec plus de véhicules vendus, plus de kilomètres parcourus pour chaque auto et plus de routes construites.

Ce phénomène général est particulièrement net dans les territoires ruraux et périurbains. Et ce d'abord pour le travail. En France, parmi les navetteurs[1] qui travaillent dans une autre commune que celle de leur résidence, 80 % utilisent leur voiture pour rallier leur lieu de travail. Un taux qui monte à 94 % pour les navetteurs des communes peu denses, et à 96 % pour les communes très peu denses. En 2008, on comptait en milieu rural 800 véhicules pour 1 000 adultes, un taux proche de celui des États-Unis, et très nettement supérieur à la moyenne nationale (autour de 600).

Pire, cette dépendance s'aggrave. En France, en 2008, on vivait en moyenne à 14,7 kilomètres de son travail, contre 9 kilomètres en 1982. Et la situation se dégrade surtout pour les territoires peu denses. Entre 1999 et 2013, la part des navetteurs a progressé beaucoup plus vite dans les communes très peu denses (+ 9,9 points de pourcentage) que dans les communes densément peuplées (+ 2,8 %). Au-delà du travail, les ruraux qui ont une voiture roulent au total beaucoup plus que les habitants des autres territoires.

Vincent Grimault, « Le royaume de la voiture individuelle », *Les dossiers d'Alternatives Économiques*, n° 16, décembre 2018.

[1] Habitant qui effectue des déplacements quotidiens (navettes) entre son domicile et son travail.

2 Le compte mobilité dans l'agglomération de Mulhouse

Le « compte mobilité » permet, depuis son smartphone, d'accéder à toute l'offre de services de mobilité urbaine dans l'agglomération : bus, tram, vélos en libre-service (Vélocité), voitures en libre-service (Citiz), autopartage et parkings.

Affiche de Mulhouse Alsace Agglomération, 2018.

3 Les transports routiers en chiffres

Voitures particulières :
79 % des déplacements avec **32,7** millions de véhicules

Utilitaires légers et camions :
6,7 millions de véhicules

Réseau routier :
1 103 000 km

Trafic routier :
606 milliards de km/an
(+ 8 % en 10 ans)

Source : URF (Union Routière Française) 2018.

4 Les parkings relais à Amiens

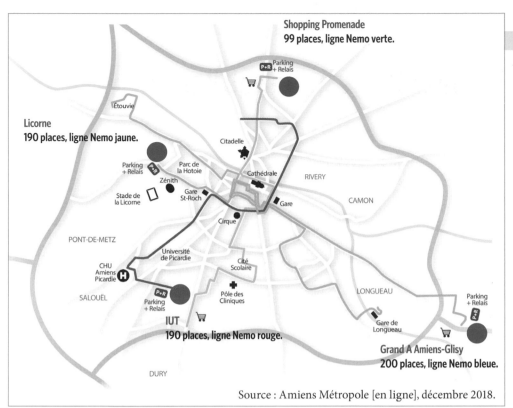

Source : Amiens Métropole [en ligne], décembre 2018.

Les parkings relais sont destinés aux personnes venant travailler ou visiter Amiens. Situés près d'un arrêt de BHNS[1], ils permettent de rejoindre le centre-ville sans se soucier de la circulation.

1 Bus à haut niveau de service (BHNS) : système de transport à forte fréquence de passage dont l'itinéraire est intégralement ou partiellement en site propre (→ voir définition dans le doc. 9 p. 211).

5 Des mobilités émergentes

Affiche du syndicat intercommunal d'énergies de Maine-et-Loire, 2018.

THÈME 3

SE PRÉPARER

MONDE

FRANCE

RÉVISER

Questions

Itinéraire 1

ou

Décrire et expliquer

1 Comment expliquer la dépendance à l'automobile ? **doc. 1 et 3**

2 Quelles sont les solutions proposées pour lutter contre la dépendance à l'automobile ? **doc. 2, 4 et 5**

3 Quel est l'intérêt de combiner les modes de transport ? **doc. 2 à 4**

Synthétiser et argumenter

4 Expliquez pourquoi les déplacements en voiture sont aussi nombreux et quelles solutions existent pour accompagner la transition écologique. Aidez-vous de la définition p. 218. **doc. 1 à 5**

Itinéraire 2

+ Conseils et méthode

Réaliser une affiche

Votre ville souhaite communiquer sur les alternatives aux mobilités automobiles.

À l'aide des documents et de recherches complémentaires, vous présenterez les solutions qui existent dans votre ville et les améliorations à apporter.

L'aménagement des réseaux numériques : un enjeu de cohésion territoriale

> ➡️ **Quelles sont les réponses apportées à l'inégalité d'accès aux réseaux numériques ?**

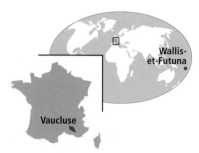

1 Le déploiement de la fibre optique dans le Vaucluse

Affiche du conseil départemental du Vaucluse, 2018.

Vocabulaire

▶ **Aménagement du territoire :** politique volontariste de développement et d'organisation de l'espace national menée par les acteurs publics (État, collectivités locales).

▶ **Réseau numérique de communication :** maillage composé de lignes téléphoniques, de câbles ou de fibres optiques et de relais de téléphonie mobile pour desservir un territoire.

2 Le Plan France Très Haut Débit

La couverture des zones blanches[1] de l'Hexagone est un sujet récurrent car il y a dans notre pays bien plus de zones blanches à couvrir que dans les autres pays européens, et cela coûte plus cher aux collectivités et aux opérateurs, compte tenu d'une plus faible densité du territoire [...] [Selon] Marc Laget[2] [...], l'objectif d'une France couverte en très haut débit à 100 % en 2022 est tout à fait possible techniquement [...] même dans les zones rurales les plus isolées [...], même s'il faut pour cela les atteindre par le satellite ou d'autres technologies plutôt que par un réseau de fibre optique.

Mais il faut aussi que des services locaux appropriés se développent, à l'image de ces expériences très innovantes conduites un peu partout et qui devraient servir de modèle. Allez voir ces « fab lab[3] » de campagne où des animateurs dévoués conseillent les personnes âgées et remplissent leurs feuilles d'impôt. Allez jusqu'à Ayen, en Corrèze, à Arvieu, dans l'Aveyron, ou à Bras-sur-Meuse, près de Verdun, et vous verrez des élus qui inventent des solutions numériques d'avenir avec des moyens réduits.

Pierre Falga, « Le très haut débit partout en 2022, c'est possible », *L'Express*, novembre 2018.

1 Territoire mal connecté à un réseau de télécommunication.
2 Marc Laget est expert en aménagement et développement numérique au sein du Commissariat général à l'égalité des territoires.
3 Lieu ouvert au public et destiné à l'échange de connaissances.

3 L'inégal accès à Internet en France

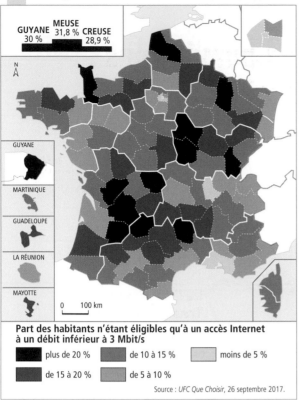

Part des habitants n'étant éligibles qu'à un accès Internet à un débit inférieur à 3 Mbit/s

- ■ plus de 20 %
- ■ de 15 à 20 %
- ■ de 10 à 15 %
- ■ de 5 à 10 %
- □ moins de 5 %

Source : *UFC Que Choisir*, 26 septembre 2017.

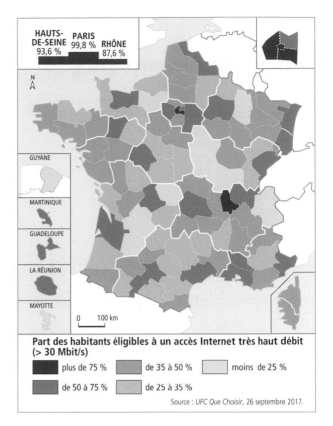

Part des habitants éligibles à un accès Internet très haut débit (> 30 Mbit/s)

- ■ plus de 75 %
- ■ de 50 à 75 %
- ■ de 35 à 50 %
- ■ de 25 à 35 %
- □ moins de 25 %

Source : *UFC Que Choisir*, 26 septembre 2017.

4 Le désenclavement numérique de Wallis-et-Futuna

Territoire français le plus éloigné de la métropole, Wallis-et-Futuna[1] [...] connaît depuis plusieurs années un exode important de sa population. Le manque de perspectives professionnelles et l'enclavement du territoire expliquent en grande partie cette baisse de population. [...] Sa stratégie de développement 2015-2030 reconnaît [...] le caractère incontournable des nouvelles technologies et l'importance du numérique, vecteur de désenclavement et d'effacement des handicaps liés aux distances et aux délais. Le projet de raccordement au futur câble sous-marin de communication numérique [...] « Tui Samoa », qui se met en place à moins d'une centaine de kilomètres, est « une opportunité exceptionnelle » [...]. Financé par la Banque mondiale et la Banque asiatique de développement, ce projet constitue une opportunité unique pour le territoire de se connecter au réseau mondial [...].

L'AFD[2], avec l'appui du ministère des Outre-mer, a proposé un prêt relais de 13 millions d'euros.

« Raccorder Wallis-et-Futuna au câble numérique sous-marin "Tui Samoa" », AFD 2018 [en ligne].

1 Wallis-et-Futuna dans le Pacifique est une collectivité d'outre-mer française.
2 L'Agence Française de développement (AFD) est une institution publique qui met en œuvre la politique de développement de la France à l'étranger et en Outre-Mer.

Questions

Itinéraire 1

Situer et décrire

1 Décrivez les inégalités d'accès à Internet en France. **doc. 3**

2 Montrez que les inégalités d'accès au réseau s'inscrivent à différentes échelles territoriales. **doc. 2 à 4**

Analyser et expliquer

3 Quelles sont les conséquences de ces inégalités sur les territoires ? **doc. 4**

4 Quels sont les objectifs de la lutte contre ces inégalités ? **doc. 1, 2 et 4**

Synthétiser et argumenter

5 Montrez que la lutte contre les inégalités d'accès constitue un enjeu de cohésion territoriale. **doc. 1 à 4**

ou

Itinéraire 2  Tableau à compléter

Utiliser un tableau pour organiser l'information

À l'aide des documents, complétez le tableau suivant puis utilisez-le pour rédiger une réponse à la problématique.

	Caractéristiques et conséquences spatiales des inégalités numériques	Acteurs luttant contre les inégalités numériques	Mesures adoptées par les acteurs
Doc. 1			
...			

THÈME ❸

SE PRÉPARER ★

MONDE 🌐

FRANCE

RÉVISER

Cartes

Réseaux de transport et mobilités en France

1 Les réseaux de transport en France

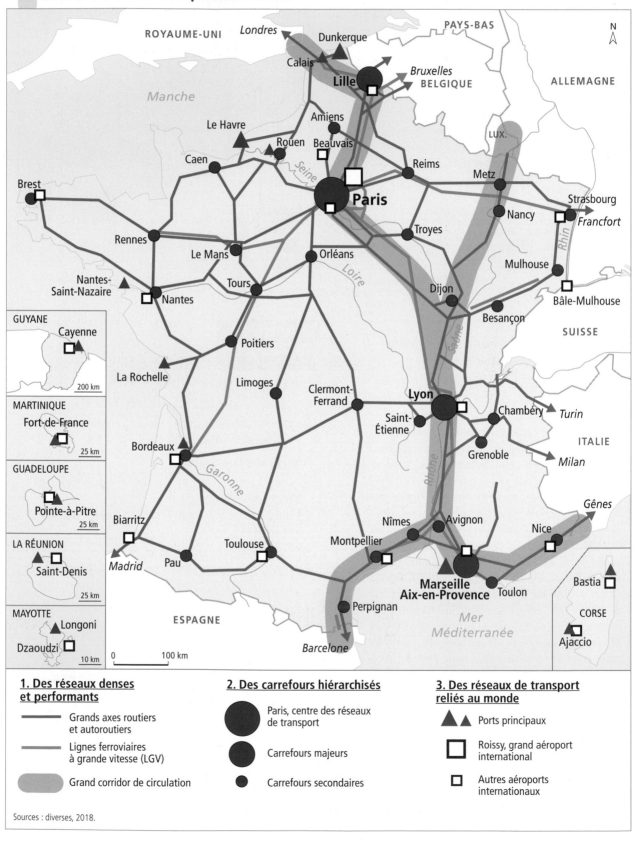

1. Des réseaux denses et performants

—— Grands axes routiers et autoroutiers

—— Lignes ferroviaires à grande vitesse (LGV)

▨ Grand corridor de circulation

2. Des carrefours hiérarchisés

● Paris, centre des réseaux de transport

● Carrefours majeurs

• Carrefours secondaires

3. Des réseaux de transport reliés au monde

▲▲ Ports principaux

☐ Roissy, grand aéroport international

☐ Autres aéroports internationaux

Sources : diverses, 2018.

2 Les mobilités en France

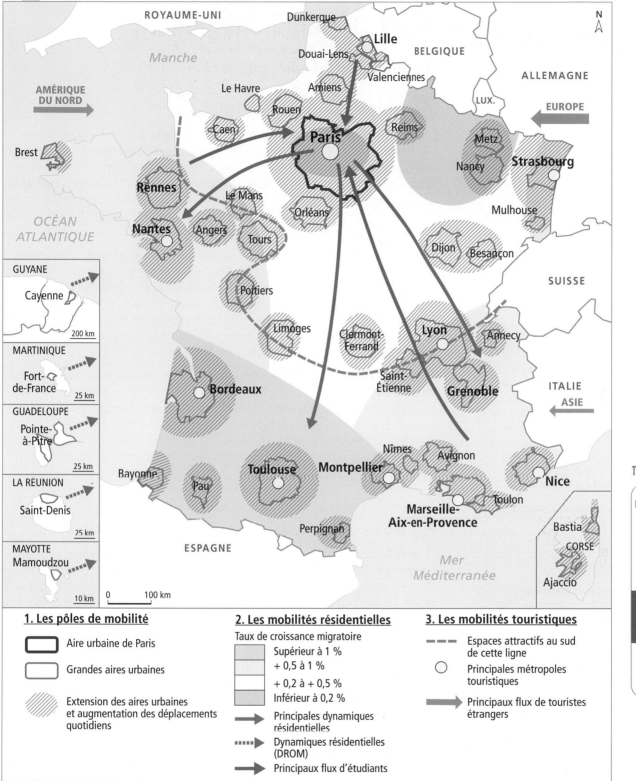

1. Les pôles de mobilité

- [ ] Aire urbaine de Paris
- [ ] Grandes aires urbaines
- ///// Extension des aires urbaines et augmentation des déplacements quotidiens

2. Les mobilités résidentielles

Taux de croissance migratoire
- Supérieur à 1 %
- + 0,5 à 1 %
- + 0,2 à + 0,5 %
- Inférieur à 0,2 %
- → Principales dynamiques résidentielles
- ····▶ Dynamiques résidentielles (DROM)
- → Principaux flux d'étudiants

3. Les mobilités touristiques

- - - - Espaces attractifs au sud de cette ligne
- ○ Principales métropoles touristiques
- → Principaux flux de touristes étrangers

THÈME ❸

SE PRÉPARER ★

MONDE

FRANCE

RÉVISER

Questions

❶ Quel est le territoire qui centralise le plus les réseaux de transport ? **doc. 1**

❷ Quels sont les territoires les mieux couverts par les réseaux de transport ? Quels sont les territoires les moins bien couverts ? **doc. 1**

❸ Quels sont les territoires les mieux intégrés dans l'espace européen et dans le monde ? **doc. 1**

❹ Quelles sont les motifs de mobilités sur le territoire français ? **doc. 2**

❺ Quels sont les espaces les plus attractifs ? **doc. 2**

Cours

+ Podcast du cours

Vocabulaire

▶ **Flux** : volume de marchandises, de personnes, de capitaux ou d'informations en circulation.

▶ **Mobilités pendulaires** : déplacements quotidiens des individus entre leur domicile et leur lieu de travail.

▶ **Multimodalité** : présence de plusieurs moyens de transport.

▶ **Navetteur** : habitant qui effectue des déplacements quotidiens (navettes) entre son domicile et son travail.

▶ **Réseau** : ensemble de voies de communication connectées entre elles et desservant un même territoire.

▶ **Transition écologique** : ensemble des principes et des pratiques ayant comme objectif le développement durable.

Métros et tramways
En nombre de lignes, en 2015

Métros

Rennes	1
Lille	2
Toulouse	2
Marseille	2
Lyon	4
Paris	16

Tramways

Nantes	3
Bordeaux	3
Montpellier	4
Grenoble	5
Lyon	5
Strasbourg	6
Paris	7

Source : Ministère de la Transition écologique et solidaire, 2018.

Notions clés

▶ Mobilité   p. 225

La France : mobilités, transports et enjeux d'aménagement

➡ **Quels sont les enjeux liés aux mobilités ?**

1 Des mobilités multiples

● **En France, les mobilités sont très variées.** Elles sont quotidiennes et régulières entre le domicile et le lieu de travail pour les **navetteurs** (on parle alors de **mobilités pendulaires**) ou plus ponctuelles (pour les loisirs, faire ses achats, rendre visite à des parents ou amis). On compte environ 177 millions de déplacements chaque jour en France, soit en moyenne trois déplacements par personne. Les mobilités peuvent être également saisonnières (vacances) ou bien de longue durée, lors d'un changement de résidence.

● **Les mobilités ont progressé quantitativement et qualitativement à toutes les échelles.** L'augmentation des vitesses et la forte diminution des coûts sont des facteurs de cette évolution. L'urbanisation, en particulier la périurbanisation, la tertiarisation de l'économie et le développement du tourisme (national et international) sont à l'origine de cette hyper-mobilité principalement liée à l'usage de l'automobile. Les distances s'allongent entre résidences et lieux de travail. 75 % des actifs vont travailler en voiture.

● **Les inégalités socio-économiques et territoriales face aux mobilités demeurent.** Certaines populations sont particulièrement mobiles : les étudiants, les jeunes actifs (couples, parents), les retraités (loisirs, tourisme). D'autres sont exclues ou en marge des mobilités, aussi bien dans les campagnes qu'au sein des grandes aires métropolitaines, en raison de l'insuffisance de l'offre de transports. Mais l'accès aux mobilités dépend principalement des revenus des individus.

DOSSIER Les mobilités automobiles ➜ p. 212

2 Des réseaux de transport performants

● **À l'échelle nationale, le maillage des réseaux de transport est dense.** Malgré une configuration centrée sur la capitale, le territoire est bien desservi. La France possède un réseau autoroutier (11 612 km) mais aussi ferroviaire à grande vitesse (2 166 km) parmi les plus denses et performants à l'échelle mondiale. Le réseau aérien est d'importance nationale et internationale, animé par un acteur majeur, Air France-KLM. Les inégalités d'accès aux réseaux numériques et de télécommunications se sont réduites ces dernières décennies grâce aux actions menées par l'État et les collectivités territoriales (régions, départements, communes).

● **La concurrence pour l'accès aux réseaux s'intensifie.** Les populations et les activités investissent les territoires les mieux raccordés aux axes structurants : métropoles, littoraux, espaces frontaliers… Ces territoires privilégiés captent et redistribuent les **flux** (populations, marchandises, informations) à toutes les échelles. La qualité (densité et diversité) de l'offre et les temps de parcours priment sur la distance. La **multimodalité** qui permet de fluidifier les mobilités est recherchée.

● **Les territoires des métropoles sont les plus favorisés.** Certains constituent des carrefours multimodaux à différentes échelles. Les gares (La Part-Dieu à Lyon, gare du Nord à Paris…), les aéroports (Roissy-Charles-de-Gaulle à Paris, Saint-Exupéry à Lyon, Nice-Côte d'Azur…) se situent au sommet de cette hiérarchie. L'offre de moyens de transport y est variée : métros, bus, trains, avions, etc. Les villes petites et moyennes ne disposent pas de cette offre. L'outre-mer bénéficie de liaisons aériennes majoritairement à destination ou en provenance de Paris.

ÉTUDE DE CAS Lyon Part-Dieu : carrefour des mobilités ➜ p. 208
DOSSIER L'aménagement des réseaux numériques ➜ p. 214

3 Des enjeux d'aménagement multiples

● **Les aménagements relatifs aux mobilités sont l'objet de nombreux enjeux.** Les grands projets sont parfois conflictuels (opposition à l'aéroport de Notre-Dame-des-Landes près de Nantes). Le coût économique est souvent très élevé comme dans le cas du Grand Paris Express. Partout, ce sont les mobilités du quotidien qui concentrent toutes les attentes en raison de la congestion des transports en commun ou des axes routiers dans les agglomérations, de la fermeture des lignes secondaires qui desservent les territoires ruraux. Dans le domaine du numérique, le plan France Très Haut Débit a pour but de compenser les disparités territoriales.

● **La France est connectée aux réseaux européens et mondiaux.** Les tunnels du Mont-Blanc et du Fréjus (Alpes), du Somport (Pyrénées) ou sous la Manche permettent de dépasser les contraintes physiques frontalières. L'aéroport de Roissy se situe dans les dix premiers mondiaux juste derrière Londres en Europe. Les grands ports maritimes (Le Havre, Marseille, Dunkerque) constituent des interfaces majeures. Les territoires éloignés d'outre-mer et de Corse restent intégrés grâce aux aides nationales et européennes (lignes avec obligations de service public).

● **Les mobilités et les transports constituent un puissant levier pour la transition écologique.** La réduction des impacts environnementaux (pollutions, congestion, artificialisation…) est la priorité des aménagements présents et à venir. Les transports collectifs (tramway, bus) ou les moyens permettant les mobilités durables ou alternatives sont développés et encouragés (vélo, trottinette électrique…), particulièrement dans les villes.

DOSSIER Les mobilités automobiles → p. 212
GÉO DÉBAT La gratuité des transports en commun → p. 220

Transports intérieurs de voyageurs en %, en 2016

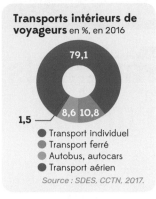

79,1
1,5
8,6 10,8

● Transport individuel
● Transport ferré
● Autobus, autocars
● Transport aérien

Source : SDES, CCTN, 2017.

Les réseaux, en 2016

Routes :
1 103 366 km
dont DROM
10 453 km

Autoroutes :
11 612 km

Voies ferrées :
30 530 km dont
lignes à grande vitesse
(LGV) **2 166 km**

Métros, RER et tramways :
1 659 km dont
Île-de-France **914 km**

Source : Ministère de la Transition écologique et solidaire, 2018.

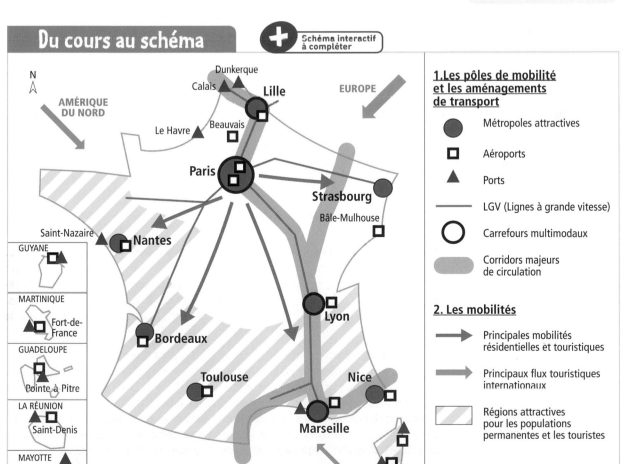

Du cours au schéma

Schéma interactif à compléter

1.Les pôles de mobilité et les aménagements de transport

● Métropoles attractives

☐ Aéroports

▲ Ports

— LGV (Lignes à grande vitesse)

○ Carrefours multimodaux

▬ Corridors majeurs de circulation

2. Les mobilités

→ Principales mobilités résidentielles et touristiques

→ Principaux flux touristiques internationaux

▨ Régions attractives pour les populations permanentes et les touristes

THÈME ❸

SE PRÉPARER ★

MONDE 🌐

FRANCE

RÉVISER

Transports en commun : la gratuité pour tous est-elle possible ?

vivre à
niort
magazine municipal d'information • www.vivre-a-niort.com
septembre 2017 - #269

la navette

GRATUITÉ
DES BUS
À CHACUN SA LIBERTÉ !
P.12

1 Magazine municipal d'information, septembre 2017

Depuis septembre 2017, l'accès aux bus est gratuit sur le territoire de l'Agglomération de Niort. L'offre est étendue à la location de vélos, ainsi qu'à un service de covoiturage.

2 La gratuité, un choix politique en vogue

On dénombre aujourd'hui en France 36 réseaux de gratuité totale des transports collectifs : en 2018 la communauté urbaine de Dunkerque, l'année dernière à Niort, en 2009 l'expérience d'Aubagne, et auparavant la ville de Châteauroux en 2001, ou encore, pour la première agglomération française, citons aussi Compiègne dès 1975.

Le passage aux transports collectifs gratuits est avant tout une mesure politique, qui répond à des enjeux territoriaux variés. Ça peut être par exemple, dans le cas de Dunkerque, la redynamisation du centre-ville. Ça peut être de lutter contre la pollution atmosphérique, d'enjeux sociaux, de pouvoir d'achat ; de gain de pouvoir d'achat pour la population. Et puis ça peut être tout simplement pour ouvrir le réseau au maximum d'usagers possible, pour rendre le réseau beaucoup plus utile socialement, et même, quelque part, économiquement.

Maxime Huré, « Pourquoi la gratuité des transports collectifs gagne-t-elle du terrain ? », Forum Vies Mobiles - Préparer la transition mobilitaire [en ligne], 26 juin 2018.

3 L'exemple de Gaillac

Parole d'acteur

La ville d'aujourd'hui et de demain doit s'adapter et répondre aux évolutions urbaines et sociétales, aux nouveaux modes de vie et engager sa responsabilité environnementale. Au cœur de ces enjeux, l'usager est le centre de la réflexion. Aspects économiques, services innovants, accessibilité aux modes de transport, alternatives à la voiture, intermodalité[1] nourrissent le plan de mobilité. *Gaillac happy mobilité* c'est : une mobilité gratuite, une mobilité durable, un plan « happy usagers » et un projet urbain de ville mobile. Engagée dans la démarche « Nature en ville » et « ville zéro pesticides », labellisée 3 fleurs, Gaillac donne à chacune de ses actions une coloration écologique et durable. La réduction de la place de la voiture est l'un des axes de cette politique de transport durable, avec le développement des déplacements doux et l'intégration dans son parc de bus d'un véhicule 100% propre. La gratuité totale des transports et stationnements crée du lien social et facilite l'accès en autonomie aux services et commerces de proximité, notamment pour les personnes âgées.

Ville de Gaillac [en ligne], 2019 (fichier réalisé en 2016).

1 Connexion entre différents modes de transport changement de mode de transport.

4 Les transports en commun gratuits en 2018

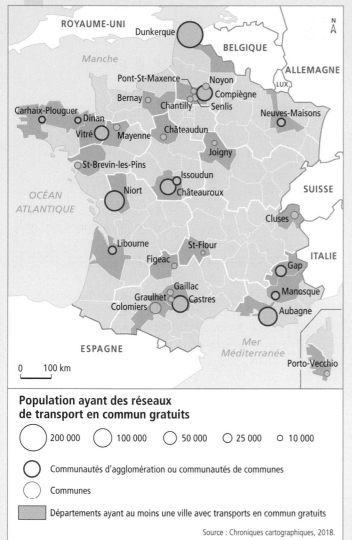

Population ayant des réseaux de transport en commun gratuits

- ◯ 200 000
- ◯ 100 000
- ◯ 50 000
- ◯ 25 000
- ◦ 10 000

◯ Communautés d'agglomération ou communautés de communes

◯ Communes

▨ Départements ayant au moins une ville avec transports en commun gratuits

Source : Chroniques cartographiques, 2018.

5 La Fédération nationale des usagers des transports publics

Parole d'acteur

La gratuité n'est pas nécessaire. On peut augmenter fortement la fréquentation en améliorant l'offre (priorités de circulation, fréquences renforcées) ; en réduisant l'espace accessible à la voiture et en augmentant le coût du stationnement ; ou encore, comme à l'étranger, en introduisant le péage urbain. Lyon détient un double record : les tarifs les plus élevés de France et la fréquentation la plus élevée de France (hors Île-de-France) : 320 voyages par an et par habitant. Inversement, à Aubagne et à Niort, la fréquentation (environ 55 voyages) reste inférieure à la moyenne (environ 70 voyages) observée dans les agglomérations de populations comparables (un peu plus de 100 000 habitants) malgré la gratuité (à Angoulême, Arras, Bourges : environ 90 voyages).

La FNAUT est hostile à la gratuité pour tous mais favorable à la gratuité pour ceux qui en ont besoin. La gratuité pour tous attire les captifs, les piétons et les cyclistes mais elle n'est pas suffisante pour attirer massivement les automobilistes. Seule l'amélioration de l'offre (vitesse commerciale, fréquence, confort) et les mesures de restriction du trafic individuel peuvent les inciter à changer de comportement.

FNAUT (Fédération nationale des usagers des transports publics), [en ligne], 2018.

6 Transports gratuits : l'exemple de Dunkerque

L'agglomération de Dunkerque (200 000 habitants) est devenue la plus grande collectivité d'Europe à instaurer le bus gratuit pour tous dès le 1er septembre 2018.

Coût
- › 65 millions d'euros de travaux (payés par le versement transport [VT] : taxe sur les entreprises)
- › 4,5 millions d'euros par an de manque à gagner sur la billetterie (10 % du budget global)

Fréquentation
- › + 29 % le samedi
- + 78 % le dimanche

(Test réalisé chaque week-end pendant 2 ans)

Transports gratuits
- › 110 collectivités dans le monde
- › Dont 31 en France = 1er pays européen
- › 39 aux États-Unis

Source : d'après une infographie de la Charente Libre, 2018.

Géo DÉBAT — Transports en commun : la gratuité pour tous est-elle possible ?

ÉTAPE 1 — Comprendre et préparer le débat

1. Montrez que la gratuité des transports est un choix de mobilité qui se développe. **doc. 1, 2, 3 et 6**
2. Dans quelles villes (taille, répartition) les transports en commun gratuits se développent-ils ? **doc. 2, 3 et 6**
3. Pour quelles raisons les collectivités ont-elles adopté la gratuité ? **doc. 3**
4. Quels sont les effets de la gratuité des transports en commun ? **doc. 2, 3, 5 et 6**

ÉTAPE 2 — Participer au débat

Conseils

▶ Écoutez et respectez la parole des autres.
▶ Pour convaincre, il est important de s'appuyer sur des exemples précis (localisés, datés, chiffrés).
▶ Ne lisez pas vos notes et présentez vos arguments en regardant vos auditeurs. Relisez vos notes avant de prendre la parole.

5. Avant le débat, prélevez les arguments des différents acteurs. **doc. 3, 5 et 6** Reportez-les dans le tableau.
6. Avant le débat, en prenant appui sur les documents et votre point de vue personnel, notez vos arguments dans le tableau.
7. Pendant le débat, notez les arguments des autres élèves.

	La gratuité des transports en commun pour tous est possible	La gratuité des transports en commun pour tous n'est pas possible
Arguments des acteurs	• • •	• • •
Mes arguments	• • •	• • •
Arguments des autres élèves	• • •	• • •

+ Tableau à imprimer

+ Vidéo

Extrait du journal télévisé, France 2, 1er septembre 2018.

ÉTAPE 3 — Conclure le débat

8. À la suite du débat en classe, exprimez votre point de vue personnel et argumenté sur la gratuité des transports en commun pour tous.
9. Les arguments échangés lors du débat vous ont-ils amené-e à revoir votre position de départ ? Expliquez pourquoi.

Des mobilités généralisées

RÉVISER & APPROFONDIR

Des touristes asiatiques se photographient devant le musée du Louvre à Paris, en 2018.

SYNTHÈSE

→ THÈME ❸ Des mobilités généralisées

 Podcast de la synthèse

1 La diversité des mobilités

● **Le XXIᵉ siècle est le siècle de l'intensité des mobilités.** Chaque jour des centaines de millions d'individus se déplacent, à toutes les échelles : locales, régionales, internationales. Tous les espaces sont concernés ; pays en développement, pays développés, France métropolitaine et ultramarine…

● **Les motifs de ces mobilités sont nombreux.** Au quotidien, les individus se déplacent pour se rendre sur leur lieu de travail. L'exode rural concerne les pays en développement. De manière saisonnière, certains se déplacent sur des distances plus longues, à des fins récréatives (tourisme).

2 Migrations et mobilités touristiques internationales

● **Les migrations de population s'intensifient.** En 2017, 258 millions de personnes vivaient dans un autre pays que celui dans lequel elles sont nées. Le phénomène est planétaire mais les migrations sont majoritairement régionales.

● **Les mobilités touristiques internationales sont en plein essor.** En 2017, on comptait 1,3 milliard de touristes internationaux dans le monde. Les destinations importantes se sont multipliées mais l'Europe concentre encore plus de la moitié des arrivées touristiques.

3 Mobilités, transports et enjeux d'aménagement

● **Les mobilités contribuent à l'aménagement des territoires.** Les infrastructures de communication (aéroports), d'accueil (hôtels) et de loisirs (parcs d'attraction) sont déterminantes dans l'intensification des flux.

● **La transition est en cours vers des mobilités plus durables.** L'accroissement des mobilités provoque des nuisances importantes (saturation des réseaux, pollutions, émissions de gaz à effet de serre…). Les pouvoirs publics valorisent de plus en plus les mobilités durables, notamment dans les villes (transports en commun « propres », véhicules électriques, location de vélos…).

Notions clés

▶ Mobilité p. 225
▶ Migration p. 226
▶ Tourisme p. 227

Chiffres clés

▶ **258** millions de migrants internationaux (2017), soit **3,5** % de la population mondiale

▶ **642** milliards de dollars de remises (2017)

▶ **1,3** milliard de touristes internationaux (2017)

▶ **Europe, 1ʳᵉ destination touristique mondiale (51** % du total des arrivées internationales)

▶ **Poids économique du tourisme : 10** % du PIB mondial

Pour approfondir

 BD

● *Migrant*,
de Eoin Colfer, Andrew Donkin et Giovanni Rigano, Hachette, 2017.

 Musée

PALAIS DE LA PORTE DORÉE
MUSÉE DE L'HISTOIRE DE L'IMMIGRATION

● **Musée national de l'histoire de l'immigration**
Palais de la Porte Dorée (Paris 12ᵉ)
www.histoire-immigration.fr

 **Film, vidéos**

WELCOME

● *Welcome*,
de Philippe Lioret, 2009.

● *Le Dessous des cartes*, Arte TV,
« Les nouvelles frontières du tourisme »,
émission du 3 septembre 2016.

● *Le Monde*, capsule vidéo,
« Migrants : la crise européenne expliquée en cartes », 2015.

MOBILITÉ

 Schéma interactif

■ En géographie, la mobilité est l'ensemble des déplacements de personnes qui entraîne un changement de résidence (migration économique ou politique, changement de logement...) ou non (mobilité quotidienne, touristique).

■ Les mobilités sont dépendantes des moyens et des infrastructures de transport : véhicules particuliers, transports en commun, transports aériens.

Les mobilités rendent compte des inégalités socio-économiques et territoriales : tout le monde n'a pas les moyens de se déplacer et tous les territoires ne sont pas concernés de la même manière par ces mobilités.

Échelle locale
› Prendre les transports en commun
› Faire ses achats
› Effectuer une excursion d'une journée à la campagne

Échelles régionale et nationale
› Faire un circuit touristique
› Changer de résidence principale
› Quitter la campagne pour s'installer en ville (exode rural)

Échelle internationale
› Faire ses études à l'étranger pendant un an
› Tourisme international
› Migration définitive

Schéma interactif

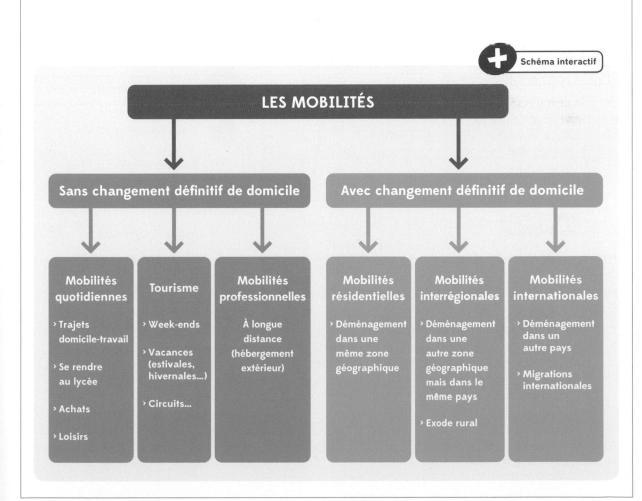

LES MOBILITÉS

Sans changement définitif de domicile

Avec changement définitif de domicile

Mobilités quotidiennes
› Trajets domicile-travail
› Se rendre au lycée
› Achats
› Loisirs

Tourisme
› Week-ends
› Vacances (estivales, hivernales...)
› Circuits...

Mobilités professionnelles
À longue distance (hébergement extérieur)

Mobilités résidentielles
› Déménagement dans une même zone géographique

Mobilités interrégionales
› Déménagement dans une autre zone géographique mais dans le même pays
› Exode rural

Mobilités internationales
› Déménagement dans un autre pays
› Migrations internationales

THÈME ③

SE PRÉPARER ★

MONDE

FRANCE

RÉVISER

MIGRATION

▪ La migration est un déplacement d'individus quittant (plus ou moins) durablement leur région d'origine pour une autre région. Lorsque cette migration s'effectue au sein du même pays, on parle de migration intérieure (exode rural, changement de résidence...). Lorsque cette migration s'effectue du pays d'origine (émigration) vers un autre pays (immigration) on parle de migration internationale.

▪ Les individus peuvent être déplacés de manière forcée (guerre, pauvreté, persécutions...) ou migrer de manière volontaire pour leurs activités professionnelles (expatriés) ou lors de leur retraite. Le dérèglement climatique peut également occasionner le déplacement de populations en raison de catastrophes (désertification, inondations...). On parle alors de déplacés ou de migrants climatiques (ou environnementaux).

▪ Les migrations peuvent être facilitées au moyen de politiques publiques d'ouverture (besoin de main-d'œuvre) ou limitées (contrôle aux frontières, construction de murs...).

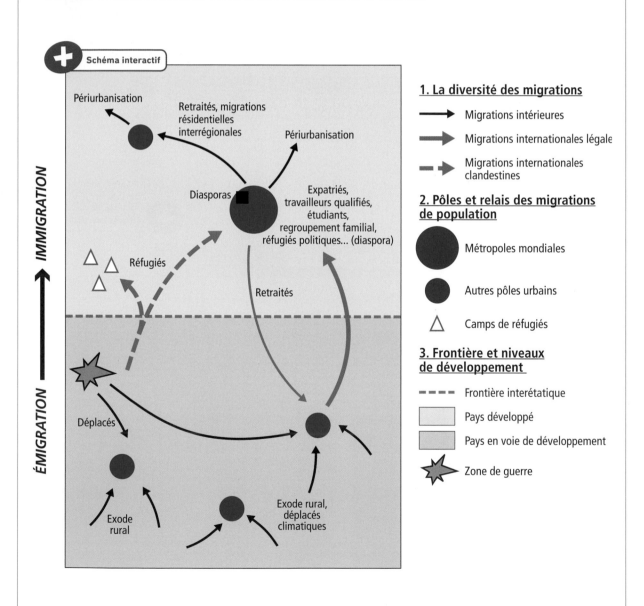

Schéma interactif

1. La diversité des migrations

→ Migrations intérieures

➡ Migrations internationales légale

⇢ Migrations internationales clandestines

2. Pôles et relais des migrations de population

⬤ Métropoles mondiales

● Autres pôles urbains

△ Camps de réfugiés

3. Frontière et niveaux de développement

---- Frontière interétatique

▢ Pays développé

▢ Pays en voie de développement

✦ Zone de guerre

IMMIGRATION

ÉMIGRATION

Périurbanisation

Retraités, migrations résidentielles interrégionales

Périurbanisation

Diasporas

Expatriés, travailleurs qualifiés, étudiants, regroupement familial, réfugiés politiques... (diaspora)

Réfugiés

Retraités

Déplacés

Exode rural

Exode rural, déplacés climatiques

Le tourisme rassemble l'ensemble des activités réalisées par les personnes au cours de leurs voyages et séjours dans des lieux situés en dehors de leur espace quotidien habituel à des fins de loisirs (vacances, visite familiale...), pour affaires (congrès...) et autres motifs (pèlerinage...), pour une durée supérieure à 24 heures et inférieure à une année.

Le tourisme implique des mobilités touristiques, c'est-à-dire des déplacements d'individus de court ou de long terme, à petite ou grande distance. De nombreux acteurs contribuent à l'intensification de ces mobilités : agences de voyage, chaînes hôtelières, compagnies aériennes...

On peut distinguer le tourisme intérieur, effectué à l'intérieur même de son propre pays, du tourisme international, lorsque les touristes traversent une frontière et passent du temps dans un autre pays que le leur. On peut aussi distinguer le tourisme de séjour (logique d'installation) du tourisme de circuit (logique de circulation).

+ Schéma interactif

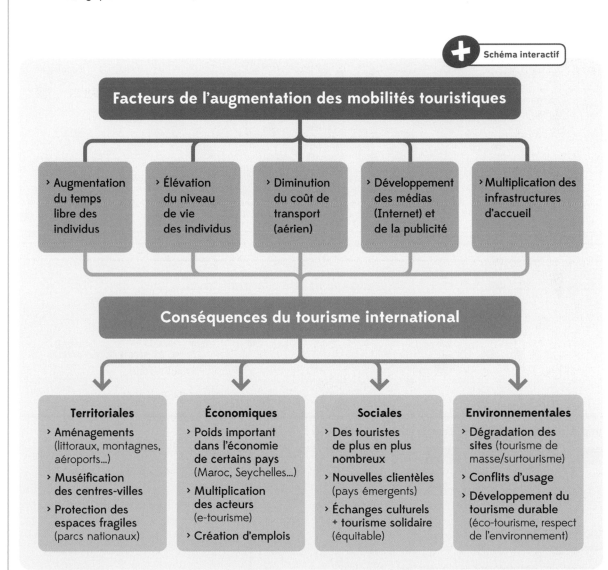

Facteurs de l'augmentation des mobilités touristiques

- › Augmentation du temps libre des individus
- › Élévation du niveau de vie des individus
- › Diminution du coût de transport (aérien)
- › Développement des médias (Internet) et de la publicité
- › Multiplication des infrastructures d'accueil

Conséquences du tourisme international

Territoriales
- › Aménagements (littoraux, montagnes, aéroports...)
- › Muséification des centres-villes
- › Protection des espaces fragiles (parcs nationaux)

Économiques
- › Poids important dans l'économie de certains pays (Maroc, Seychelles...)
- › Multiplication des acteurs (e-tourisme)
- › Création d'emplois

Sociales
- › Des touristes de plus en plus nombreux
- › Nouvelles clientèles (pays émergents)
- › Échanges culturels + tourisme solidaire (équitable)

Environnementales
- › Dégradation des sites (tourisme de masse/surtourisme)
- › Conflits d'usage
- › Développement du tourisme durable (éco-tourisme, respect de l'environnement)

THÈME **3**

SE PRÉPARER
★

MONDE

FRANCE

RÉVISER

EXERCICES

1 **Vérifier ses connaissances**

Exercices interactifs

> Retrouvez des exercices interactifs pour tester vos connaissances sur le thème 3.

2 **Analyser une carte**

Les demandeurs d'asile dans l'UE entre 2010 et 2015

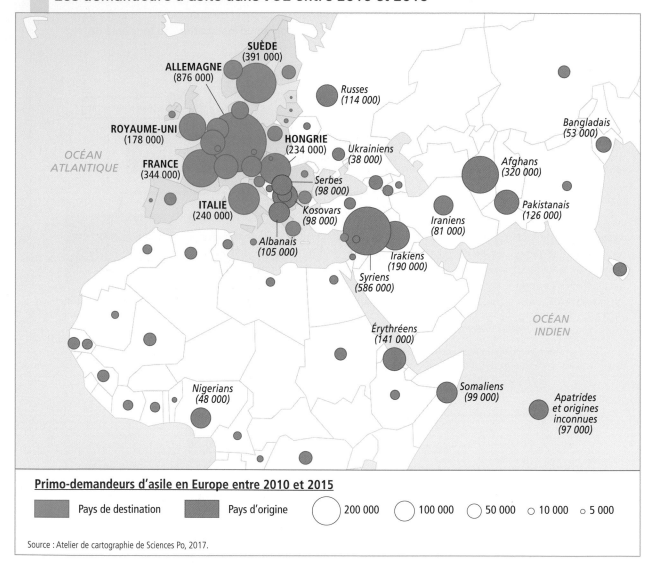

SUÈDE (391 000)

ALLEMAGNE (876 000)

Russes (114 000)

ROYAUME-UNI (178 000)

Bangladais (53 000)

OCÉAN ATLANTIQUE

HONGRIE (234 000)

Ukrainiens (38 000)

Afghans (320 000)

FRANCE (344 000)

Serbes (98 000)

ITALIE (240 000)

Kosovars (98 000)

Iraniens (81 000)

Pakistanais (126 000)

Albanais (105 000)

Irakiens (190 000)

Syriens (586 000)

OCÉAN INDIEN

Érythréens (141 000)

Nigerians (48 000)

Somaliens (99 000)

Apatrides et origines inconnues (97 000)

Primo-demandeurs d'asile en Europe entre 2010 et 2015

Pays de destination   Pays d'origine   200 000   100 000   50 000   10 000   5 000

Source : Atelier de cartographie de Sciences Po, 2017.

Questions

1 Quelles sont les informations représentées sur la carte ?

2 Définissez ce qu'est un demandeur d'asile.

3 Identifiez les régions d'origine et les principaux pays d'accueil des demandeurs d'asile.

4 À l'aide de vos connaissances, expliquez les causes à l'origine d'une demande d'asile.

③ Confronter deux documents : lieux de résidence et mobilités en France

① La mobilité dans les espaces ruraux

Aujourd'hui, trois-quarts des Français vivent dans une commune dans laquelle ils ne travaillent pas. Pour beaucoup de Français, la dissociation accrue entre les lieux de résidence et de travail est un facteur majeur de mobilités subies. La distance moyenne parcourue en voiture par les Français au quotidien a été multipliée par 6 au cours des quarante dernières années. […] L'espace rural est le plus souvent affecté par des handicaps de mobilité : l'éloignement par rapport aux centres urbains, une distance-temps aggravée par certaines conditions de transport et une offre de transport peu diversifiée. La voiture y est donc omniprésente. Elle permet d'assurer 93 % des trajets (contre 87 % en moyenne en France et 80 % dans les agglomérations de plus de 100 000 habitants). Or, 10 % des foyers situés en zone rurale ne possèdent pas de voiture. En outre, c'est en campagne que les situations d'isolement sont les plus fréquentes et sont aggravées par la pauvreté. Pour certains, l'accès à la mobilité devient un luxe inaccessible.

S. Dubois et K. Sutton (dir.), *La France, Géographies d'un pays qui se réinvente*, Bréal, 2018.

② Les mobilités en Île-de-France

	Paris intramuros	Communes franciliennes hors agglomération parisienne, non ou mal desservies par les transports en commun	Île-de-France
Distance moyenne quotidienne parcourue tous modes confondus (km)	13 km	57 km	27,7 km
Taux d'utilisation des transports en commun (%)	66 %	14 %	54 % des femmes 41 % des hommes
Taux d'utilisation de la voiture (%)	25 %	86 %	nd.
Temps de déplacement en transports en commun	90 mn	180 mn	115 mn
Temps de déplacement en voiture	40 mn	140 mn	nd.

Source : Institut d'Aménagement et d'Urbanisme d'Île-de-France, mai 2017.

Nd. : données non disponibles.

THÈME ③
SE PRÉPARER
★
MONDE

FRANCE
RÉVISER

Questions

❶ Quel est le mode de transport dominant en France ? Pour quelles raisons ? Quelle est la situation des transports dans les espaces ruraux ?

❷ Analysez et comparez les données concernant les modes de transport et les temps de déplacement à Paris et en Île-de-France. Quels sont les avantages et les inconvénients des transports en commun ? Dans quels lieux sont-ils les plus utilisés ?

❸ En confrontant les deux documents, montrez que :
– le lieu de résidence influe sur les mobilités ;
– les mobilités sont socialement sélectives.

④ Approfondir ses connaissances
 Exercice d'approfondissement

Analysez un article de presse : « Immigration, un débat biaisé », *Le Monde diplomatique*, novembre 2018.

→ Réaliser un tableau de synthèse

Le tableau de synthèse est un outil permettant de retravailler un cours sans se contenter de le lire. Réaliser un tableau de synthèse au fur et à mesure de l'avancée du cours est déjà une démarche de mémorisation.

ÉTAPE 1 ▸ Préparer son tableau de synthèse

- Identifiez les thèmes des colonnes qui serviront à classer les différents éléments du cours (plan du cours, mots clés, définitions, exemples… voir exemple proposé ci-dessous).

Conseil

- Pour qu'il soit plus facile à compléter, réalisez votre tableau sur une feuille au format paysage.

Parties / plan du cours	Vocabulaire et notions à connaître	Informations à retenir	Exemples concrets + pages du manuel à relire

ÉTAPE 2 ▸ Compléter son tableau de synthèse

- Lisez votre cours attentivement.
- Triez, classez, hiérarchisez les informations importantes de votre cours en complétant le tableau de synthèse au fur et à mesure de l'avancée du cours.

Conseil

- Il s'agit d'un résumé : faites des phrases courtes !
- Soyez précis et veillez à expliquer si nécessaire.

Parties / plan du cours	Vocabulaire et notions à connaître	Informations à retenir	Exemples concrets + pages du manuel à relire
1. Un phénomène migratoire planétaire	• Migration • Migrant • Clandestin • Diaspora	• Au total : 258 millions de migrants, 3,5 % de la pop. mondiale • Phénomène important des mobilités internationales • Différentes causes pour les migrations : → économiques → politiques	→ Venezuela : crise éco + politique : des milliers de Vénézuéliens cherchent à passer la frontière vers la Colombie → Myanmar, peuple des Rohingyas (musulmans) qui fuit les persécutions
2. Des flux entre mondialisation et régionalisation	…	…	Revoir carte p. 196-197 : • foyers émetteurs • foyers récepteurs

APPRENDRE › à lire une carte

→ Les figurés linéaires

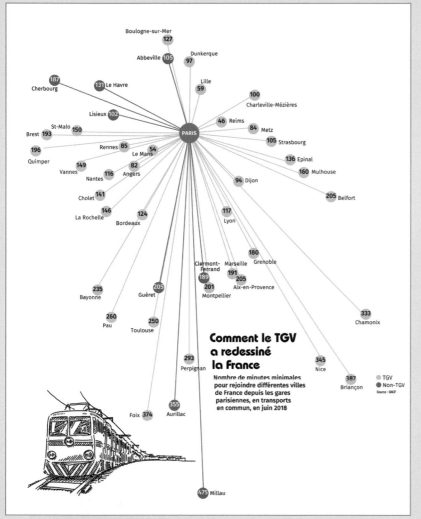

La France pressée

Carte issue du dossier « La France comme vous ne l'avez jamais vue »,
Alternatives Économiques, n° 381, juillet-août 2018.

Info Carto

▸ La taille, la forme et la couleur des lignes

- Les lignes représentent les relations entre deux lieux connectés dans un réseau.
- Elles se distinguent par :
  – leurs formes (pleines ou pointillées) ;
  – leurs couleurs.
- Leurs longueurs montrent un espacement entre des lieux.
  Exemples :
  – distance kilométrique,
  – distance-temps
- Leurs épaisseurs quantifient les relations.
  Exemples :
  – nombre de passagers
  – volume de marchandises

▸ Le fond de carte

- Il constitue un arrière-plan de la carte avec des limites de territoires, des lignes et des points qui peut ensuite être complété par d'autres informations.

THÈME ❸

SE PRÉPARER

MONDE

FRANCE

RÉVISER

Exercice d'application

❶ Quel est le territoire représenté par cette carte ? Quelle est son échelle ?

❷ Existe-t-il un fond de carte ? Quel est l'intérêt de sa présence ou de son absence ?

❸ Les lignes représentées sur la carte se distinguent-elles par leurs formes et leurs couleurs ?

❹ Les longueurs des lignes ont-elles un sens sur cette carte ?

❺ Existe-t-il une différence entre l'épaisseur des différentes lignes de cette carte ? Pourquoi ?

Vocabulaire

▸ **Réseau :** → voir p. 218.

MÉTHODE → Extraire et mettre en relation les informations

SUJET

Le TGV, facteur de dynamisme des métropoles en France

Consigne : À partir de l'analyse et la confrontation des documents, vous vous interrogerez sur l'impact du TGV sur les territoires en France. Vous déterminerez les atouts et les enjeux économiques du TGV pour les métropoles françaises, puis vous expliquerez le rôle du TGV dans l'insertion européenne des territoires.

Retrouvez des sujets de BAC et des méthodes actualisés régulièrement sur le site
→ **lyceen.nathan.fr/geo2de-2019**

1 Temps de trajet en TGV à partir de Paris en 2000 et en 2017

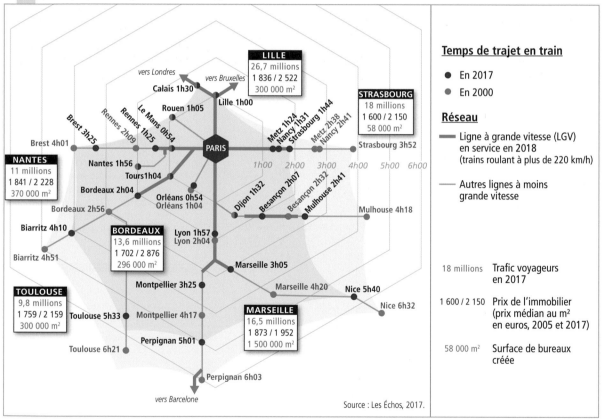

Source : Les Échos, 2017.

Depuis son lancement en décembre 2013, le TGV a transporté 3,4 millions de passagers entre Montpellier, Barcelone, Girone, Figueres, Madrid et Saragosse. « Montpellier s'est positionné depuis l'année dernière comme la deuxième ville émettrice et réceptrice en France, après Paris. Montpellier est l'étoile montante de nos destinations en Espagne et notamment à Barcelone et la Costa Brava. L'an dernier, le nombre de trajets vers l'Espagne a connu une croissance de 14 % », a relevé Yann Monod, le directeur général de la coopération Renfe-SNCF. [...] 75 % des voyageurs des TGV en provenance d'Espagne et qui débarquent en gare SNCF Saint-Roch, à Montpellier viennent de Barcelone. [...] « Les nouvelles lignes et gares TGV de Montpellier, et de Manduel, dans le Gard, représentent un formidable atout pour l'attractivité de nos territoires et pour booster le commerce, l'économie, le tourisme », souligne le maire de Montpellier, notant que le délai du trajet entre Montpellier et Barcelone est de 2 h 52, moins de 2 h pour la Costa Brava.

Jean-Marc Aubert, « Renfe-SNCF vers l'Espagne : Montpellier "étoile montante" du TGV », *Métropolitain*, mars 2018.

Méthode

1 Analyser le sujet

→ **Définir les termes de la consigne**

1. Définissez : *TGV*, *métropole*.

→ **Analyser l'énoncé de la consigne**

2. Recherchez le sens des mots clés de la consigne.
3. Quel plan est suggéré par la consigne ?

Conseil DU PROF

● Reportez-vous au lexique p. 304 pour retrouver la définition des termes géographiques.

2 Analyser les documents

→ **Identifier les documents**

4. Indiquez la nature et la source des documents.
5. Quel est le thème commun aux deux documents ?

→ **Extraire et mettre en relation les informations**

● Relever dans les documents les informations en rapport avec la consigne.

● Confronter les documents et comparer les informations :
– Elles peuvent être complémentaires, les unes permettant d'expliquer les autres ;
– Elles peuvent être contradictoires et permettre de nuancer les idées.

6. Relevez les informations permettant de répondre aux différentes parties de la consigne et complétez le tableau :

	Document 1	Document 2
Partie ❶	Réseau en étoile autour de Paris…	Nouvelles lignes et nouvelles gares à Montpellier…
Partie ❷	Temps de trajets raccourcis…	Attractivité du territoire…

Conseil DU PROF

● Relevez les informations dans un tableau afin de pouvoir plus facilement les confronter. Ce travail s'effectue au brouillon.

→ **Expliquer les informations à l'aide des connaissances**

7. À l'aide du cours p. 218, des cartes p. 216-217 et l'étude de cas p. 208 :
– Indiquez la longueur du réseau TGV en France.
– Montrez que les réseaux de transports favorisent ou mettent en concurrence des territoires.
– Montrez que le TGV permet de connecter les territoires aux réseaux de transports mondiaux.

8. Confrontez les informations des documents :
– À quelles échelles géographiques se situent les enjeux du TGV ?
– Quel éclairage le document 1 apporte-t-il au document 2 ?

3 Répondre au sujet

→ **Rédiger une introduction**

9. Présentez les documents en les mettant en relation avec le sujet et annoncez le plan.

Exemple : Les documents proposés (nature des documents, source) permet d'aborder la problématique des enjeux liés au réseau du train à grande vitesse en France.
L'analyse des documents montre que ces enjeux se situent à différentes échelles. Nous verrons que le réseau du TGV irrigue le territoire national, puis que son développement constitue un enjeu pour les métropoles et enfin que le TGV permet l'insertion européenne des territoires.

→ **Rédiger la réponse au sujet**

10. Rédigez la réponse au sujet en suivant le plan annoncé dans la consigne.

→ **Rédiger une conclusion**

11. Pour conclure, faites un bilan de votre étude.

THÈME ❸

SE PRÉPARER

MONDE

FRANCE

RÉVISER

MÉTHODE → Représenter les informations par des figurés

SUJET
Les migrations internationales : espaces, flux et enjeux

Les migrations internationales : espaces, flux et enjeux

Les espaces migratoires sont mondialisés

Les migrations de populations sont un phénomène mondial. Selon l'ONU, 258 millions de personnes résidaient en dehors de leur pays en 2018. Les pays les plus riches, au niveau de vie élevé, sont les plus attractifs. L'Europe et l'Amérique du Nord sont les deux plus importantes régions d'accueil, mais de nouveaux foyers récepteurs émergent comme l'Arabie saoudite qui est devenu le 2e pays du monde en nombre d'immigrants. L'Australie, l'Afrique du Sud et la Russie constituent des régions d'arrivée secondaires. Les principaux foyers émetteurs sont les régions en développement du Sud : l'Asie du Sud-Est, l'Asie du Sud, l'Amérique centrale et andine, l'Afrique du Nord ainsi que l'Afrique occidentale et orientale.

Les migrations constituent un réseau à différentes échelles

Les flux migratoires internationaux s'observent à l'échelle intercontinentale de l'Amérique latine, l'Afrique, l'Asie du Sud vers l'Europe, ou encore de l'Asie et de l'Amérique latine vers l'Amérique du Nord. Toutefois, les migrations intracontinentales représentent la majorité des flux migratoires : en Europe, 67 % des migrants sont européens, en Afrique 53 % sont africains, en Asie 60 % sont asiatiques. En Amérique du Nord 59 % des migrants proviennent des pays du continent américain.

Les migrations sont au cœur de nouveaux enjeux

De plus en plus de migrants sont des personnes déplacées en raison de crises frappant leur pays. Les personnes fuyant la guerre ou les persécutions en Syrie, en Afghanistan, au Soudan du Sud, en Éthiopie, au Myanmar sont recueillies dans des camps de réfugiés. Par ailleurs, avec le dérèglement du climat et la multiplication des catastrophes naturelles, de nombreuses régions sont concernées par les déplacements climatiques en Asie (Bangladesh, Cambodge, Indonésie) et en Afrique (Tchad, Niger, Soudan du Sud). L'afflux de réfugiés dans les pays développés les plus riches provoque souvent des tensions avec les populations locales. Face à ces situations, certains États durcissent le contrôle de l'immigration et instaurent des politiques migratoires restrictives pouvant aller jusqu'à la fermeture des frontières : migration sélective en Australie, dispositif Frontex en Méditerranée entre l'Union européenne et les pays du Sud, mur entre les États-Unis et le Mexique.

+ Fond de carte

Thèmes principaux indiquant les parties du plan de la légende du croquis

Les lieux concernés par le sujet

Informations à représenter sur le croquis

Retrouvez des sujets de BAC et des méthodes actualisés régulièrement sur le site
→ lyceen.nathan.fr/geo2de-2019

Méthode

Guide de travail

1 Déterminer l'objectif du croquis

→ **Analyser les termes du sujet**

1. Quel est le thème principal du sujet ?
2. Quels aspects de ce thème le croquis devra-t-il montrer ?

2 Relever les informations dans le texte

→ **Identifier les informations cartographiables** (faits, phénomènes géographiques ou spatiaux)

• Relever uniquement les informations en rapport avec le sujet du texte

3. Quelle aide les titres des parties donnent-ils pour sélectionner les informations ?
Montrez que les informations sélectionnées dans les paragraphes 2 et 3 correspondent au sujet.

4. Dans le paragraphe 1 du texte, relevez les trois informations permettant de définir les trois catégories d'espaces migratoires.

3 Passer du texte à la légende du croquis

→ **Classer les informations dans la légende**

5. À l'aide du travail effectué sur le texte, classez les informations dans une légende en suivant le plan annoncé dans le texte du sujet.

→ **Représenter les informations par des figurés**

• Les figurés sont des symboles permettant de différencier les informations.
• Rechercher la cohérence des figurés pour représenter et hiérarchiser les informations.
• Utiliser toujours des figurés abstraits. Ne pas dessiner des pictogrammes pour représenter des faits ponctuels (avion pour aéroport, bateau pour ports...).

6. Sur un brouillon, reproduisez et complétez le tableau suivant :

Informations à représenter	Type de figuré	Couleur
Les trois catégories d'espaces migratoires	(3 figurés)	
Flux migratoires internationaux		
Migrations intracontinentales		
Camps de réfugiés		
Région concernée par les déplacements climatiques		
Fermeture des frontières		

Conseil DU PROF

• Utilisez :
– des aplats de couleurs ou des hachures pour les phénomènes étendus en surface.
– des figurés ponctuels et des figurés géométriques pour des phénomènes ou des lieux précis.
– des figurés linéaires pour des limites ou des réseaux de communication.
– des flèches pour des dynamiques ou des flux.
– faites varier la taille et la couleur des figurés pour hiérarchiser les phénomènes.

4 Réaliser le croquis

7. Sur le fond de carte fourni :
• Dessinez les figurés choisis.
• Indiquez le nom des lieux (nomenclature).
• Recopiez sous le croquis la légende complétée.
• Donnez un titre au croquis en reprenant celui du texte.

THÈME **3**

SE PRÉPARER
★

MONDE
🌐

FRANCE

RÉVISER

SUJET

| Terme à définir. Quels types de mobilités ? | | Idée de changement, de transition, d'évolution. Dans quels domaines ? |

→ Comment les mobilités reflètent-elles les mutations économiques et démographiques, les crises et les disparités de développement dans le monde ?

| Quels types de crises ? Guerres, persécutions, famines, crises climatiques… | À définir. Inégalités, pays développés / en développement. | Ces termes se rapportent aux mutations, crises et disparités. Ce n'est pas l'échelle du sujet. |

À quelle échelle ?

Méthode

Guide de travail

1 Analyser le sujet

→ **Définir les mots clés du sujet, l'échelle ou l'espace concerné par l'étude**

1. Analysez l'énoncé du sujet en vous aidant des encadrés de couleurs ci-dessus.

→ **Analyser la question à laquelle le devoir doit répondre**

2. Quels termes de la question orientent plus précisément la réflexion ? Que devrez-vous démontrer ?

3. Quel plan est indiqué dans l'énoncé de la question ?

2 Mobiliser et organiser ses connaissances

→ **Rassembler les connaissances et les exemples en rapport avec le sujet**

4. Au brouillon, en vous aidant du cours, des études de cas et des dossiers du thème 3, listez les connaissances et les exemples qui permettront de traiter le sujet.

Conseil DU PROF

• Prenez en compte tous les types de mobilités internationales (de travail, de tourisme, les réfugiés politiques, climatiques) à l'échelle mondiale (entre les continents), et régionale (bassin méditerranéen, Europe).

→ **Classer les connaissances**

5. Classez vos connaissances dans chaque partie du plan proposé.
Exemple : I. Les mobilités internationales sont le reflet des mutations économiques et démographiques (flux de travailleurs…)
II. Les mobilités internationales témoignent des crises et des conflits dans le monde (migrations forcées par les guerres civiles, les persécutions politiques ou religieuses, famines, crises climatiques…)
III. Les mobilités internationales illustrent la permanence des disparités de développement (tourisme ; *brain drain*…)

3 Rédiger la réponse à la question

→ **Rédiger une courte introduction**

6. Présentez le sujet en développant la question problématisée.

Exemple : Les flux internationaux de personnes sont en constante augmentation et traduisent des mutations que connaît le monde depuis un demi-siècle.
Comment les mobilités reflètent-elles les mutations économiques et démographiques, les crises et les disparités de développement dans le monde ?
Nous montrerons que les mobilités sont le reflet des mutations économiques et démographiques, qu'elles témoignent des crises et des conflits dans le monde, mais qu'elles illustrent aussi la permanence des disparités de développement.

• Quelle est l'utilité de la présentation du sujet ?
• Comment le plan est-il annoncé ?

→ **Rédiger le développement**
• Le développement est composé de deux ou trois parties.
• Chacune des parties correspond à une idée directrice permettant de répondre à la question.

7. Pour chaque idée directrice, rédigez un paragraphe argumenté selon le modèle suivant :

Argument (idée) 1
   Explications
   Exemples
Argument (idée) 2
   Explications
   Exemples

→ **Rédiger la conclusion**

! La conclusion ne doit pas comporter d'informations ou d'exemples nouveaux.

8. Faites la synthèse des idées principales.

9. Rédigez une courte réponse à la question problématisée.

Les mobilités s'amplifient et sont motivées par de nombreux facteurs. Résultant des déséquilibres entre les territoires et entre les sociétés à toutes les échelles, elles illustrent la complexité du monde actuel.

THÈME ③

SE PRÉPARER
★

MONDE

FRANCE

RÉVISER

Retrouvez des sujets de BAC et des méthodes actualisés régulièrement sur le site
→ **lyceen.nathan.fr/geo2de-2019**

▶▶▶ ORIENTATION

→ Pauline, cheffe de projet innovation mobilités

Fiche Métier → Chef(fe) de projet innovation mobilités

- **Niveau minimum d'accès :** `BAC +5`
- **Salaire d'un débutant :** environ `1 600 €` 💰
- **Statut :**
  - ✓ salarié   ✓ fonctionnaire   ☐ indépendant
- **Compétences requises :**
  - ✓ sens du contact
  - ✓ sens de l'organisation
  - ✓ sens de la communication

LE 🅒🅥 EXPRESS de Pauline

Formation

- Bac L, Dunkerque (Nord)
- Classes préparatoires littéraires (hypokhâgne et khâgne), Boulogne-sur-Mer (bac + 2)
- Master Urbanisme et Projet Urbain, Lille puis Grenoble (bac + 5)

Expérience professionnelle

- **Transdev (Grenoble)**
  Cheffe de projet innovation
- Chargée de projet (en alternance)

Pauline, 25 ans, Grenoble (Isère)

Le métier de Pauline au quotidien

Que vous ont apporté vos études de géographie dans votre vie professionnelle ?

Pauline : Les études de géographie m'accompagnent tous les jours dans ma vie professionnelle.
Connaître et analyser un territoire permet d'imaginer de nouvelles solutions de mobilités adaptées aux populations et aux territoires desservis.

Quelles sont vos tâches au quotidien ?

Pauline : Je n'ai pas de routine dans mon métier. L'organisation de mes journées dépend de l'avancée de mes projets. Certaines sont consacrées à la rédaction des e-mails et des comptes-rendus de réunions pour acter des prises de décisions. D'autres sont passées en rendez-vous à l'extérieur pour organiser le tournage d'un reportage visant à promouvoir localement ou nationalement un des projets, ou bien pour rencontrer les acteurs d'une start-up repérée préalablement.
Je participe également régulièrement à des ateliers créatifs, regroupant des participants aux profils différents sur un même sujet.

Pourriez-vous nous présenter un projet sur lequel vous travaillez actuellement ?

Pauline : Transdev est un opérateur de mobilités, il développe une expertise et des solutions de mobilités adaptées aux besoins locaux. Tous les projets ont pour objectif, directement ou indirectement, de renforcer la visibilité et l'attractivité du réseau de transports en commun de l'agglomération de Grenoble et d'augmenter sa fréquentation.

Quels sont les aspects de votre métier qui vous plaisent le plus ?

Pauline : Ce qui me plaît le plus dans mon métier, ce sont les échanges et le contact très régulier avec des profils différents. D'un projet à l'autre, je peux dans une même journée travailler avec des spécialistes de la pollution, une école d'architecture, des conducteurs, des journalistes…

➕ **Témoignage complet**

L'employeur de Pauline

Transdev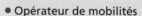
Multinationale française
(siège social à Issy-les-Moulineaux, Île-de-France) 🇫🇷

- **Opérateur de mobilités**
  ✓ **Secteur privé**   ☐ Secteur public

 82 000 salariés

 Présente dans 20 pays et 5 continents

€ **6,6 milliards d'euros**
de chiffre d'affaires (2017)

→ VOTRE PROJET D'ORIENTATION

- Montrez que le métier de chef de projet dans les mobilités se trouve au croisement de défis économiques, sociaux, culturels et environnementaux.
- Vous êtes-vous déjà interrogé(e) sur les moyens d'améliorer vos mobilités au quotidien ? Envisageriez-vous d'en faire votre métier au service des autres ?

▶▶▶ ORIENTATION

→ Laurent, auteur de guides de voyage

LE CV EXPRESS de Laurent

Laurent, 41 ans, Paris (Île-de-France)

Formation

- Bac S, option Mathématiques, Bayeux (Calvados)
- Classes préparatoires littéraires (hypokhâgne et khâgne), Versailles (bac + 2)
- DEA et Maîtrise de philosophie (ex-Master), Paris (bac +5)

Expérience professionnelle

- **Gallimard, Michelin (Paris), Auteur et éditeur indépendant (création de guides de voyage)**
- Michelin (Paris), responsable de la rédaction du guide Michelin France
- Le Robert (Paris), rédacteur (articles encyclopédiques et définitions de noms propres)

Le métier de Laurent au quotidien

À quoi ressemble une journée type dans votre métier ?

Laurent : Il n'y a pas de journée type, car j'alterne entre périodes de voyage et de rédaction à domicile. Je commence par la découverte de la destination. J'enquête auprès des acteurs locaux du tourisme ainsi que des habitants pour dénicher les sites incontournables et les bons plans. Je teste les meilleures adresses pratiques (restaurants, boutiques, activités…). Puis, une fois le synopsis du guide créé (rubriques, découpage géographique), je rédige les textes pratiques et culturels, je prépare des fonds de cartes. Après échanges avec l'éditeur pour d'éventuels amendements, intervient la relecture finale.

Pourquoi avez-vous fait le choix d'être travailleur indépendant ?

Laurent : Cela me laisse une grande liberté d'organisation au quotidien (choix des horaires et du lieu de travail, partage entre loisirs et temps de travail) et une grande autonomie. J'apprécie aussi le rapport contractuel avec des clients (la relation est plus égalitaire que dans le cadre du salariat) et la possibilité de varier les collaborations, de prospecter de nouveaux clients, de rechercher de nouveaux projets…

Quelles sont, selon vous, les qualités requises pour exercer votre emploi ?

Laurent : Il est indispensable d'avoir une très bonne plume, à la fois rigoureuse et enlevée, de même qu'une parfaite maîtrise du français (grammaire et orthographe irréprochables !). Une bonne culture générale s'avère tout aussi nécessaire, ainsi qu'un sens aigu de l'organisation (pour les enquêtes de terrain notamment).

Que vous ont apporté vos années d'études en CPGE dans votre vie professionnelle ?

Laurent : Les classes préparatoires m'ont permis d'acquérir une bonne culture générale, ainsi qu'une aisance rédactionnelle. C'est aussi un bon moyen de développer une importante capacité de travail et de la confiance en soi.

Témoignage complet

Le statut de travailleur indépendant

- Laurent est travailleur indépendant (ou *freelance*).
- Cela signifie qu'il est à la fois entrepreneur et son propre employé.
- Il choisit donc lui-même sur quels projets et avec quels éditeurs il souhaite travailler.

THÈME ❸

SE PRÉPARER ★

MONDE 🌐

FRANCE

RÉVISER

→ VOTRE PROJET D'ORIENTATION

- Cherchez en quoi consistent les études en classes préparatoires aux grandes écoles (CPGE). Pensez-vous avoir le profil pour vous engager dans cette voie ?
- Si les métiers d'auteur ou d'éditeur vous intéressent, recherchez les différents cursus pouvant mener vers ces professions.

L'Afrique australe : un espace en profonde mutation

AFRIQUE AUSTRALE

➕ **Dans ce chapitre**

🖨 **TOUS LES TEXTES** en version à imprimer

🗺 **TOUTES LES CARTES** en version interactive

Zoom sur...

▶ **Le Cap**

Population (2018)	4,2 millions d'habitants
Densité de population	1 530 hab./km²
PIB par habitant (2017)	7 400 dollars
Composition de la population (2012)	Métis (Coloured) : 42,5 % Noirs : 38,5 % / Blancs : 15,5 % Indiens-Asiatiques : 1,5 % / Autres : 2%

Sur les plages du Cap, en Afrique du Sud, la population fête le Nouvel An.

AFRIQUE
DU SUD

Le Cap

THÈME ④

SE
PRÉPARER
★

AFRIQUE

RÉVISER

241

L'Afrique australe

VU AU COLLÈGE ET EN 2ᵈᵉ

en 4ᵉ
- Les dynamiques d'un grand ensemble géographique africain

en 2ᵈᵉ
- Les sociétés face aux risques
- Des ressources majeures sous pression
- Des trajectoires démographiques différenciées
- Développement et inégalités
- Les migrations internationales
- Les mobilités touristiques internationales

1 ▸ Vérifier ses repères géographiques

1 Population et milieux naturels en Afrique

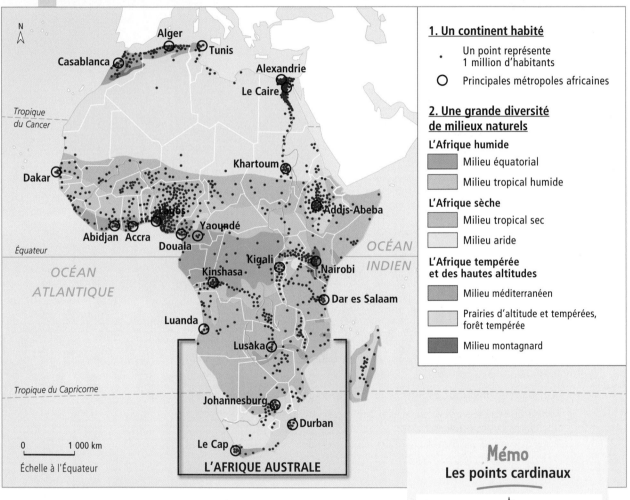

1. Un continent habité

· Un point représente 1 million d'habitants

O Principales métropoles africaines

2. Une grande diversité de milieux naturels

L'Afrique humide
- Milieu équatorial
- Milieu tropical humide

L'Afrique sèche
- Milieu tropical sec
- Milieu aride

L'Afrique tempérée et des hautes altitudes
- Milieu méditerranéen
- Prairies d'altitude et tempérées, forêt tempérée
- Milieu montagnard

Carte : Alger, Tunis, Casablanca, Alexandrie, Le Caire, Khartoum, Dakar, Addis-Abeba, Lagos, Yaoundé, Abidjan, Accra, Douala, Kigali, Nairobi, Kinshasa, Dar es Salaam, Luanda, Lusaka, Johannesburg, Durban, Le Cap, L'AFRIQUE AUSTRALE

Tropique du Cancer — Équateur — Tropique du Capricorne

OCÉAN ATLANTIQUE — OCÉAN INDIEN

0   1 000 km
Échelle à l'Équateur

Mémo
Les points cardinaux

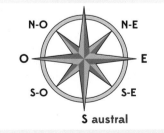

N-O   N-E
O   E
S-O   S-E
S austral

❶ doc. 1 Quelles sont les grandes régions arides en Afrique ?

❷ doc. 1 La population en Afrique est inégalement répartie.
[a] Vrai   [b] Faux

❸ doc. 1 Combien de milieux de la zone intertropicale sont arides ?

❹ doc. 1 Quels climats dominent en Afrique australe ?
[a] Climat méditerranéen et climat montagnard
[b] Climat aride et climat méditerranéen

❺ doc. 1 L'Afrique « humide » est située :
[a] en Afrique centrale
[b] en Afrique australe
[c] en Afrique du Nord

2 ▸ Mobiliser le vocabulaire et les notions

6 Trouvez à quel mot correspond chaque définition.
Vous pouvez vous aider des pages « Notions » de votre manuel.

1 Différences de niveau de développement dans les domaines économiques, sociaux et culturels.

2 Élément naturel qui, par sa production et son exploitation, devient un atout pour un territoire et ses habitants.

3 Amélioration générale des conditions de vie d'une population.

4 Processus par lequel un État s'intègre à l'économie mondiale grâce à une croissance économique forte pendant plusieurs années.

5 Déplacement d'individus quittant plus ou moins durablement leur région d'origine pour une autre région.

3 ▸ Valider des situations géographiques

7 Indiquez quelle(s) proposition(s) justifie(nt) les situations géographiques suivantes.

1. Aujourd'hui, l'Afrique est un continent qui dispose de ressources importantes.

a De nombreux États africains sont des pays réservoirs de ressources agricoles qui alimentent les marchés mondiaux.
b L'agriculture vivrière alimente les marchés mondiaux.
c Les ressources du sous-sol sont nombreuses (minerais, hydrocarbures).

2. Aujourd'hui, l'Afrique est un continent qui doit faire face à de nombreux défis.

a Certains pays comme le Niger connaissent une explosion démographique.
b Certains pays d'Afrique sont touchés par le mal-développement ou des épidémies (sida…).
c L'Afrique attire les investissements étrangers.

THÈME **4**

SE PRÉPARER
★
AFRIQUE

RÉVISER

Dans ces pages

TOUS LES EXERCICES en version interactive

TOUS LES CORRIGÉS en PDF

COURS DU COLLÈGE à télécharger

Dossier

Le diamant, une ressource naturelle stratégique

→ **L'exploitation du diamant contribue-t-elle au développement durable de l'Afrique australe ?**

1 La production de diamants

Production de diamants des pays d'Afrique australe
En millions de dollars, en 2017

Botswana	3 329 — 2ᵉ
Afrique du Sud	1 304 — 4ᵉ
Namibie	1 011 — 6ᵉ
Lesotho	343 — 7ᵉ
Zimbabwe	175 — 9ᵉ

2ᵉ : rang mondial

Source : Kimberley Process.

2 L'Afrique australe, « Afrique des mines »

C'est sur la richesse minière qu'est fondée l'économie de la Namibie, du Botswana, du Zimbabwe et largement de l'Afrique du Sud. Seuls trois pays sont restés longtemps mal dotés en richesses minières : le Mozambique, le Lesotho (où l'extraction de diamant est restée jusqu'à récemment une activité artisanale) et le Swaziland [Eswatini]. [...]

Le rôle de la mine dans la région est cependant loin d'être seulement économique, il a été global sur l'histoire, la culture et l'organisation spatiale du sous-continent. La colonisation, surtout britannique, avait pour objectif majeur le contrôle des mines de diamants et d'or. [...] C'est à partir des mines, pour les approvisionner en matériaux et main-d'œuvre et exporter leurs productions, que les Britanniques ont développé le réseau ferroviaire qui est resté le plus achevé du continent. C'est aussi sur la base de la localisation des richesses minières que s'est fait le découpage interne à chaque pays entre terres blanches et réserves africaines. [...] Enfin, c'est sur les mines que s'est fondé le développement industriel qui fait de l'Afrique australe un cas particulier en Afrique.

Philippe Gervais-Lambony, *L'Afrique du Sud et les États voisins*, © Armand Colin, 2013.

3 Le Botswana, un exemple de gestion de la ressource diamantaire

Au Botswana, l'industrie du diamant, c'est...

33%	39%	89%
du PIB	des recettes de l'État	des revenus d'exportation

Le 2ᵉ employeur du pays

Les revenus générés par les diamants ont permis...

... d'améliorer l'offre d'enseignement

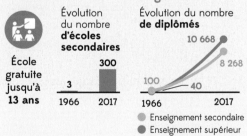

Évolution du nombre **d'écoles secondaires**
École gratuite jusqu'à **13 ans**
3 — 1966
300 — 2017

Évolution du nombre **de diplômés**
10 668
8 268
100
40
1966 — 2017
● Enseignement secondaire
● Enseignement supérieur

... d'améliorer les services de santé

Évolution du ratio docteur/habitants

26 000 — 1966
2 760 — 2017

Le secteur minier finance **80%** **des traitements contre le sida**

L'année 1966, prise en référence, est l'année de l'indépendance du pays.

Source : Statistics Botswana (rapport 2018). Diamond Facts/ Banque africaine de Développement.

4 Les limites sociales et environnementales de l'extraction de diamants au Zimbabwe

ⓐ Les conséquences sociales dans la région de Marange

Vers 2005, un important gisement de diamants est découvert à l'est du Zimbabwe, près de Mutare. […] L'armée impose à des creuseurs de travailler à sa solde et organise la contrebande des pierres qui s'écoulent vers le Mozambique, pays voisin. Face à la très forte mobilisation des ONG, la certification du pays au Processus de Kimberley est remise en cause. Un embargo se met en place.

Cependant, sous la pression du gouvernement zimbabwéen et des partenaires économiques, comme l'Inde ou la Chine, le commerce reprend « légalement » en 2011. […] Le gouvernement ferme les yeux sur les témoignages de travail forcé, de viols et de tortures, ainsi que sur les accusations de participation de hauts dignitaires aux exactions et à la contrebande.

État des lieux des conséquences graves de l'exploitation minière, Association ISF SystExt [en ligne], 2016.

ⓑ Les conséquences environnementales dans la région de Chiadzwa

La destruction de l'environnement causée par l'extraction minière a été bien documentée par un rapport de la Zimbabwe Environmental Law Association qui a révélé une pollution étendue aux produits chimiques et métaux lourds, dont des traces avérées de chrome et de nickel, tous deux potentiellement cancérogènes. L'eau des rivières locales, auparavant utilisée pour boire, provoque désormais des démangeaisons au contact de la peau.

Une coalition de communautés locales et de groupes communautaires s'est formée pour demander au gouvernement et à la Zimbabwe Consolidated Diamond Company de changer leurs méthodes [d'extraction].

Evidence Chenjerai, « Zimbabweans Clash with Diamond Mining Interests over Pollution and Other Blight », *Global Press Journal,* 6 février 2017.

5 Une mine de diamants en Afrique du Sud

Pelle mécanique à câble dans une mine à ciel ouvert exploitée par De Beers en Afrique du Sud. Cette compagnie diamantaire, fondée en 1888, extrait aujourd'hui 40 % des diamants mondiaux.

Questions

Itinéraire 1

Décrire et expliquer

❶ Expliquez le rôle joué par l'activité minière dans l'histoire et le développement de l'Afrique australe. **doc. 1 à 3**

❷ Identifiez les différents acteurs qui participent à l'extraction des diamants. **doc. 4 et 5**

❸ Montrez que l'exploitation de cette ressource peut aussi avoir des conséquences négatives. **doc. 4**

Synthétiser et argumenter

❹ Expliquez comment l'exploitation du diamant contribue de façon différenciée au développement de l'Afrique australe. **doc. 1 à 4**

ou

Itinéraire 2

Préparer un exposé

- À l'aide des documents et de recherches complémentaires, préparez un exposé sur l'exploitation des diamants en Afrique australe et ses effets sur le développement.
- Sélectionnez les informations correspondant aux thèmes suivants :
  1. L'exploitation des diamants en Afrique australe (histoire, acteurs…)
  2. Les effets sur le développement de l'Afrique australe
  3. Les conséquences négatives de l'exploitation
- Pour chaque thème de votre exposé, élaborez une diapositive. Vous vous appuierez sur cette présentation numérique pour mener votre exposé.

THÈME ❹

SE PRÉPARER
★

AFRIQUE

RÉVISER

Dossier

Les parcs nationaux d'Afrique australe

BOTSWANA
Parc National Kruger
Gaborone
Pretoria
AFRIQUE DU SUD

→ **Comment les parcs nationaux contribuent-ils à concilier exploitation et protection de la nature en Afrique australe ?**

1 Brochure du parc national Kruger (2014)

KRUGER NATIONAL PARK
NEW WILDERNESS TRAILS
South African NATIONAL PARKS

MALOPENI (1) (Eco-trail)
- Overnight motorised adventure trail.
- Access to remote areas.
- Discover numerous animal spoor, wildlife, vegetation and exciting birdlife.
- Bring your own camping equipment.
- Spot elephant, buffalo, hippo, kudu and waterbuck.

MPHONGOLO (Backpacking Trail) (2)
- 4-day backpacking trail.
- No prescribed route is followed.
- Share stories around night fires.
- 4 days of exploring the brave bushveld.
- Share ground with game like lion, elephant, zebra and giraffe.

Légende :

1. Les accès au parc
 Portes d'entrée du parc

 Postes frontière (Afrique du Sud/Mozambique)

2. Les modes d'hébergement
 Principaux camps de repos

  Camps et lodges de brousse

① **Malopeni (Éco-sentier)**
Circuit d'une nuit en Jeep / Itinéraires peu fréquentés, hors des sentiers battus / À la découverte de la vie sauvage, de nombreuses espèces animales et végétales [...]

② **Mphongolo (Circuit de trekking)**
4 jours de randonnée en pleine nature / Circuit hors des sentiers battus / Bivouacs autour du feu [...]

2 Objectifs et limites des parcs transfrontaliers

Parole de géographes

Ces parcs [transfrontaliers] ont des objectifs multiples : protéger la biodiversité, permettre le développement des communautés qui y vivent et garantir la paix entre les nations. En Afrique du Sud, ces projets ont été soutenus par des personnalités influentes, des entreprises, des organisations de défense de l'environnement ainsi que par certains des plus hauts représentants du pays, à commencer par Nelson Mandela[1] lui-même. [...]

Le Kruger, situé au cœur du parc transfrontalier du Grand Limpopo reliant l'Afrique du Sud au Zimbabwe et au Mozambique, a longtemps été le symbole des parcs de la paix en Afrique du Sud. Mais l'actuelle crise du braconnage [de rhinocéros] met en péril ce projet. [...] On a assisté ces dernières années à une escalade de la violence armée entre militaires et braconniers. [...] Une situation particulièrement inquiétante concerne les communautés vivant à proximité du Kruger et qui se retrouvent directement affectées par les opérations d'anti-braconnage. En outre, les opérations contre le braconnage les privent d'un accès à certaines ressources naturelles essentielles.

Les stratégies mises en place pour sauver les rhinocéros et les parcs de la paix conduisent à une sorte d'état de guerre. Cette réalité est particulièrement tragique pour les communautés locales. Pour elles, les opportunités de développement paraissent aujourd'hui de plus en plus compromises.

Bram Büscher et Maano Ramutsindela, « Situation explosive dans les "parcs de la paix" sud-africains », *The Conversation*, 22 février 2016.

1 Nelson Mandela, président de l'Afrique du Sud de 1994 à 1999, est une grande figure de la lutte contre l'apartheid (→ voir p. 260).

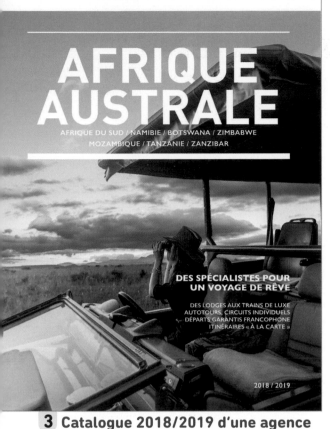

AUSTRAL LAGONS

AFRIQUE AUSTRALE

AFRIQUE DU SUD / NAMIBIE / BOTSWANA / ZIMBABWE
MOZAMBIQUE / TANZANIE / ZANZIBAR

DES SPÉCIALISTES POUR
UN VOYAGE DE RÊVE

DES LODGES AUX TRAINS DE LUXE
AUTOTOURS, CIRCUITS INDIVIDUELS
DÉPARTS GARANTIS FRANCOPHONE
ITINÉRAIRES « À LA CARTE »

2018 / 2019

3 **Catalogue 2018/2019 d'une agence de voyages**

4 **Des safaris écoresponsables dans les parcs du Botswana ?**

Depuis une vingtaine d'années, [le Botswana] joue la carte du tourisme « revenu élevé, faible impact. » « Plutôt que de proposer des safaris de masse, explique Suzanne Lemay, experte en safaris du voyagiste montréalais Passion Nomade, on limite le nombre de visiteurs en imposant des quotas dans les camps et en misant sur un tourisme très haut de gamme, qui cible des voyageurs fortunés. » [...] « Ce sont des safaris respectueux des animaux, puisque, comme partout au Botswana, on impose un maximum de trois véhicules par site d'observation des bêtes », poursuit Suzanne Lemay. [...]

Depuis 2014, la chasse est interdite sur l'ensemble du territoire. [...] Cela dit, tout n'est pas rose au Botswana, car l'interdiction de la chasse n'est pas sans conséquence. D'abord, elle entraîne davantage de conflits territoriaux entre fermiers et animaux — récoltes piétinées par des éléphants, bétail tué par des prédateurs, etc. Ensuite, elle souffre d'une exception de taille : de riches touristes peuvent toujours chasser du gros gibier dans certaines réserves privées du pays et en rapporter des trophées. [...] Pire : les premiers habitants du pays, les Bochimans (Bushmen, en anglais, ou Sans), sont eux aussi visés par l'interdiction de la chasse, y compris sur leurs terres ancestrales. Pour l'ONG Survival International, qui se porte à la défense des peuples indigènes du globe, c'est là une aberration. [...] L'ONG va même jusqu'à en appeler au boycottage du tourisme pour dénoncer l'attitude de l'État.

Gary Lawrence, « Au pays du safari responsable »,
L'Actualité, 6 octobre 2016.

Questions

Itinéraire 1

Décrire et analyser

1 Relevez les objectifs des parcs naturels en Afrique australe. **doc. 2**

2 Montrez que la nature est un atout important pour le développement économique de l'Afrique australe. **doc. 1, 3 et 4**

3 Identifiez les acteurs et les aménagements impliqués dans l'exploitation touristique des parcs. **doc. 1 à 4**

Synthétiser et expliquer

4 Expliquez les difficultés rencontrées pour concilier protection de la nature et développement dans les parcs d'Afrique australe. **doc. 1 à 4**

ou

Itinéraire 2

➕ Méthode

Réaliser une affiche

- À partir des informations issues des documents, réalisez une affiche informative autour des thèmes suivants :
  – Les objectifs des parcs naturels d'Afrique australe ;
  – Leurs atouts pour le développement ;
  – Les limites ou difficultés rencontrées pour atteindre leurs objectifs.
- Vous pouvez chercher des ressources complémentaires sur Internet pour enrichir et illustrer votre affiche.

THÈME **4**

SE PRÉPARER

★

AFRIQUE

RÉVISER

L'électricité :
un enjeu de développement

MOZAMBIQUE
Pretoria Maputo
Maseru LESOTHO
AFRIQUE
DU SUD

➜ Comment l'Afrique australe fait-elle face au défi de l'électrification ?

1 Les infrastructures électriques de l'Afrique australe

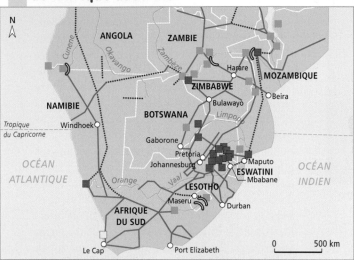

1. Les aménagements électriques

🎵 ◼ Barrages et centrales hydroélectriques

◼ Centrales à charbon

☐ Centrale nucléaire

—— Lignes à haute tension existantes

·········· Lignes programmées

2. L'organisation régionale du secteur électrique

☐ États membres du SAPP (Southern African Power Pool)*

* Organisation régionale qui a pour but de développer la coopération entre les sociétés nationales d'énergie, afin de mettre en place un réseau et un marché communs d'électricité dans le Sud de l'Afrique.

Source : G. Magrin, A. Dubresson, O. Ninot, *Atlas de l'Afrique, un continent émergent ?*, Autrement, 2018.

2 Les inégalités face à l'accès à l'électricité

	En % de la pop. totale 1990	En % de la pop. totale 2016	En % de la pop. rurale 2016	En % de la pop. urbaine 2016
Afrique du Sud	59,3	84,2	67,9	92,8
Lesotho	0,01	29,7	15,7	66
Eswatini	0,01	65,8	61,2	82,8
Namibie	25,2	51,8	28,7	77,1
Botswana	6	60,7	37,5	77,7
Zimbabwe	30,4	38,1	15,6	85,5
Mozambique	0,01	24,2	4,9	64,1
Afrique subsaharienne	*15,9*	*42,8*	*24,8*	*75,7*
Monde	*71,4*	*87,4*	*77,5*	*96,9*

Source : Banque mondiale, 2019.

3 Le potentiel électrique du Mozambique

« Entre le gaz, l'hydraulique, le charbon, le solaire, on a le plus grand potentiel énergétique d'Afrique ! » Isaias Rabeca [administrateur d'Electricidade de Moçambique (EDM), la compagnie d'État] égrène tous les projets de génération électrique à venir. Barrages, centrales thermiques ou à gaz, fermes solaires, éoliennes : il y en a pour tous les goûts. Ne manquent plus que les financements, plus difficilement mobilisables […].

Pour l'instant, les projets d'énergie les plus ambitieux sont hydroélectriques[1]. « Pour le seul fleuve Zambèze, le potentiel est de 6 000 mégawatts (MW), soit sept fois la consommation actuelle du Mozambique », affirme M. Rabeca. Le gouvernement compte y construire cinq barrages. Situé à 60 km en aval du gigantesque site de Cahora Bassa, le projet de Mphanda Nkuwa est ainsi dans les tuyaux du gouvernement depuis deux décennies. […] Mais, depuis, le projet a rencontré une vive opposition des groupes écologistes. […] La construction impliquerait le déplacement de plusieurs milliers de personnes pour un très faible bénéfice aux populations locales. L'impact du changement de flux du fleuve en aval serait notamment dévastateur pour les agriculteurs. […] En attendant un feu vert définitif, EDM regarde de plus en plus vers les énergies fossiles.

Adrien Barbier, « Le Mozambique, future "pile électrique" de l'Afrique ? », *Le Monde Afrique*, 17 mai 2016.

1 L'hydroélectricité est produite par l'énergie hydraulique, qui provient de la force de l'eau.

deja vu

(dā- zhä- vü, - vue), noun

already seen; something that has happened many times before; something overly or unpleasantly familiar

www.madamandeve.co.za

© RAPID PHASE - 2018

@#⋇-#@🐞G ESKOM!!

4 Les difficultés du réseau électrique sud-africain

Traduction :

« *Deja vu* [déjà vu] : quelque chose qui est déjà arrivé de nombreuses fois auparavant, de trop ou de désagréablement familier. »

Eskom, la compagnie nationale d'électricité sud-africaine qui fournit 95 % de l'électricité du pays, procède régulièrement à des coupures d'électricité : ne parvenant pas à faire face à la demande, elle coupe alors temporairement l'alimentation électrique de certains quartiers.

Lien vers le site

5 Électrification et développement au Lesotho

L'électricité est longtemps restée un rêve impossible dans la plupart des zones rurales du Lesotho. « La vie était difficile, reconnaît Mme Atang Seoa, commerçante du village de Seong-Hong, dans l'Est du pays. Les clients venaient à la nuit tombée et la lumière des bougies ne suffisait pas. »

« Notre village était dans la pénombre, ajoute Mhatabang Hlekiso, mère de cinq enfants. Nous n'avions pas toujours de quoi acheter de la paraffine[1] pour les lampes. Nous ne pouvions pas recharger nos téléphones, nous ne pouvions pas envoyer de messages urgents. Les enfants avaient du mal à étudier. »

Seuls 28 % des deux millions d'habitants du Lesotho ont accès à l'électricité, et, dans les zones rurales isolées des réseaux routier et énergétique, seulement 5 %. Or, le pays a d'énormes ressources en termes d'énergie renouvelable, comme le vent, le soleil ou l'eau.

Pour fournir de l'électricité bon marché aux villages reculés, le PNUD a lancé un projet d'électrification rurale en partenariat avec le gouvernement. [...]

Par exemple, le village de Matsoaing a bénéficié d'un projet d'irrigation à l'énergie solaire, alors que jusque-là, cette communauté agricole utilisait une pompe à eau fonctionnant au diesel. [...]

« Des panneaux solaires illuminent les campagnes du Lesotho », Programme des Nations unies pour le développement, www.unpd.com, 2015.

1 Substance issue du pétrole, utilisée notamment pour la fabrication de bougies.

Questions

Itinéraire 1

Décrire et expliquer

1 Décrivez l'électrification de l'Afrique australe en montrant qu'il existe des inégalités à différentes échelles. **doc. 1 et 2**

2 Expliquez pourquoi l'électrification est un enjeu important pour le développement de l'Afrique australe. **doc. 4 et 5**

3 Relevez les difficultés auxquelles les pays d'Afrique australe doivent faire face en termes d'électrification. **doc. 1 à 4**

Synthétiser et argumenter

4 Montrez que l'Afrique australe possède des potentialités pour mener à bien son électrification. **doc. 1, 2, 3 et 5**

ou

Itinéraire 2

Réaliser une carte mentale

- Réalisez une carte mentale qui montre comment l'Afrique australe fait face au défi de son électrification.
- Autour d'un noyau central indiquant le sujet, votre carte pourra s'articuler autour de trois axes principaux : Les enjeux / Les difficultés / Les potentialités.

THÈME **4**

SE PRÉPARER

AFRIQUE

RÉVISER

Vocabulaire

▶ **Électrification** : action d'électrifier, c'est-à-dire de doter un territoire d'un réseau électrique.

Dossier

Villes et inégalités en Afrique australe

→ **Comment les inégalités se manifestent-elles dans les villes d'Afrique australe ?**

1 Maputo (Mozambique), une ville fragmentée

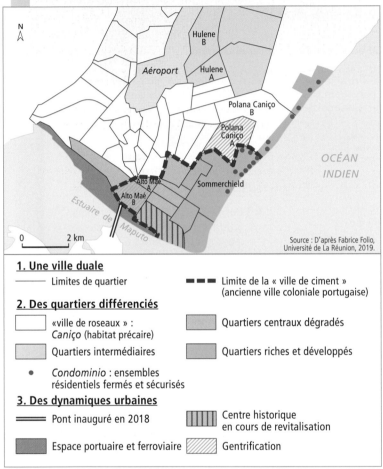

Source : D'après Fabrice Folio, Université de La Réunion, 2019.

1. Une ville duale
— Limites de quartier
▬ ▬ ▬ Limite de la « ville de ciment » (ancienne ville coloniale portugaise)

2. Des quartiers différenciés
☐ « ville de roseaux » : *Caniço* (habitat précaire)
☐ Quartiers intermédiaires
● *Condominio* : ensembles résidentiels fermés et sécurisés
▨ Quartiers centraux dégradés
▨ Quartiers riches et développés

3. Des dynamiques urbaines
▭ Pont inauguré en 2018
▨ Espace portuaire et ferroviaire
▥ Centre historique en cours de revitalisation
▧ Gentrification

2 La pauvreté urbaine en Afrique australe

● **Taux de pauvreté urbaine** (% de la pop. urbaine vivant sous le seuil national de pauvreté)
● **Population vivant dans les bidonvilles** (en % de la pop. urbaine)

	Taux de pauvreté	Bidonvilles
Afrique du Sud	52	23
Lesotho	39,6	51
Eswatini	31,1	33
Namibie	14,6	33
Botswana	11	NC*
Zimbabwe	NC*	25
Mozambique	49,6	80

* NC : non communiqué

Source : Banque mondiale, 2015.

3 Développement et inégalités urbaines en Afrique australe

La proportion de citadins vivant dans des taudis ou bidonvilles a beau être, en Afrique australe, moins forte qu'ailleurs sur le continent (l'Angola, le Mozambique et la Zambie faisant exception), les démarches d'urbanisme sont aux prises avec le même type de problématique : étalement urbain, forte pénurie de logements, pauvreté et inégalité, ségrégation ; prolifération des taudis et établissements informels dans le centre ou à la périphérie ; ainsi que les carences des infrastructures et des services.

Ces phénomènes ont, à leur tour, des répercussions pour les régimes actuels de gouvernance urbaine dans la sous-région. Il s'agit de garantir la participation démocratique, de lutter contre la pauvreté et les inégalités, d'améliorer l'offre de services urbains, de lutter contre la ségrégation, la xénophobie et le ressentiment contre les immigrés, de faire face à l'agitation à l'échelon local, de parvenir à un certain degré de cohésion entre les systèmes formels et informels[1] de gouvernance, de commerce et de services (par exemple, les transports).

L'État des villes africaines 2014, Réinventer la transition urbaine, ONU-Habitat.

1 Le système informel désigne des activités ou des pratiques qui s'exercent hors des règles et du cadre institutionnel, contrairement au système formel.

Vocabulaire

▸ **Apartheid :** → voir p. 260.
▸ **Gentrification :** → voir doc. 5 p. 251.

4 La banlieue du Cap (Afrique du Sud) : l'empreinte de l'apartheid

Lien vers le site

① *Township*[1] de Masiphumelele (38 000 habitants)
② *Gated community*[2] de Lake Michelle
③ *Buffer-zone* (espace tampon)

1 *Township* : quartier destiné aux populations noires du temps de l'apartheid, aujourd'hui dégradé et paupérisé (→ voir aussi p. 260).

2 *Gated community* : en français « quartier résidentiel fermé », quartier socialement homogène, souvent habité par des populations aisées, gardé par un personnel privé.

5 La gentrification de Johannesburg : vers de nouvelles inégalités ?

Pour Melissa Tandiwe Myambo, chercheuse à l'université de Johannesburg, les « villes monde » sont en réalité des fabriques d'inégalités spatiales, à mesure que le processus de gentrification[1] des villes déplace les habitants. Elle cite l'exemple d'un quartier de Johannesburg, nommé Maboneng, qu'elle a visité… […] Ce quartier, explique-t-elle, a émergé dans une banlieue ouvrière de Johannesburg, et il s'est développé très rapidement depuis 2009. Mais alors que ses environs sont encore largement occupés par une population noire à bas revenu, Maboneng est devenu une sorte de micro-espace, avec ses bars, ses restaurants branchés, ses espaces de travail créatifs, ou ses lofts. Cette gentrification qui est à l'œuvre dans les grandes villes […] a pour effet, nous dit l'auteur, de repousser les habitants les moins aisés vers la périphérie en quête de logements abordables. Pour Melissa Tandiwe Myambo, on est en train de créer […] un nouveau type d'apartheid qui, selon elle, ne repose plus sur des causes raciales, mais qui aboutit à une ségrégation socio-économique marginalisant les classes les plus pauvres.

« Les villes intelligentes », *Affaires étrangères*, France Culture, 17 juin 2017.

1 Processus de rénovation d'un quartier populaire qui s'accompagne du retour ou de l'arrivée des classes aisées.

Questions

Itinéraire 1

Décrire et analyser

1 Montrez que l'organisation des villes d'Afrique australe est en partie héritée de l'Histoire. **doc. 1 et 4**

2 Quelles sont les conséquences de la croissance urbaine ? **doc. 2 et 3**

3 Identifiez les difficultés auxquelles sont soumis les habitants des quartiers pauvres. **doc. 2 à 4**

4 Expliquez quelles sont les nouvelles inégalités qui apparaissent dans les villes d'Afrique australe. **doc. 1 et 5**

Contextualiser

5 Décrivez et comparez les différents types d'espaces urbains en Afrique australe. **doc. 1 à 5**

ou

Itinéraire 2

Conseils et méthode

Utiliser le numérique

- Menez une recherche sur Internet sur les inégalités dans la ville sud-africaine du Cap.

- À partir de vos recherches, préparez un diaporama montrant comment les inégalités se manifestent dans la ville du Cap.

THÈME **4**

SE PRÉPARER

AFRIQUE

RÉVISER

Exils et migrations

→ **Quels flux migratoires traversent l'Afrique australe ?**

1 Développement et migrations internes en Afrique australe

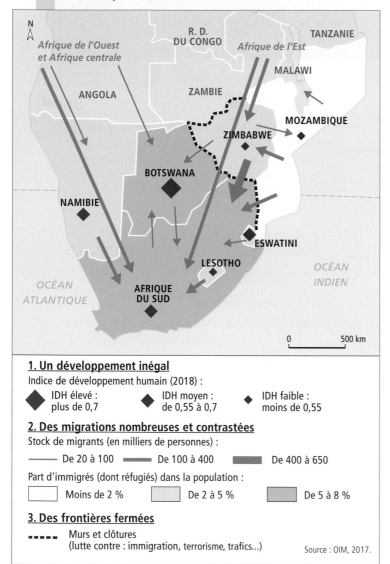

1. Un développement inégal

Indice de développement humain (2018) :

◆ IDH élevé : plus de 0,7   ◆ IDH moyen : de 0,55 à 0,7   ◆ IDH faible : moins de 0,55

2. Des migrations nombreuses et contrastées

Stock de migrants (en milliers de personnes) :

— De 20 à 100   — De 100 à 400   ▬ De 400 à 650

Part d'immigrés (dont réfugiés) dans la population :

☐ Moins de 2 %   ☐ De 2 à 5 %   ☐ De 5 à 8 %

3. Des frontières fermées

---- Murs et clôtures
(lutte contre : immigration, terrorisme, trafics...)

Source : OIM, 2017.

2 Les migrations rurales en Afrique du Sud

Avant 1994[1], la forme de migration dominante en Afrique du Sud était caractérisée par des migrations temporaires de main-d'œuvre : des hommes d'origine rurale, principalement des Africains noirs, fournissant leur force de travail à l'industrie minière […]. Ceux-ci laissaient leurs familles derrière eux, du fait des restrictions de déplacement imposées par les lois de l'apartheid, avec des conséquences désastreuses sur le développement local.

Avec la fin de ces restrictions, l'Afrique du Sud post-apartheid a connu un immense processus de migration interne. […]

Malgré les progrès réalisés en termes d'infrastructures et de services, de nombreuses communautés rurales sont sous-équipées (eau, électricité, routes viables) et font face à un accès très inégal aux services (santé et éducation). […] La recherche d'un emploi ou d'une activité génératrice de revenus est un des principaux moteurs de la migration rurale vers les bourgs et les villes de la même province ou d'une autre province. […]

Cependant, même lorsqu'ils sont engagés dans une migration à long terme, les migrants restent connectés à leurs localités rurales d'origine. Ils envoient des fonds contribuant ainsi aux moyens d'existence en milieu rural et restent intégrés dans les réseaux sociaux. Ces liens facilitent la migration de retour (notamment celle des migrants plus âgés).

S. Mercandalli et B. Losch, *Une Afrique rurale en mouvement. Dynamiques et facteurs des migrations au sud du Sahara*, FAO et CIRAD, 2018.

1 1994 : Premières élections non raciales post-apartheid en Afrique du Sud.

Vocabulaire

▸ **Exil** : obligation de quitter son pays et de séjourner dans un autre pour une durée indéterminée en raison d'un contexte de violence.

▸ **Xénophobie** : hostilité manifestée à l'égard des étrangers.

▸ **Apartheid** : → voir p. 260.

3 Un camp de réfugiés mozambicains au Malawi (2016)

La guerre civile qui s'est déroulée entre 1976 et 1992 au Mozambique, et qui a repris sous la forme de violents affrontements entre 2013 et 2017, a entraîné des milliers de déplacés internes, ainsi que de nombreux réfugiés dans les États voisins, notamment au Malawi.

4 Des émeutes anti-migrants en Afrique du Sud

On commémorait cette semaine les dix ans des violences xénophobes de 2008, dans lesquelles 62 étrangers avaient trouvé la mort et plusieurs milliers avaient été déplacés. À Durban, dans la province du Kwazulu-Natal, les tensions entre Sud-Africains et migrants se sont réveillées ces derniers jours. Une situation qui pourrait s'embraser rapidement mais que le gouvernement tente, tant bien que mal, de contenir.

Dimanche dernier, dans trois *townships*[1] du nord de Durban, une association de businessmen sud-africains a posé un ultimatum aux commerçants étrangers, majoritairement somaliens et éthiopiens : fermer boutique avant le jeudi 17 mai, sous peine de représailles physiques. Selon eux, les commerçants étrangers travailleraient dans l'illégalité et contourneraient l'impôt. [...]

Marc Gbaffou, président de l'association African Diaspora Forum, qui représente la diaspora africaine, dénonce un climat de xénophobie persistant : « Ce n'est pas seulement contre les commerçants, c'est en général contre les étrangers au Kwazulu-Natal. Depuis plusieurs semaines, les migrants africains ont été menacés par les locaux, c'est une xénophobie montante, dans les écoles, à la police, dans les banques... En 2008, 62 migrants ont été tués, personne n'a été arrêté, jugé, condamné. » [...] La province du Kwazulu-Natal est connue pour ses fièvres xénophobes, comme en 2015, lorsque le roi zoulou en personne avait demandé aux étrangers de plier bagages et de rentrer chez eux.

« Afrique du Sud : poussée de fièvre anti-migrants près de Durban », www.rfi.fr, 20 mai 2018.

1 → voir définition p. 260

Questions

Itinéraire 1

Situer et expliquer

1 Identifiez les pays d'Afrique australe qui accueillent le plus de migrants. **doc. 1**

2 Montrez le lien entre les migrations et les inégalités de développement. **doc. 1 et 2**

3 Décrivez les migrations et expliquez les réactions suscitées par les migrations dans certains pays d'Afrique australe. **doc. 1 à 4**

Synthétiser et argumenter

4 Quels sont les différents types de migrants et de migrations qui parcourent l'Afrique australe ? **doc. 1 à 4**

ou

Itinéraire 2

Réaliser une capsule audio

- Réalisez une capsule audio sur les migrations en Afrique australe.
- À l'aide des documents, préparez d'abord votre texte. Pour cela :
  – présentez rapidement le sujet (cadre spatial / problématique) ;
  – organisez les informations en 2 ou 3 parties (les causes, les différents types de migrations, les conséquences...).
- Enregistrez-vous en veillant à parler distinctement.

THÈME **4**

SE PRÉPARER

AFRIQUE

RÉVISER

L'Afrique australe : unité et diversité

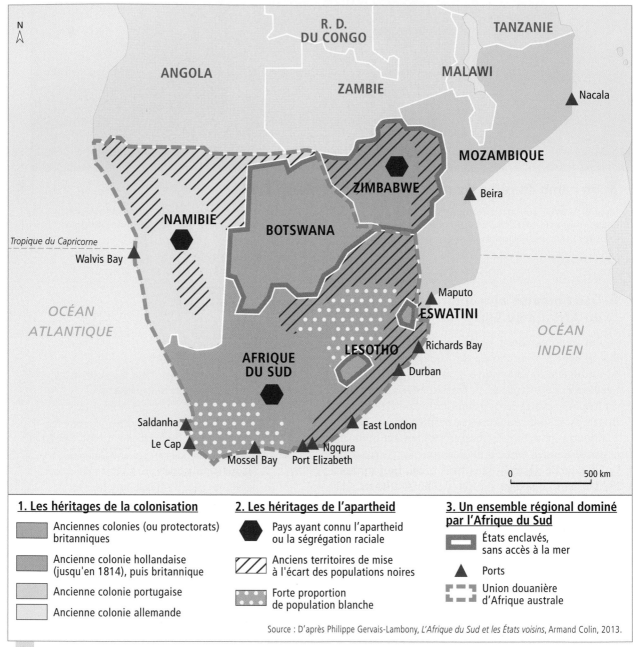

1 Un ensemble régional en transition politique et économique

1. Les héritages de la colonisation

- Anciennes colonies (ou protectorats) britanniques
- Ancienne colonie hollandaise (jusqu'en 1814), puis britannique
- Ancienne colonie portugaise
- Ancienne colonie allemande

2. Les héritages de l'apartheid

- Pays ayant connu l'apartheid ou la ségrégation raciale
- Anciens territoires de mise à l'écart des populations noires
- Forte proportion de population blanche

3. Un ensemble régional dominé par l'Afrique du Sud

- États enclavés, sans accès à la mer
- Ports
- Union douanière d'Afrique australe

Source : D'après Philippe Gervais-Lambony, *L'Afrique du Sud et les États voisins*, Armand Colin, 2013.

Des indépendances récentes

1910	1966	1968	1975	1980	1990
Afrique du Sud	Botswana Lesotho	Eswatini (ex-Swaziland)	Mozambique	Zimbabwe	Namibie

Questions

1 Montrez que l'Afrique australe a connu d'importants bouleversements politiques dans la deuxième moitié du XXᵉ siècle.

2 Identifiez les facteurs d'unité et de diversité de l'Afrique australe.

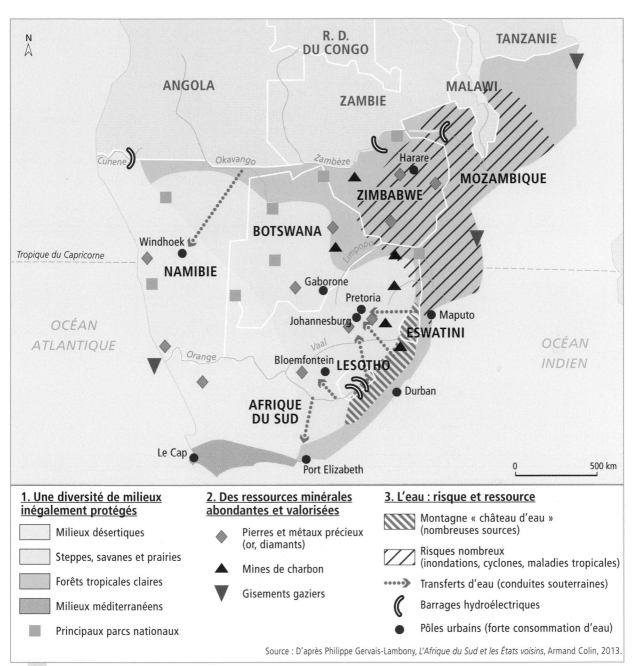

1. Une diversité de milieux inégalement protégés

	Milieux désertiques
	Steppes, savanes et prairies
	Forêts tropicales claires
	Milieux méditerranéens
	Principaux parcs nationaux

2. Des ressources minérales abondantes et valorisées

◆ Pierres et métaux précieux (or, diamants)

▲ Mines de charbon

▼ Gisements gaziers

3. L'eau : risque et ressource

▨ Montagne « château d'eau » (nombreuses sources)

▨ Risques nombreux (inondations, cyclones, maladies tropicales)

••••➡ Transferts d'eau (conduites souterraines)

(Barrages hydroélectriques

● Pôles urbains (forte consommation d'eau)

Source : D'après Philippe Gervais-Lambony, *L'Afrique du Sud et les États voisins*, Armand Colin, 2013.

2 Ressources naturelles, risques et environnement en Afrique australe

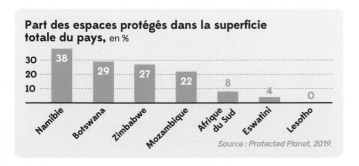

Part des espaces protégés dans la superficie totale du pays, en %

Namibie 38 · Botswana 29 · Zimbabwe 27 · Mozambique 22 · Afrique du Sud 8 · Eswatini 4 · Lesotho 0

Source : Protected Planet, 2019.

Questions

1 Identifiez et localisez les différentes ressources présentes en Afrique australe.

2 Où les territoires les plus exposés aux risques se situent-ils ?

L'Afrique australe : un espace en transition

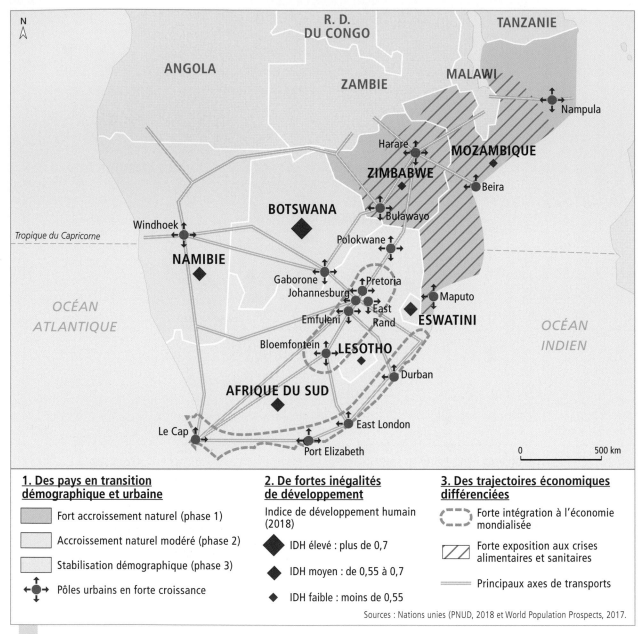

1 Les défis de la transition et du développement

1. Des pays en transition démographique et urbaine

- ▨ Fort accroissement naturel (phase 1)
- ▢ Accroissement naturel modéré (phase 2)
- ▢ Stabilisation démographique (phase 3)
- Pôles urbains en forte croissance

2. De fortes inégalités de développement

Indice de développement humain (2018)

- ◆ IDH élevé : plus de 0,7
- ◆ IDH moyen : de 0,55 à 0,7
- ◆ IDH faible : moins de 0,55

3. Des trajectoires économiques différenciées

- Forte intégration à l'économie mondialisée
- Forte exposition aux crises alimentaires et sanitaires
- Principaux axes de transports

Sources : Nations unies (PNUD, 2018 et World Population Prospects, 2017.

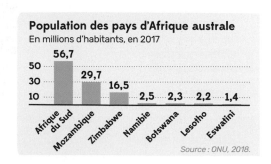

Population des pays d'Afrique australe
En millions d'habitants, en 2017

Afrique du Sud	56,7
Mozambique	29,7
Zimbabwe	16,5
Namibie	2,5
Botswana	2,3
Lesotho	2,2
Eswatini	1,4

Source : ONU, 2018.

Questions

1. Identifiez les contrastes démographiques qui caractérisent l'Afrique australe.

2. Montrez que les territoires de l'Afrique australe suivent des trajectoires de développement différentes.

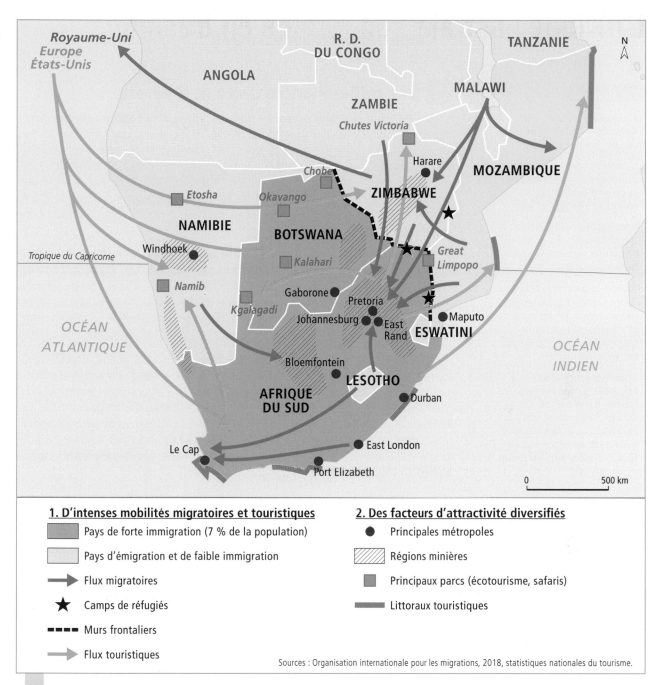

1. D'intenses mobilités migratoires et touristiques

- Pays de forte immigration (7 % de la population)
- Pays d'émigration et de faible immigration
- → Flux migratoires
- ★ Camps de réfugiés
- ▪▪▪ Murs frontaliers
- → Flux touristiques

2. Des facteurs d'attractivité diversifiés

- ● Principales métropoles
- ▨ Régions minières
- ▪ Principaux parcs (écotourisme, safaris)
- ▬ Littoraux touristiques

Sources : Organisation internationale pour les migrations, 2018, statistiques nationales du tourisme.

2 Les mobilités en Afrique australe

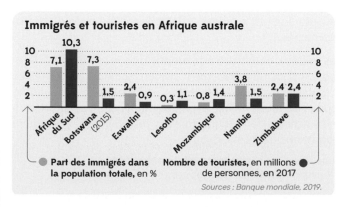

Immigrés et touristes en Afrique australe

	Afrique du Sud	Botswana (2015)	Eswatini	Lesotho	Mozambique	Namibie	Zimbabwe
Part des immigrés (%)	7,1	7,3	2,4	0,3	0,8	3,8	2,4
Nombre de touristes (millions)	10,3	1,5	0,9	1,1	1,4	1,5	2,4

● **Part des immigrés dans la population totale, en %**
● **Nombre de touristes, en millions de personnes, en 2017**

Sources : Banque mondiale, 2019.

Questions

❶ Quelles sont les principales régions d'arrivée et de départ des migrants ?

❷ Montrez que les migrations de population et les flux touristiques s'effectuent à différentes échelles.

THÈME ❹

SE PRÉPARER ★

AFRIQUE

RÉVISER

+ Podcast du cours

Des milieux à valoriser et à ménager

➡ Comment les milieux et leurs ressources sont-ils exploités en Afrique australe ?

Vocabulaire

▶ **Afrique australe** : nom donné à la partie la plus au sud du continent africain.

▶ **Choléra** : grave infection diarrhéique provoquée par la consommation d'eau souillée.

▶ **Mangrove** : forêt littorale quotidiennement inondée par la marée dans la zone intertropicale.

▶ **Récif corallien** : formation sous-marine construite par des animaux, les coraux, et caractérisée par une forte biodiversité (poissons, tortues, algues…).

▶ **Savane** : formation végétale composée de hautes herbes et plus ou moins parsemée d'arbres, caractéristique des régions tropicales à longue saison sèche. C'est un milieu riche en animaux.

▶ **Trypanosomiase** : maladie du sommeil transmise aux hommes et au bétail par la mouche tsé-tsé.

▶ **Veld** : étendue herbeuse des plateaux de l'intérieur de l'Afrique australe.

1 Des milieux entre unité et diversité

● **L'Afrique australe présente une certaine unité topographique.** Entre océans Atlantique et Indien, elle rassemble les territoires de l'Afrique du Sud et de ses pays voisins (Lesotho, Eswatini, Namibie, Botswana, Zimbabwe et Mozambique). Une grande partie de la superficie régionale (3,9 millions de km²) est couverte par les hauts plateaux (plus de 1 000 m). Seuls le Grand Escarpement (longue chaîne de montagnes parallèle au littoral qui atteint presque 3 500 m dans le Drakensberg) et quelques plaines littorales (Mozambique) rompent cette impression d'homogénéité.

● **Les conditions climatiques contribuent aussi à l'unité régionale.** L'Afrique australe est globalement sèche, notamment sur les plateaux de l'intérieur. L'aridité domine à l'ouest (déserts du Namib et du Kalahari). Les littoraux de la façade orientale sont plus arrosés, de même que le Drakensberg, véritable montagne château d'eau où plusieurs cours d'eau prennent leur source (Orange, Vaal).

● **Malgré cette unité, les milieux présentent une réelle diversité.** La zone tropicale sèche de l'intérieur est dominée par le **veld**. Elle laisse la place à une **savane** sèche vers l'ouest (Botswana, Namibie) et une forêt claire au nord (Zimbabwe). Le Drakensberg présente des forêts humides du fait de l'altitude. Les littoraux sont tout aussi variés : immenses dunes des déserts côtiers en Namibie, végétation méditerranéenne et côtes à falaises au sud (cap des Aiguilles, cap de Bonne-Espérance), côte basse et sableuse où alternent **récifs coralliens** et **mangrove** au Mozambique.

2 Des ressources abondantes et exploitées

● **Les faibles contraintes topographiques ont favorisé le peuplement.** Historiquement, l'horizontalité du veld, qui offre peu d'obstacles à la circulation, avait facilité les colonisations hollandaise et britannique. Elle favorise aujourd'hui l'étalement urbain. L'absence de certaines maladies tropicales (**trypanosomiase**) sur les hauts plateaux explique aussi que certaines métropoles se trouvent à des altitudes assez élevées : 1 700 m pour Johannesburg et Windhoek, 1 500 m pour Harare et Pretoria, 1 000 m pour Gaborone.

● **Les ressources minières sont plus abondantes que sur le reste du continent.** L'exploitation de l'or a marqué le début de l'extraction minière en Afrique australe, en particulier dans le Rand (Afrique du Sud) et le Grand Dyke (Zimbabwe). Les réserves de minerais sont abondantes (chrome, platine et uranium en Afrique du Sud) de même que celles de diamants (Botswana, Namibie). Les ressources énergétiques aussi sont variées : charbon (Afrique du Sud), hydroélectricité et gaz (Mozambique).

● **La diversité des milieux constitue également une ressource.** Les littoraux offrent un fort potentiel de développement : aménagements portuaires en lien avec de grandes routes maritimes (Afrique du Sud), ressources halieutiques (Namibie), plages propices au tourisme balnéaire (Mozambique). Les savanes intérieures, d'une grande richesse faunistique (grands mammifères), présentent aussi un fort intérêt touristique (parcs nationaux).

DOSSIER Le diamant, une ressource naturelle stratégique → p. 244
DOSSIER Les parcs nationaux → p. 246

3 Des sociétés face aux enjeux de la durabilité

● **Les risques naturels sont moins marqués que dans le reste de l'Afrique.** Cependant, ils tendent à se renforcer avec le changement climatique. Les cyclones frappent régulièrement le littoral du Mozambique qui connaît aussi de longues périodes d'inondations. C'est aussi le cas au Zimbabwe où elles s'accompagnent souvent d'épidémies (choléra). Les sécheresses se montrent aussi plus fréquentes et affectent surtout l'Afrique du Sud (région du Cap en 2018).

● **La protection des milieux joue un rôle à la fois environnemental, économique et politique.** L'Afrique australe possède des parcs nationaux parmi les plus vastes au monde. Jusqu'aux années 1990, certains servaient de zones tampons entre États rivaux (Angola/Namibie, Mozambique/Afrique du Sud). Avec le retour de la paix, ils ont parfois été transformés en parcs transfrontaliers pour promouvoir l'intégration régionale grâce à la préservation des espèces et au développement touristique (Great Limpopo Transfrontier Park).

● **La gestion de l'eau représente un enjeu géopolitique majeur.** Paradoxalement, c'est dans les pays naturellement les mieux dotés en eau (Lesotho, Mozambique) que l'accès à la ressource est le plus limité en raison de la pauvreté. L'État sud-africain a aménagé des infrastructures permettant d'acheminer une partie de la ressource vers son territoire (hydroélectricité du Mozambique, transferts d'eau en provenance du Lesotho). Cette « hydro-hégémonie » reflète des disparités de puissance et de développement entre l'Afrique du Sud et les États voisins.

DOSSIER Les parcs nationaux → p. 246
DOSSIER L'électricité : un enjeu de développement → p. 248

Les 3 premiers pays d'Afrique australe producteurs de minerais

N° 2   N° 1   N° 3

Afrique du Sud
(manganèse, platine, chrome, diamants, or, nickel, charbon)

Zimbabwe
(platine, chrome, diamants, nickel)

Botswana
(diamants, nickel)

Sources : USGS National Minerals Information Center et International Energy Agency, 2019.

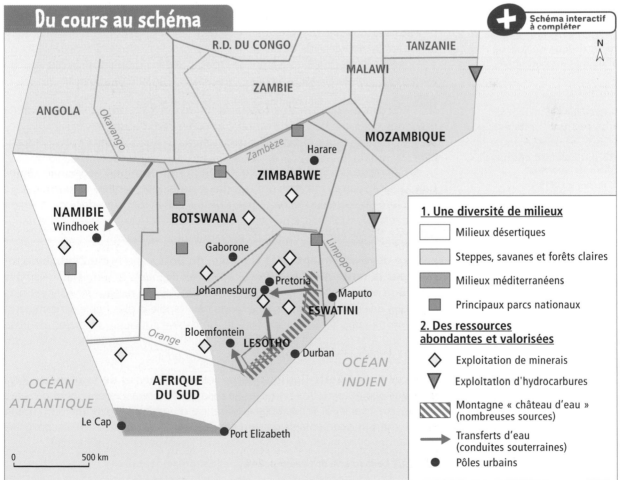

Du cours au schéma

Schéma interactif à compléter

1. Une diversité de milieux
- Milieux désertiques
- Steppes, savanes et forêts claires
- Milieux méditerranéens
- Principaux parcs nationaux

2. Des ressources abondantes et valorisées
- ◇ Exploitation de minerais
- ▽ Exploitation d'hydrocarbures
- Montagne « château d'eau » (nombreuses sources)
- → Transferts d'eau (conduites souterraines)
- ● Pôles urbains

THÈME 4

SE PRÉPARER ★

AFRIQUE

RÉVISER

Podcast du cours

Les défis de la transition et du développement pour des pays inégalement développés

→ Quelles sont les conséquences socio-spatiales de la transition post-coloniale et post-apartheid ?

Vocabulaire

▶ **Accaparement des terres :** processus mondialisé d'acquisition de terres à l'étranger, essentiellement à des fins agricoles.

▶ **Apartheid** (de l'afrikaans signifiant « développement séparé ») : politique de ségrégation raciale en Afrique du Sud et en Namibie entre 1948 et 1991.

▶ **BRICS : →** voir p. 124.

▶ **Pays enclavé :** pays ne disposant d'aucun accès à la mer (Botswana, Lesotho, Eswatini, Zimbabwe).

▶ **Réforme agraire :** processus de redistribution des terres en vue d'une répartition plus équitable.

▶ *Township* : quartier de relégation des populations noires à l'époque de la ségrégation raciale dans les villes d'Afrique du Sud, de Namibie et du Zimbabwe.

1 Des transitions aux rythmes différenciés

● **L'Afrique australe a connu de profondes transitions politiques à la fin du XXᵉ siècle.** Les indépendances du Zimbabwe (1965), du Botswana et du Lesotho (1968), de l'Eswatini (ex-Swaziland, en 1968), du Mozambique (1975) et de la Namibie (1990) ont été tardives. L'Afrique du Sud a aboli en 1991 le régime d'**apartheid** établi en 1948 et s'est engagée sur la voie de la démocratie. Depuis les années 1980, l'Afrique du Sud, la Namibie et le Zimbabwe ont connu la fin de la ségrégation tandis qu'au Mozambique, la paix demeure précaire malgré la fin de la guerre civile (1977-1992).

● **La transition économique s'est faite à un rythme plus modéré.** L'adoption du capitalisme a renforcé l'intégration des pays d'Afrique australe à l'économie mondiale mais au prix d'une forte baisse des dépenses publiques. L'émergence de l'Afrique du Sud agit comme un moteur pour la région (flux de migrants, de capitaux, de touristes) mais son attractivité pour les IDE (38ᵉ rang mondial) est limitée par la corruption, la criminalité et les coupures d'électricité.

● **La transition s'avère encore plus lente sur le plan démographique et social.** Le modèle de la transition démographique s'applique difficilement à l'Afrique australe (111 millions d'habitants en 2017), en raison de l'augmentation brutale de la mortalité liée à l'épidémie de sida. Le Lesotho et l'Eswatini enregistrent la plus faible espérance de vie au monde (49 ans) et le plus fort taux de malades du sida (plus de 25 % de la population). La croissance démographique ralentit, sauf au Mozambique et au Zimbabwe où elle se poursuit à un rythme soutenu.

DOSSIER L'électricité : un enjeu de développement → p. 248

2 Des trajectoires de développement différenciées

● **L'Afrique du Sud fait partie des BRICS et domine l'économie régionale.** Ses ressources minières ont favorisé le développement de l'industrie et du réseau ferré et portuaire (Richards Bay, Durban) qui en font l'interface de la région avec le reste du monde. L'émergence du pays se caractérise aussi par l'internationalisation de ses entreprises, implantées sur tout le continent.

● **Le développement de la Namibie, du Botswana et du Zimbabwe repose sur la rente minière.** L'exploitation des diamants a permis à la Namibie et au Botswana de financer des politiques sociales. Le niveau de vie y est plus élevé que dans les pays voisins et la mortalité infantile la plus faible du continent. Riche en minerais (platine, chrome), le Zimbabwe fut aussi un exportateur de maïs jusqu'à ce qu'une **réforme agraire** (2000) chasse les agriculteurs blancs du pays, contribuant à l'effondrement de son économie.

● **Les autres États figurent parmi les plus pauvres de la planète.** **Pays enclavés** peu pourvus en ressources, le Lesotho et l'Eswatini dépendent des pays voisins. À l'inverse, le Mozambique bénéficie d'une large ouverture sur l'océan où d'immenses gisements de gaz ont été découverts. Le pays suscite la convoitise des grandes puissances, ce qui se traduit par l'**accaparement de terres**.

DOSSIER Le diamant, une ressource naturelle stratégique → p. 244

PIB par habitant des pays d'Afrique australe

En dollars, en 2018

Botswana **7 596**

Afrique du Sud **6 161**

Namibie **5 227**

Eswatini **3 224**

Lesotho **1 182**

Zimbabwe **1 080**

Mozambique **416**

Source : Banque mondiale, 2019.

3 Des inégalités et une ségrégation persistantes

● **La décolonisation et la fin de l'apartheid ont favorisé la justice sociale.** En Afrique du Sud et en Namibie, depuis la fin de l'apartheid, les politiques sociales ont permis de nets progrès dans l'accès à l'eau potable, au logement et à l'électricité. Les politiques en faveur des populations noires ont contribué au développement de la classe moyenne africaine et à l'apparition d'une élite économique, surnommée les « Black Diamonds ».

● **Les héritages du colonialisme et de l'apartheid marquent encore les territoires.** Dans les trois anciens pays ségrégationnistes, les *townships* restent des quartiers majoritairement noirs et pauvres (Soweto et Alexandra à Johannesburg). En Afrique du Sud, les Blancs (8 % de la population) possèdent encore 72 % des terres agricoles contre 4 % pour les Noirs (81 % de la population). Cette situation caractérise aussi la Namibie.

● **Les pays d'Afrique australe sont les plus inégalitaires de la planète.** En Afrique du Sud, les revenus des Noirs restent cinq fois plus faibles que ceux des Blancs, généralement plus diplômés. Ils doivent aussi faire face aux prix de l'immobilier qui les contraignent à résider loin de leur travail. Les inégalités, alliées aux drames de l'apartheid, ont généré une culture de la violence : le taux d'homicides de certaines villes sud-africaines (Le Cap, Port Elizabeth) figure parmi les plus élevés au monde.

DOSSIER Villes et inégalités → p. 250

Nombre de touristes internationaux en 2017
En millions
Afrique du Sud 10,3
Zimbabwe 2,4
Namibie 1,5
Botswana (données 2015) 1,5
Mozambique 1,4
Lesotho 1,1
Eswatini 0,9

Source : Banque mondiale, 2019.

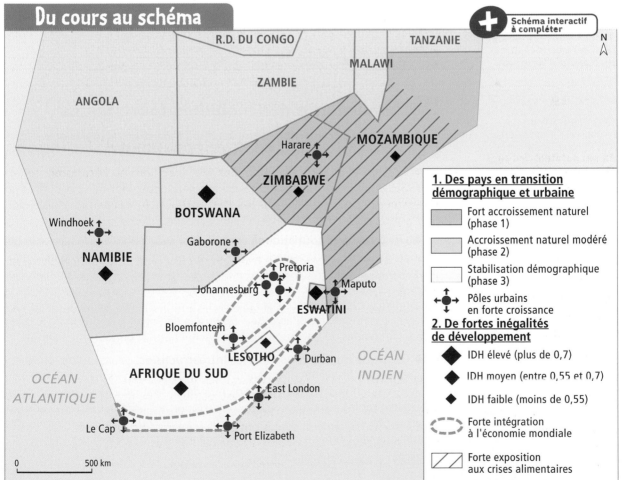

Du cours au schéma

Schéma interactif à compléter

1. Des pays en transition démographique et urbaine

Fort accroissement naturel (phase 1)

Accroissement naturel modéré (phase 2)

Stabilisation démographique (phase 3)

Pôles urbains en forte croissance

2. De fortes inégalités de développement

◆ IDH élevé (plus de 0,7)

◆ IDH moyen (entre 0,55 et 0,7)

◆ IDH faible (moins de 0,55)

Forte intégration à l'économie mondiale

Forte exposition aux crises alimentaires

THÈME ❹

SE PRÉPARER ★

AFRIQUE

RÉVISER

Des territoires traversés et remodelés par des mobilités complexes

➡️ **À quels types de mobilités l'Afrique australe est-elle confrontée ?**

Podcast du cours

1 Des flux migratoires complexes

● **Les flux migratoires sont nés de l'économie minière.** La colonisation et l'apartheid avaient organisé un système migratoire international visant à alimenter les entreprises minières. Ce système, associé à l'aménagement de voies ferrées vers le Gauteng, garantissait l'acheminement d'une main-d'œuvre bon marché en provenance des campagnes sud-africaines et des pays voisins (Mozambique, Lesotho, Eswatini, Malawi) vers les mines.

● **Ces flux migratoires ont favorisé la transition urbaine.** Celle-ci fut précoce en Afrique du Sud, au Botswana et en Namibie. Aujourd'hui, le Gauteng et les métropoles littorales polarisent les flux : Johannesburg (5 millions d'habitants), Le Cap (4 millions) et Durban (3,7 millions). Les travailleurs en provenance des régions pauvres (province du Cap de l'Est) et des pays voisins continuent de vivre dans les anciens *townships*, *hostels* et bidonvilles. Près des frontières, certains camps de réfugiés hérités de conflits anciens (Mozambique) n'ont pas disparu.

● **De nouveaux réseaux migratoires émergent.** Leur extension vers le centre et l'ouest de l'Afrique illustre la fascination exercée par le modèle de consommation sud-africain à l'échelle continentale. Les flux migratoires se féminisent et alimentent différents secteurs : commerce informel, travail domestique, prostitution. Toutefois, les pays de la région sont aussi touchés par le *brain drain*, surtout le Zimbabwe dont un tiers du personnel médical vit à l'étranger (Afrique du Sud, Royaume-Uni).

DOSSIER Villes et inégalités ➜ p. 250
DOSSIER Exils et migrations ➜ p. 252

2 L'émergence des mobilités touristiques

● **Les Sud-Africains dominent les flux touristiques régionaux.** Ils représentent la première nationalité de touristes en Afrique australe. Malgré une certaine démocratisation, ce tourisme reste dominé par les classes blanches et aisées. En Afrique du Sud, le nombre annuel de touristes nationaux tend même à stagner autour de 10 millions, ce qui illustre les limites de l'émergence. Les touristes internationaux proviennent surtout des États-Unis et d'Europe.

● **Les territoires touristiques sont variés.** Dès l'époque coloniale, il existe un tourisme fondé sur les safaris et la chasse au trophée. Les grands parcs nationaux demeurent des moteurs d'attractivité internationale (Afrique du Sud, Namibie, Botswana, Zimbabwe). Le Lesotho et l'Eswatini restent en marge mais le Mozambique s'affirme grâce à ses plages. Le tourisme mémoriel se développe en lien avec le patrimoine de l'apartheid (*township* de Soweto, île-prison de Robben Island). Les plages du Cap et de Durban suscitent plutôt un tourisme national.

● **L'Afrique du Sud concentre les infrastructures.** L'aéroport de Johannesburg est le plus fréquenté d'Afrique (21 millions de passagers en 2017). Celui du Cap arrive en 3e position. La Coupe du monde de football 2010 a été l'occasion de moderniser les infrastructures (nouvel aéroport à Durban). L'essentiel des flux à destination des pays voisins transite par ces trois *hubs*, ce qui reflète le rôle central joué par l'Afrique du Sud dans l'organisation de l'espace régional.

DOSSIER Les parcs nationaux ➜ p. 246

Vocabulaire

▸ **Big Five** : surnom donné, depuis l'époque coloniale, aux animaux les plus recherchés lors des safaris touristiques et des chasses au trophée (lion, éléphant, buffle, léopard, rhinocéros).

▸ **Brain drain** : littéralement « fuite des cerveaux ». Émigration des travailleurs les plus qualifiés.

▸ **Gauteng** : province la plus peuplée et la plus urbanisée d'Afrique du Sud qui concentre le plus grand nombre de mines et de centres d'affaires du pays. Elle regroupe notamment Pretoria, sa capitale administrative, et Johannesburg, sa capitale économique.

▸ **Hostels** : logements collectifs locatifs, organisés en dortoirs, destinés aux travailleurs migrants célibataires.

▸ **Hub** : plate-forme ou nœud de correspondances qui concentre et redistribue les flux de marchandises et de personnes à différentes échelles.

▸ **Remises** : ➜ voir p. 192, 201.

▸ **Southern African Development Community (SADC)** : organisation économique visant à renforcer l'intégration entre les pays d'Afrique australe et centrale (libre-échange, réseaux de transport internationaux).

Part des remises dans le PIB national, en %

Lesotho **15,6**
Zimbabwe **7,9**
Eswatini **3,3**
Mozambique **2**
Namibie **0,5**
Afrique du Sud **0,3**
Botswana **0,2**

Source : Banque mondiale, 2019.

3 Les nouvelles inégalités territoriales

● **Les mobilités renforcent l'opposition entre centres et périphéries.**
L'Afrique du Sud polarise les mobilités, ce qui reflète son statut de puissance insérée dans la mondialisation. En 2017, elle a accueilli 10 millions de touristes et 4 millions d'étrangers vivaient sur son sol. Son influence se traduit aussi par les forts investissements sud-africains dans le secteur touristique des pays voisins (hôtels au Mozambique). Le développement de certains États est très dépendant des remises envoyées par leurs travailleurs émigrés (Lesotho).

● **Les migrations internationales peuvent être source de tensions.**
L'Afrique du Sud et le Botswana cherchent à limiter l'immigration (reconduites à la frontière, aménagement de barrières frontalières). Redoutant une déstabilisation des conditions d'emploi de la main-d'œuvre (chômage, baisse des salaires locaux), ils se montrent peu favorables à l'évolution de la SADC vers un espace de libre circulation des personnes. Régulièrement, des vagues de xénophobie débouchent sur l'agression d'immigrés.

● **À l'échelle locale, le tourisme est parfois facteur d'inégalités et de conflits d'usage.** La volonté de transformer certains parcs en sanctuaires animaliers a conduit les autorités à forcer leurs habitants au déménagement (Afrique du Sud, Botswana, Namibie). La chasse aux « *Big Five* », coûteuse et réservée à une élite économique blanche internationale, suscite régulièrement l'indignation mondiale. Cependant, elle reste souvent légale car source de revenus pour les États d'Afrique australe.

DOSSIER Les parcs nationaux → p. 246
DOSSIER Exils et migrations → p. 252

Nombre de touristes internationaux en 2017
En millions
Afrique du Sud 10,3
Zimbabwe 2,4
Namibie 1,5
Botswana (données 2015) 1,5
Mozambique 1,4
Lesotho 1,1
Eswatini 0,9

Source : Banque mondiale, 2019.

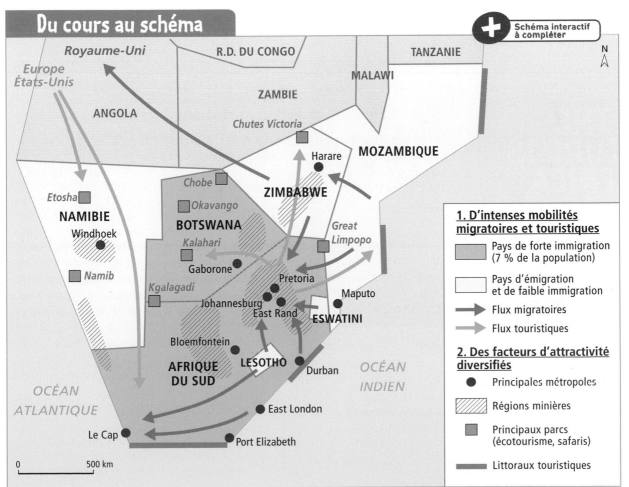

Du cours au schéma

Schéma interactif à compléter

1. D'intenses mobilités migratoires et touristiques

Pays de forte immigration (7 % de la population)

Pays d'émigration et de faible immigration

Flux migratoires

Flux touristiques

2. Des facteurs d'attractivité diversifiés

● Principales métropoles

Régions minières

Principaux parcs (écotourisme, safaris)

Littoraux touristiques

THÈME 4
SE PRÉPARER
★
AFRIQUE
RÉVISER

La mode, un reflet des mutations de l'Afrique australe

L'Afrique australe connaît de profonds bouleversements, notamment sur les plans économique et démographique. L'émergence de l'industrie de la mode est un reflet de la transition dans cette région. En effet, cette industrie y est en plein essor et son influence dépasse les frontières du continent.

→ **Comment la mode témoigne-t-elle des mutations de l'Afrique australe ?**

Le saviez-vous ?

▶ L'Afrique australe a représenté une source d'inspiration majeure pour les costumes du film *Black Panther* (→ doc. 3), en particulier les coiffures à base d'argile rouge de Namibie, les couvertures basothos du Lesotho ou encore les coiffes et tuniques d'origine zouloue.

1 Affiche pour la Mozambique Fashion Week (2018)

Les *fashion weeks*[1] se multiplient sur le continent africain depuis quelques années, en particulier en Afrique australe. Ces événements offrent aux stylistes africains une visibilité à l'échelle internationale.

1 Semaine de la mode.

2 La mode en Afrique, une industrie en plein essor

ÉCLAIRAGE

Les influences africaines se ressentent dans les collections des maisons de luxe, de Gucci à Burburry, jusqu'aux géants du prêt-à-porter comme H&M et Zara. L'Afrique a une place artistique importante dans l'industrie de la mode, on voit de plus en plus de styles inspirés de la culture africaine dans les défilés. Cette appétence mondiale pour la mode africaine a entraîné une multiplication de labels issus du continent et de la diaspora, comme le français Maison Château Rouge ou le hollandais Daily Paper, qui développent une vision afropolitaine[1] de la mode.

Ce foisonnement créatif africain surfe sur la mondialisation grâce aux réseaux sociaux et devient visible à l'échelle internationale, comme Amake Osakwe de Maki Oh ou Duro Olowu qui signent des collections portées par des célébrités, de Beyonce à Michelle Obama. Malgré des autorités gouvernementales et des investisseurs en retrait, l'industrie de la mode africaine se structure avec de nombreuses *fashion weeks*, de Dakar à Johannesburg en passant par Lagos. Pour les initiateurs de ces événements, le chemin est semé d'embûches, entre la recherche de partenaires fiables et la mobilisation de moyens logistiques et financiers. Sur le continent, l'effervescence autour de la mode depuis une décennie offre des opportunités à ceux et celles qui savent s'en saisir. Les Africains pourraient dépenser plus de 60 milliards d'euros en ligne en 2025.

Roger Mavreau, « Mode : L'Afrique au diapason du monde », *Le Point Afrique*, 27 juillet 2018.

1 Adjectif formé à partir des termes « africain » et « cosmopolitain » : désigne une culture mêlant les racines africaines et les influences occidentales.

3 Influence ou appropriation des cultures d'Afrique australe ?

a Tournage de *Black Panther*, film de Ryan Coogler (2018)

b Berger bantou et sa couverture de laine, Lesotho (2015)

Les couvertures en laine sacrées du peuple bantou (Afrique du Sud et Lesotho) ont notamment été transformées en accessoire de mode par Louis Vuitton, accusé d'appropriation culturelle, sans que les Bantous n'en tirent le moindre bénéfice.

4 Le styliste sud-africain Laduma Ngxokolo, 2018

Le jeune styliste sud-africain Laduma Ngxokolo a créé sa marque de vêtements en reproduisant les motifs « xhosas », ethnie d'Afrique du Sud. Plusieurs fois primé, il est considéré comme l'un des meilleurs stylistes de sa génération.

Questions

Présenter les documents

1 Présentez les documents et situez les pays concernés. **doc. 1, 3 et 4**

Analyser les documents

2 Quelle est aujourd'hui la place de l'Afrique, et particulièrement de l'Afrique australe, dans l'univers de la mode ? **doc. 1 à 4**

3 Comment les stylistes utilisent-ils les influences africaines dans leurs créations (couleurs, formes, motifs, etc.) ? **doc. 1 à 4**

Faire le lien avec la géographie

4 Comment l'émergence de l'industrie de la mode témoigne-t-elle des mutations de l'Afrique australe ? **doc. 1 à 4**

C'est à vous !   **Méthode**

→ Réalisez des recherches documentaires et un diaporama pour illustrer le développement de l'industrie de la mode en Afrique australe.

SYNTHÈSE

→ THÈME ❹ L'Afrique australe : un espace en profonde mutation

1 Des milieux à valoriser et à ménager

● **L'Afrique australe présente une certaine unité.** Celle-ci repose sur des caractéristiques topographiques et climatiques, mais aussi sur des facteurs historiques. Malgré cette unité, la richesse des milieux est aussi source d'une réelle diversité de paysages et de ressources.

● **Les ressources de l'Afrique australe sont abondantes.** Les faibles contraintes du relief et le caractère limité des risques naturels ont favorisé le peuplement. La mise en valeur des richesses minières est ancienne mais leur exploitation génère des pressions environnementales et des tensions géopolitiques.

2 Les défis de la transition et du développement

● **L'Afrique australe fait face à des transitions multiples.** Elle a connu de profondes mutations politiques (décolonisation, fin de la ségrégation). L'insertion dans la mondialisation a été plus rapide pour l'Afrique du Sud que pour ses voisins. La transition est plus lente sur le plan démographique et social car le sida et la pauvreté affectent gravement les sept pays.

● **De fortes inégalités persistent à toutes les échelles.** L'Afrique du Sud est une puissance régionale, tandis que le développement de la Namibie, du Botswana et du Zimbabwe reste dépendant de la rente minière. Le Lesotho et l'Eswatini figurent parmi les pays les plus pauvres du monde. Localement, les inégalités héritées de la colonisation et de l'apartheid persistent.

3 Des mobilités complexes

● **Les flux migratoires sont nés de l'économie minière.** Ils sont essentiellement polarisés par l'Afrique du Sud où ils ont été l'un des facteurs de la transition urbaine. Les flux de réfugiés sont en baisse mais les migrations économiques augmentent et dépassent l'échelle de l'Afrique australe. Les tensions xénophobes sont fréquentes.

● **Les mobilités touristiques s'affirment depuis les années 2000.** L'offre touristique est variée (parcs nationaux, stations balnéaires). Les Sud-Africains dominent les flux touristiques régionaux. L'Afrique du Sud accueille aussi le plus grand nombre de touristes étrangers, ce qui renforce les contrastes avec les États périphériques.

Chiffres clés

▸ **7 États** composent l'Afrique australe :
- Afrique du Sud
- Botswana
- Eswatini
- Lesotho
- Mozambique
- Namibie
- Zimbabwe

▸ **Superficie : 3,9 millions de km²**

▸ **Population Afrique australe : 111 millions**

▸ **Johannesburg : 5 millions d'habitants** (métropole la plus peuplée d'Afrique australe)

▸ **Afrique du Sud : principale destination touristique 10,3 millions** de touristes (2017)

▸ **IDH le + élevé : Botswana (0,717)**

Pour approfondir

 Bande dessinée

● *Noxolo*, de Jean-Christophe Morandeau, La boîte à bulles, 2014.

Film

● *Invictus*, de Clint Eastwood, 2009.

Livre

● *Disgrâce*, de John Maxwell Coetzee, 1999.

SCHÉMA DE SYNTHÈSE

■ À l'aide des connaissances acquises sur l'Afrique australe et des schémas intermédiaires proposés, complétez la légende du schéma de synthèse.

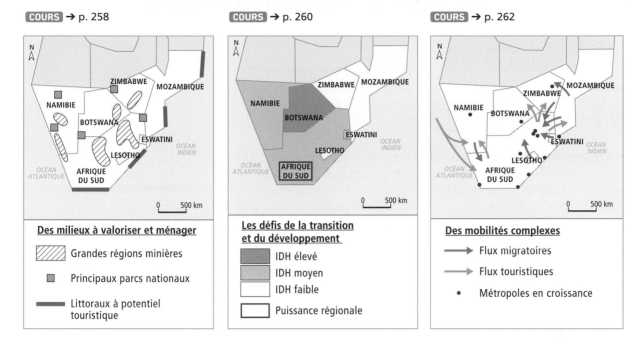

COURS → p. 258

Des milieux à valoriser et ménager

▨ Grandes régions minières

◻ Principaux parcs nationaux

▬ Littoraux à potentiel touristique

COURS → p. 260

Les défis de la transition et du développement

▨ IDH élevé

▨ IDH moyen

◻ IDH faible

▭ Puissance régionale

COURS → p. 262

Des mobilités complexes

→ Flux migratoires

→ Flux touristiques

• Métropoles en croissance

■ Complétez les titres et les informations de la légende ainsi que les figurés ponctuels manquants.

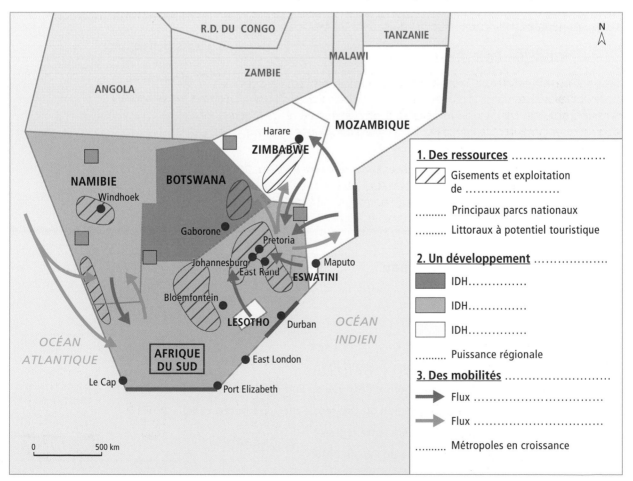

1. Des ressources ....

▨ Gisements et exploitation de ....

.... Principaux parcs nationaux

.... Littoraux à potentiel touristique

2. Un développement ....

▨ IDH..............

▨ IDH..............

◻ IDH..............

.... Puissance régionale

3. Des mobilités ....

→ Flux ....

→ Flux ....

.... Métropoles en croissance

THÈME ❹

SE PRÉPARER

★

AFRIQUE

RÉVISER

EXERCICES

1 **Vérifier ses connaissances**

Exercices interactifs

> Retrouvez des exercices interactifs pour tester vos connaissances sur le thème 4.

2 **Analyser une carte**

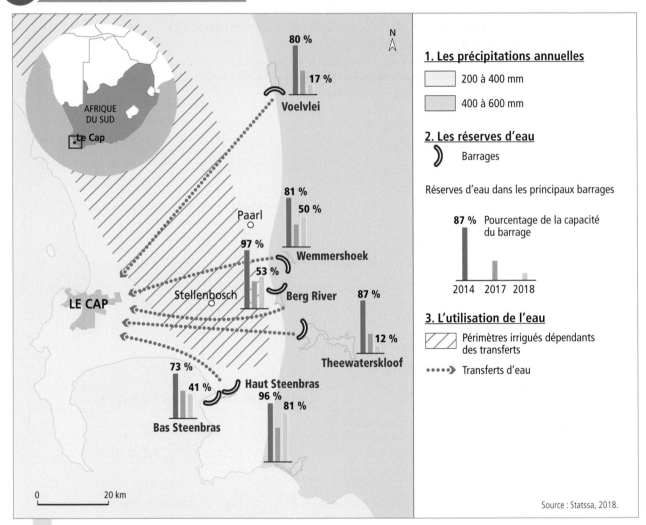

Le Cap face à la pénurie d'eau

Questions

1 Comment la ville du Cap est-elle approvisionnée en eau ?

2 Décrivez l'évolution des réserves d'eau depuis 2014.

3 Comment sont réparties les précipitations en Afrique du Sud ?

4 Quelle quantité de précipitations la région du Cap reçoit-elle en moyenne chaque année ?

5 Quelle autre activité utilise de l'eau dans cette région ?

6 Expliquez la pénurie d'eau dans la ville du Cap en 2018.

3 Faire un schéma à partir d'un texte

Gisements miniers et croissance urbaine en Afrique australe

La présence massive de <u>ressources minières</u> a donné lieu à la <u>construction d'infrastructures de transport</u>. Comme dans d'autres colonies africaines, un <u>réseau ferroviaire se développe pour joindre les zones d'extraction aux ports</u> coloniaux, en particulier <u>Le Cap, Durban et Maputo</u>. [...] L'importance des gisements miniers entraîne également une urbanisation sans précédent dès le XIXe siècle. La <u>croissance de Johannesburg</u> est exemplaire : cette ville-champignon, fondée en 1886 suite à la découverte d'or dans la région du Witwatersrand, rassemble 22 % de la population du pays en 1911. [...] Une importante <u>main-d'œuvre issue des campagnes vient se fixer dans les nouvelles zones minières</u>. Mais l'importance des découvertes minières à la fin du XIXe siècle en Afrique du Sud nécessite d'élargir les bassins de recrutement : <u>les migrants sont acheminés depuis les États voisins</u>.

Solène Baffi et Jeanne Vivet, « L'Afrique australe : un ensemble composite,
inégalement intégré à la mondialisation », *Géoconfluences*, janvier 2017.

Questions

❶ Dégagez l'idée principale du texte.

❷ Que devra montrer votre schéma ?

❸ Classez dans le tableau les informations soulignées :

Phénomènes spatiaux	Flux	Lieux

❹ Attribuez un figuré à chaque information et faites une légende.

❺ Reportez ces figurés sur le fond de schéma fourni.

❻ Indiquez le nom des lieux (villes, États).

❼ Donnez un titre au schéma.

Conseil
● Vous devez vous appuyer sur les mots-clés et notions qui sont contenus dans le texte et que vous avez vus en cours (exemple : ressources).

Conseil
● Pensez à prendre en compte les verbes quand ils indiquent un phénomène cartographiable, par exemple « joindre », « sont acheminés », etc.

Conseil
● Vous pouvez reformuler le titre du texte.

4 Approfondir ses connaissances

 Exercice d'approfondissement

⊗ Révisez votre cours sur l'Afrique australe avec une banque d'images (www.alamyimages.fr).

THÈME ❹
SE PRÉPARER
★
AFRIQUE
RÉVISER

→ Réaliser une fiche de révision

Une fiche de révision est un outil très efficace pour apprendre son chapitre. Elle permet de mémoriser le contenu du cours en regroupant les idées essentielles, le vocabulaire, les repères importants (chiffres, localisations…).

ÉTAPE 1 ▷ Repérer les informations clés

- **Lisez votre cours attentivement.**
- **Triez les informations :**
  - repérez les titres et sous-titres ;
  - identifiez tout ce qui est important à savoir.

> **Conseil**
> - Rédigez des phrases courtes.
> - Soyez le plus synthétique possible.

ÉTAPE 2 ▷ Rédiger la fiche de révision

- **Sur une fiche cartonnée, indiquez les éléments essentiels de votre cours.**
- **Notez le titre du chapitre en gros.**
- **Faites apparaître clairement le plan du cours dans votre fiche (titres et sous-titres)**
- **Indiquez dans chaque partie les idées clés, les définitions, les repères géographiques, les chiffres importants…**

ÉTAPE 3 ▷ Structurer la fiche de révision

- **Utilisez un code couleur :**
  - titres, chiffres et informations clés
  - cours
  - vocabulaire
  - noms de lieux à retenir
- **Ajoutez des symboles :**
  - →
  - =
  - +
  - ≠
- **Utilisez des abréviations :**
  - bcp (beaucoup)
  - pb (problème)
  - csq (conséquence)
  - nb (nombre)…

Des milieux à valoriser et à ménager

→ Comment les milieux et leurs ressources sont-ils exploités en Afrique australe ?

1- Des milieux entre unité et diversité
  - Unité
    - Topographique : hauts plateaux (sauf plaines littorales du Mozambique + Gd Escarpement // au littoral)
    - Climatique : Af. australe = globalement sèche

  - MAIS diversité des milieux :
    - Zone tropicale sèche (veld dans l'intérieur, savane à l' O. , forêt + claire vers le N.)
    - Littoral : plus arrosé à l'est / paysage de côtes basses et falaises + végétation méditerranéenne au sud / déserts arides du Namib et Kalahari = paysage de dunes
    - Le Drakensberg = montagne château d'eau = zone en altitude = forêt humide

→ superficie régionale : 3,9 millions de km²

2- Des ressources abondantes et exploitées
  …

→ Exploitation du diamant : Namibie, Botswana, Zimbabwe + AF du Sud

Exemple de fiche à partir du cours p. 258 (parties 1 et 2).

ÉTAPE 4 ▷ Mémoriser

- **Apprenez le plan du cours et, pour chacune des parties, les idées essentielles.**
- **Répétez plusieurs fois à l'oral les éléments de votre fiche.**
- **Compilez vos fiches de révision et utilisez-les pour préparer vos devoirs.**

> **Conseil**
> - Faites vos fiches au fur et à mesure et non pas au dernier moment. Cela facilitera vos révisions et vous préparera pour le bac en 1re et en terminale.

APPRENDRE > à lire une carte

→ Les figurés ponctuels

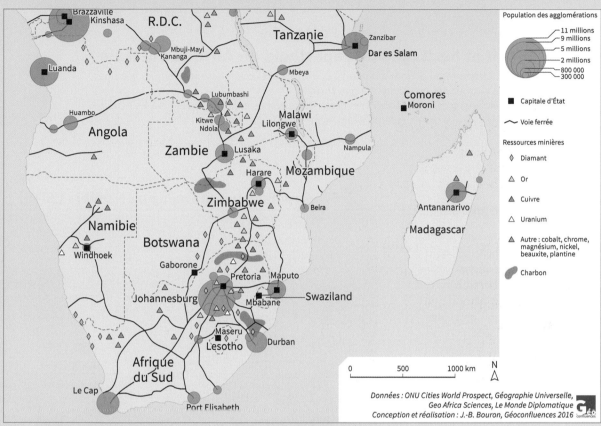

L'Afrique des mines

Solène Baffi et Jeanne Vivet, « L'Afrique australe : un ensemble composite, inégalement intégré à la mondialisation », *Géoconfluences*, janvier 2017.

Exercice d'application

❶ Quelle est l'échelle du territoire représenté sur cette carte ?

❷ À l'aide de l'orientation, situer deux lieux de votre choix, l'un par rapport à l'autre.

❸ Les tailles des figurés ponctuels sont-elles différentes sur cette carte ? Qu'est-ce que cela montre ?

❹ Les figurés ponctuels ont-ils différentes formes ? Pourquoi ?

❺ Les couleurs des figurés ponctuels sont-elles différenciées ? Pourquoi ?

Info Carto

▶ **La taille, la forme et la couleur des figurés ponctuels**

• Les figurés ponctuels sur les cartes peuvent donner de nombreuses informations :

Ils distinguent des quantités

– petits figurés ponctuels : faible quantité ;

– gros figurés ponctuels : forte quantité.

Ils distinguent des phénomènes par leurs formes

– une forme différente sur la carte : un phénomène différent dans la réalité.

Les couleurs des figurés ponctuels hiérarchisent ou différencient des phénomènes :

– des couleurs différentes sur la carte : des phénomènes différents ou d'intensités différentes.

▶ **L'orientation**

• Elle permet de localiser et de situer les lieux les uns par rapport aux autres.

• Par convention, l'ouest est souvent représenté par W (« *West* » en anglais).

• Le nord n'est pas toujours en haut sur les cartes (« orientation » vient d'orient = est).

Rose des vents

THÈME ❹

SE PRÉPARER
★

AFRIQUE

RÉVISER

MÉTHODE → **Rédiger la réponse au sujet**

SUJET

Développement et héritages de l'apartheid en Afrique australe

Consigne : À partir de l'analyse et la confrontation des documents, vous vous interrogerez sur les héritages de l'apartheid dans le développement actuel de l'Afrique australe.

Pour cela, vous expliquerez le processus d'urbanisation déplacée, puis vous montrerez comment les héritages de l'apartheid marquent le paysage urbain et le développement socio-économique.

1 La ségrégation urbaine

Au XXe siècle, ce qui apparaît propre à l'apartheid tel qu'il est conçu en Afrique australe, incluant la Namibie et le Zimbabwe, réside dans la mise en place d'une ségrégation et d'un processus « d'urbanisation déplacée ». À cet échelon, la ségrégation implique le déplacement des populations non blanches qui ne bénéficient pas d'un contrat de travail en ville vers des réserves africaines. La dépendance des populations déplacées aux centres urbains situés à des dizaines ou centaines de kilomètres et l'absence de services et d'infrastructures dans ces territoires ont conduit à la destruction de la paysannerie africaine qui, incapable de générer une surproduction, ne pouvait être compétitive face à l'agriculture blanche, et ont abouti à la création de véritables poches de sous-développement au sein de ces territoires.

[...] Ces espaces délimités n'hébergent pas ou peu d'activités économiques et de services, et ne constituent en aucun cas des espaces attractifs pour des investisseurs [...]. Ainsi, à l'échelle de l'Afrique australe, les *townships* constituent des enclaves situées hors des flux mondialisés.

Solène Baffi et Jeanne Vivet, « L'Afrique australe : un ensemble composite, inégalement intégré à la mondialisation », *Géoconfluences*, janvier 2017.

2 Swakopmund, un *township* en Namibie (2015)

Retrouvez des sujets de BAC et des méthodes actualisés régulièrement sur le site
→ **lyceen.nathan.fr/geo2de-2019**

Méthode	Guide de travail

1 Analyser le sujet

→ **Définir les termes de la consigne**	**1.** Définissez : *apartheid*, *développement*.
→ **Analyser l'énoncé de la consigne**	**2.** Recherchez le sens des mots clés de la consigne. Que devrez-vous montrer et expliquer dans le devoir ?
	3. Quels sont les thèmes d'étude abordés par la consigne ? Quel plan est suggéré par la consigne ?

2 Analyser le document

→ **Identifier les documents**	**4.** Indiquez la nature et la source des documents.
	5. Quel est le thème commun aux deux documents ? Quelle idée générale expriment-ils ?
→ **Extraire et mettre en relation les informations**	**6.** Relevez les informations permettant de répondre au sujet.

Conseil DU PROF
- Repérez et décrivez tous les éléments de la photographie qui permettent de répondre au sujet.

→ **Expliquer les informations à l'aide des connaissances**	**7.** Comment le doc. 2 permet-il de comprendre le doc. 1 ? → Pourquoi les *townships* sont-ils « des enclaves situées hors des flux mondialisés » ?
	8. Expliquez les termes spécifiques : *ségrégation, township*

3 Répondre au sujet

→ **Rédiger une introduction** • En quelques lignes, présenter les documents, leur thème général et le plan du devoir.	**9.** Rédigez l'introduction en complétant les phrases suivantes : Les documents proposés (*nature des documents, source*) permettent d'aborder la problématique de … . Nous montrerons dans un premier temps … puis …, et enfin … .
→ **Rédiger la réponse aux questions** • Rédiger un paragraphe par thème. • Développer et expliquer les idées avec les connaissances personnelles. • Illustrer les idées avec des exemples pris dans les documents.	**10.** À partir de votre travail d'analyse, rédigez la réponse au sujet en suivant le plan annoncé dans la consigne.

Conseil DU PROF
- Appuyez-vous sur le travail d'analyse du sujet et de la consigne.

Exemple : Dans plusieurs pays d'Afrique australe (Afrique du Sud, Namibie et Zimbabwe), la logique de ségrégation de l'apartheid a entraîné le déplacement des populations noires hors des villes dans des espaces isolés, les *townships*.

→ Puis expliquez ce qu'est l'apartheid et quelle population en particulier est concernée par l'urbanisation déplacée (information dans le texte). Évoquez le document 2 qui montre un exemple d'urbanisation déplacée sous la forme d'un *township* et définissez ce terme.

→ **Rédiger une conclusion** • Faire un bilan synthétique de l'étude, en deux ou trois phrases.	**11.** Pour conclure, faites un bilan de votre étude.

Conseil DU PROF
- Rédigez une phrase de synthèse de l'étude, puis montrez l'intérêt des documents pour comprendre la question géographique étudiée.

THÈME **4**

SE PRÉPARER
★
AFRIQUE

RÉVISER

→ Méthode générale
et description de
l'épreuve p. 284

MÉTHODE → Réaliser le croquis

SUJET

L'Afrique australe, des trajectoires de développement inégales

L'Afrique australe, des trajectoires de développement inégales

L'Afrique australe est un ensemble d'États aux trajectoires économiques différenciées.

En Afrique du Sud, l'exploitation des ressources minières, l'industrie ainsi que le développement des activités financières et de services aux entreprises sont les socles d'une économie diversifiée. La situation est différente pour la Namibie, le Botswana et le Zimbabwe dont le développement repose presque uniquement sur une économie de rente fondée sur l'exportation des diamants et des minerais (15 % du PIB du Zimbabwe ; 11,5 % du PIB namibien). Enfin, les États peu pourvus en ressources et enclavés, comme le Lesotho et l'Eswatini, ou aux faibles capacités d'investissement (Mozambique) connaissent un sous-développement chronique. Ces pays fortement agricoles restent parmi les plus pauvres de la planète (PIB/hab. inférieur à 500 $ par an au Mozambique).

Les indicateurs révèlent de fortes inégalités de développement entre les États.

L'IDH permettant de mesurer le niveau de développement humain traduit de fortes disparités en Afrique australe. Inférieur à 0,5 pour les pays les moins développés (le Mozambique et le Malawi), il dépasse 0,7 pour le plus développé (le Botswana). Entre ces extrêmes, l'Afrique du Sud, la Namibie, l'Eswatini, le Zimbabwe et le Lesotho forment un ensemble au développement moyen dont l'IDH est compris entre 0,699 et 0,52.

Les espaces d'Afrique australe sont inégalement attractifs.

L'économie minière, consommatrice de main-d'œuvre, a généré d'importants flux migratoires vers les zones d'exploitation des ressources. Ainsi, en Afrique du Sud, les mines du Gauteng ont vu affluer une main-d'œuvre venant des campagnes et des pays voisins. Ces flux ont favorisé la transition urbaine dans tous les pays d'Afrique australe. En Afrique du Sud, la mégapole du Gauteng (Johannesburg-Pretoria) rassemble près de 15 millions d'habitants, soit 24 % de la population nationale. Les capitales des États (Windhoeck, Maputo, Harare, Pretoria, Gaborone) ainsi que les principales villes d'Afrique du Sud (Johannesburg, Le Cap, Durban) sont des pôles urbains en forte croissance. L'Afrique australe attire aussi des flux touristiques en provenance des États-Unis et d'Europe vers les littoraux du Mozambique et les grands parcs nationaux d'Afrique du Sud, de Namibie, du Botswana, du Zimbabwe.

 Fond de carte

Thèmes principaux indiquant les parties du plan de la légende du croquis

Informations à représenter sur le croquis

Les lieux concernés par le sujet

 Retrouvez des sujets de BAC et des méthodes actualisés régulièrement sur le site
→ **lyceen.nathan.fr/geo2de-2019**

Méthode | Guide de travail

1 Déterminer l'objectif du croquis

→ **Analyser les termes du sujet**

1. Que devra montrer le croquis ?

2 Relever les informations dans le texte

→ **Identifier les informations cartographiables** (faits, phénomènes géographiques ou spatiaux)

• Relever uniquement les informations en rapport avec le sujet du texte.

2. Quelle aide les titres des parties donnent-ils pour sélectionner les informations ?

3. Relevez les informations liées au sujet dans le paragraphe 2.

4. Dans le paragraphe 3, comment les indications de lieu aident-elles à localiser les flux ?

5. Lisez cet extrait du texte :

« *Ces flux ont favorisé la transition urbaine dans tous les pays d'Afrique australe. Les* <u>capitales</u> *des États (Windhoeck, Maputo, Harare, Pretoria, Gaborone) ainsi que les* <u>principales villes</u> *d'Afrique du Sud (Johannesburg, Le Cap, Durban) sont des* <u>pôles urbains en forte croissance</u>. »*

• Parmi les informations soulignées, laquelle vous semble la plus pertinente à relever ? Justifiez votre réponse.

6. Relevez tous les lieux permettant de localiser les informations choisies.

3 Passer du texte à la légende du croquis

→ **Classer les informations dans la légende**

7. Reformulez les titres des paragraphes du texte en les simplifiant.

8. À l'aide du travail effectué sur le texte, classez les informations dans une légende en suivant le plan annoncé dans le sujet.

Conseil DU PROF

• Dans chaque partie, classez les informations en les hiérarchisant par ordre d'importance.

→ **Représenter les informations par des figurés**

9. À quelles informations correspondent les figurés suivant ?

• Justifiez votre choix.

4 Réaliser le croquis

→ **Différencier la typographie pour écrire les noms de lieux**

• Écrire les noms des pays en lettres majuscules et le nom des villes en minuscules d'imprimerie.

• Écrire le nom des lieux avec un stylo ou un feutre noir.

10. Sur le fond de carte fourni :
• Dessinez les figurés choisis.
• Indiquez le nom des lieux (la nomenclature).
• Recopiez sous le croquis la légende complétée.
• Donnez un titre au croquis en reprenant celui du texte.

Conseil DU PROF

• Aidez-vous du langage cartographique à la fin de votre manuel (p. V).

THÈME 4

SE PRÉPARER
★
AFRIQUE

RÉVISER

VERS LE BAC Question problématisée

→ Méthode générale et description de l'épreuve p. 286

SUJET

Définir la notion de développement. Les défis sont les difficultés à surmonter.

Notion à définir. Quelles sont les transformations actuelles ?

→ Quels sont les défis du développement, les transitions et les inégalités des États d'Afrique australe ?

Diversité des situations économiques et politiques. Disparités de développement.

Cadre spatial à présenter : localisation, limites géographiques.

À quelle échelle ?

Méthode	Guide de travail
1 Analyser le sujet	
→ **Définir les mots clés du sujet, l'échelle ou l'espace concerné par l'étude**	**1.** Analysez l'énoncé du sujet en vous aidant des encadrés de couleurs ci-dessus. **2.** Quels termes de la problématique orientent plus précisément la réflexion sur le sujet ? Que devrez-vous démontrer ?
2 Mobiliser et organiser ses connaissances	
→ **Rassembler les connaissances et les exemples en rapport avec le sujet**	**3.** Au brouillon, en vous aidant du cours et des dossiers du thème 4, listez les connaissances et les exemples qui permettront de traiter le sujet. **Conseil DU PROF** • Choisissez des exemples à différentes échelles (ensemble régional, pays, ville). **4.** Classez vos connaissances dans chaque partie du plan proposé. **Exemple :** **I.** Un ensemble marqué par les difficultés de développement et les fragmentations socio-spatiales (IDH, insécurité alimentaire, sida, pauvreté, inégalités sociales, apartheid et ses conséquences spatiales). **II.** Un ensemble en transition : potentiels et progrès (exploitation des ressources minières et énergétiques, population jeune, classe moyenne émergente, urbanisation, valorisation du potentiel touristique, diversification des activités, croissance économique/PIB).

Méthode	Guide de travail

III. Un ensemble inégal et composite dominé par l'Afrique du Sud (diversité des dynamiques économiques et politiques - PMA, économie de rente, puissance émergente - coopérations régionales, intégration inégale dans les flux mondiaux de migrations, d'investissements et de marchandises).

3 Rédiger la réponse à la question

→ **Rédiger une courte introduction**

5. Présentez le sujet en développant la question problématisée.

→ **Rédiger le développement**
- Le développement est composé de deux ou trois parties.
- Chacune des parties correspond à une idée directrice permettant de répondre à la question.
- Chaque partie est structurée de la même façon :

  Partie 1

  Argument (idée) 1
  Explications
  Exemples
  Argument (idée) 2
  Explications
  Exemples

6. Rédigez deux ou trois paragraphes correspondant chacun aux idées directrices.
Lisez la trame de la première partie du plan ci-dessous :
- Un ensemble marqué par les difficultés de développement et les fragmentations socio-spatiales.
- Le mal-développement et ses composantes : IDH (Mozambique 0,43 ; Afrique du Sud 0,69) ; pauvreté ; insécurité alimentaire ; sida (entre 20 et 30 % de la population de 15 à 49 ans).
- La permanence des inégalités : fortes inégalités de revenus (Afrique du Sud : pays le plus inégalitaire d'Afrique selon l'indice de Gini) ; apartheid ; ségrégations sociales et spatiales (bantoustans, *townships* ; bidonvilles : 86 % de la population urbaine de l'Angola).

Dans cet exemple :
- Identifiez l'idée majeure, les éléments d'explication et les exemples.
- Rédigez entièrement cette partie.

> **Conseil DU PROF**
> - Faites des phrases courtes ; utilisez un vocabulaire précis.

7. Faites une courte transition entre chaque partie, c'est-à-dire un bilan de la partie suivi de l'annonce de la partie suivante.

Dans l'exemple de transition ci-dessous, identifiez le bilan de la 1re partie puis l'annonce de la 2e partie :

Les États d'Afrique australe sont confrontés aux défis du développement. Sous l'effet de dynamiques récentes, cet ensemble régional connaît une transition vers de nouvelles perspectives.

→ **Rédiger la conclusion**

8. Rédigez une réponse à la question en synthétisant les idées principales du développement.
Exemple : L'Afrique australe présente de nombreuses caractéristiques du mal-développement. Mais les transitions démographiques, économiques et urbaines portent les germes de profondes mutations. Cet ensemble régional, bien qu'hétérogène, est porté par l'émergence de l'Afrique du Sud et connait une trajectoire de développement rapide.

THÈME **4**

SE PRÉPARER
★

AFRIQUE

RÉVISER

Retrouvez des sujets de BAC et des méthodes actualisés régulièrement sur le site
→ **lyceen.nathan.fr/geo2de-2019**

En Seconde, vous avez étudié...
« Les défis d'un monde en transition »

Sociétés et environnements

🌐 Les relations entre les sociétés et leurs environnements se traduisent par de multiples interactions.

🇫🇷 En France, la richesse et la fragilité des milieux motivent des actions de valorisation et de protection.

Territoires, populations et développement

🌐 Il n'existe pas un modèle unique de développement mais des trajectoires différentes entre les États.

🇫🇷 La France est marquée par la diversité des dynamiques démographiques et par des inégalités socio-économiques.

Des mobilités généralisées

🌐 Le monde est profondément bouleversé par les mobilités, notamment les migrations et les mobilités internationales.

🇫🇷 En France les mobilités rendent compte d'inégalités socio-économiques et territoriales.

L'Afrique australe : un espace en mutation

🌍 L'Afrique australe connaît des transitions environnementale, démographique, économique, urbaine et migratoire diverses et rapides.

En Première, vous allez étudier...
« Les dynamiques d'un monde en recomposition »

La métropolisation : un processus mondial différencié

🌐 La population mondiale est majoritairement urbaine. Cette urbanisation s'accompagne d'une concentration des hommes et des activités dans les métropoles.

🇫🇷 En France, le poids de Paris est renforcé tout comme celui des métropoles régionales dynamiques.

Espaces et acteurs de la production

🌐 Dans le monde, les espaces et les acteurs de la production se recomposent. Ils sont de plus en plus spécialisés et interconnectés.

🇫🇷 En France, les espaces productifs s'articulent entre mise en valeur locale et intégration à l'Europe et au monde.

Les espaces ruraux : multifonctionnalité ou fragmentation ?

🌐 Les recompositions des espaces ruraux sont marquées par des liens de plus en plus étroits avec les espaces urbains.

🇫🇷 En France, les espaces ruraux se transforment entre initiatives locales et politiques européennes.

La Chine : des recompositions spatiales multiples

🇨🇳 La Chine est un pays où les évolutions démographiques et les transitions (urbaine, environnementale, énergétique…) engendrent de nombreuses recompositions spatiales. L'insertion dans la mondialisation accentue les contrastes territoriaux.

CAHIER VERS LE BAC

Se préparer aux épreuves du Bac

Pour approfondir

Des sujets guidés à la fin de chaque thème pour s'entraîner progressivement à acquérir la méthode des épreuves du Bac :

Analyse de document(s)

Croquis

Question problématisée

Retrouvez des sujets des épreuves actualisés au fil des ans sur le site
➜ lyceen.nathan.fr/geo2de-2019

Les épreuves communes de contrôle continu

Bulletin officiel n°17 du 25 avril 2019

❶ Organisation de l'évaluation

L'évaluation se compose de :

• deux épreuves écrites passées respectivement aux deuxième et troisième trimestres de l'année de première ;

• une épreuve écrite passée à la même période que les autres épreuves de contrôle continu de l'année de terminale.

Pour chacune des voies et séries, ces épreuves sont adossées au programme de l'enseignement commun d'histoire-géographie pour les classes de première (première et deuxième épreuves) et de terminale (troisième épreuve).

❷ Objectifs de l'évaluation

Les épreuves communes de contrôle continu ont pour objectif d'évaluer l'aptitude du candidat à :

• mobiliser, au service d'une réflexion historique et géographique, des connaissances fondamentales pour la compréhension du monde et la formation civique et culturelle du citoyen ;

• rédiger des réponses construites et argumentées, montrant une maîtrise correcte de la langue ;

• exploiter, organiser et confronter des informations ;

• analyser un document de source et de nature diverses ;

• comprendre, interpréter et pratiquer différents langages graphiques.

❸ Structure de l'évaluation

Durée : 2 heures

	1ʳᵉ possibilité	2ᵉ possibilité
Première partie Environ 1 heure	**Histoire** Le candidat répond à une question problématisée	**Géographie** Le candidat répond à une question problématisée
Deuxième partie Environ 1 heure	**Géographie** – Soit une analyse de document(s) – Soit une production graphique	**Histoire** – Soit une analyse de document(s) – Soit une production graphique

Si la première partie de la première épreuve de contrôle continu est en histoire, la première partie de la deuxième épreuve est en géographie et inversement.

❹ Détails de l'épreuve

1ʳᵉ partie → réponse à une question problématisée

• Il s'agit d'une réponse rédigée et construite.

• Le candidat doit montrer qu'il a acquis des capacités d'analyse, qu'il maîtrise des connaissances, sait les sélectionner et les organiser de manière à répondre à la problématique de la question.

• L'intitulé de la question suggère des éléments de construction de la réponse.

2ᵉ partie → analyse de document(s) ou réalisation d'une production graphique

• L'analyse de document(s) est accompagnée d'une consigne suggérant une problématique et des éléments de construction de l'analyse. Le ou les document(s), en histoire comme en géographie, comporte(nt) un titre et, si nécessaire, un nombre limité de notes explicatives.

• Lorsque la production graphique est un croquis, ce croquis est réalisé à partir d'un texte élaboré pour l'exercice qui présente une situation géographique. Un fond de carte est fourni. Le titre et l'organisation du texte indiquent de grandes orientations pour la réalisation du croquis.

• Dans le cas d'une autre production graphique, les consignes et les données servant à l'élaboration de cette production sont fournies avec l'exercice.

HISTOIRE → # Question problématisée

SUJET

Le suffrage universel renforce-t-il la démocratie en France durant la Deuxième République (1948-1951) ?

GÉOGRAPHIE → # Analyse de document

SUJET

L'eau, une ressource entre gestion et tensions en zone de montagne

Consigne : À partir de l'analyse du document, vous vous interrogerez sur les aspects et les conséquences de l'utilisation de l'eau en zone de montagne.

La gestion de l'eau dans une station de ski

Comme de nombreuses stations de ski, La Clusaz a construit des réserves d'eau afin d'alimenter les canons à neige. Mais avec la sécheresse, le maire a choisi sa priorité : « Nous devons faire moins de neige artificielle cette année. Nous faisons venir une usine de traitement mobile pour purifier l'eau des réserves afin de la reverser dans le circuit d'alimentation en eau. » La neige de culture permet de maintenir l'activité des stations, poumon économique de la région, avec une centaine de milliers d'emplois dont dépendent habitants et saisonniers. Il faut donc investir dans de nouvelles retenues d'eau afin d'alimenter les canons à neige. Ces travaux sont subventionnés par la région Auvergne-Rhône-Alpes. Avec de tels enjeux, comment assurer un partage équitable de l'eau entre l'habitant, l'agriculteur, l'industriel et les stations de ski ? « Dans les zones en tension, nous préconisons l'élaboration de plans de gestion de la ressource en eau, qui permettent le partage entre les différents acteurs de la ressource », explique le directeur Départemental du Territoire.

D'après Adrien Toffolet, *Entre neige artificielle, agriculture et robinets, la Haute-Savoie n'a plus assez d'eau pour tout le monde*, France-Inter, 15 novembre 2018.

Vers le BAC

L'analyse de document(s)

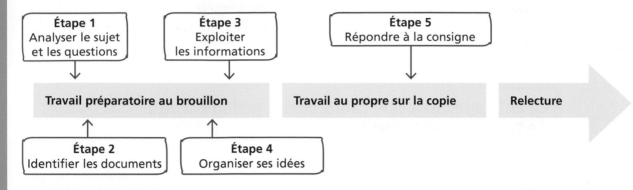

Étape 1 — Analyser le sujet et les questions

Étape 3 — Exploiter les informations

Étape 5 — Répondre à la consigne

Travail préparatoire au brouillon → Travail au propre sur la copie → Relecture

Étape 2 — Identifier les documents

Étape 4 — Organiser ses idées

ÉTAPE 1 ▶ **Au brouillon** → Analyser le sujet et la consigne

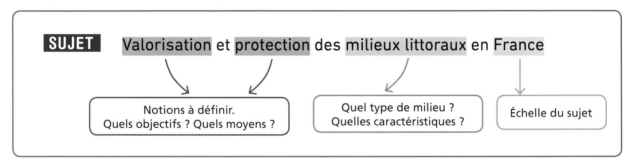

SUJET — Valorisation et protection des milieux littoraux en France

- Notions à définir. Quels objectifs ? Quels moyens ?
- Quel type de milieu ? Quelles caractéristiques ?
- Échelle du sujet

Consigne : À partir de l'analyse et de la confrontation des documents, vous expliquerez comment les milieux littoraux sont valorisés et protégés en France.
Pour cela, vous montrerez que les littoraux sont des espaces convoités, puis vous caractériserez les mesures de protection et de gestion de ces espaces.

ÉTAPE 2 ▶ **Au brouillon** → Identifier le(s) document(s)

9 La protection du littoral corse

Le littoral corse est vaste et varié ; il présente une grande richesse écologique et paysagère qui constitue un vecteur d'attractivité démographique et touristique, donc de développement économique, mais qui est cependant vulnérable. Afin de préserver et de valoriser ce capital sur le long terme, la loi « Littoral » du 3 janvier 1986 définit un cadre permettant d'y assurer de façon durable une urbanisation maîtrisée et en profondeur par rapport au rivage, pour limiter la propagation linéaire des constructions le long des côtes, et la préservation des sites, milieux et paysages les plus remarquables ou fragiles. La croissance démographique et le dynamisme touristique de l'île sont récents et concentrés sur le littoral ; ils ont induit un développement important et soudain de l'urbanisation littorale, dans une région encore assez rurale, où les démarches de planification urbaine ont été engagées tardivement et presque exclusivement à l'échelle communale. Aussi, face aux difficultés, qui non seulement entravent le développement des communes, mais aussi empêchent d'assurer convenablement la protection des espaces et milieux naturels remarquables ou fragiles du littoral, les élus de l'Assemblée de Corse ont exprimé la nécessité de préciser, dans le cadre du PADDUC[1], les modalités d'application de la loi « Littoral » au regard des particularités géographiques locales, afin d'aider les collectivités locales à développer durablement leurs territoires.

PADDUC, 2 octobre 2015.

1 Le Plan d'aménagement et de développement durable de la Corse (PADDUC) est un plan spécifique pour définir l'aménagement de l'île, préparé par l'Assemblée de Corse.

1 Le parc naturel marin du Bassin d'Arcachon

1. Les espaces du bassin d'Arcachon
- Urbanisation dense
- Forêt de pins et de landes
- Estran : espace découvert à marée basse
- Limites communales

2. Des usages variés
- Nombre de bateaux dans les ports de plaisance
- Pêche embarquée (professionnelle et loisir)
- Pêche à pied (professionnelle et loisir)
- Loisirs nautiques et plaisance
- Chasse sur l'estran

3. De nombreuses mesures de protection et de gestion
- Limites du parc naturel marin du Bassin d'Arcachon
- Réserves naturelles nationales
- Site Natura 2000
- Sites du conservatoire du littoral
- Parc naturel régional des Landes de Gascogne

Source : www.aires-marines.fr, 2018.

ÉTAPE 3 ▸ Au brouillon → Exploiter les informations

Analyser le(s) document(s)
- Informations répondant au sujet
- Notions à définir

→

Confronter le(s) document(s)
- Sens général : idée centrale
- Les informations des documents se complètent-elles ? S'opposent-elles ?

ÉTAPE 4 ▸ Au brouillon → Organiser ses idées

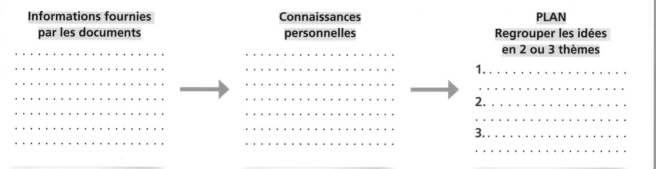

Informations fournies par les documents

→

Connaissances personnelles

→

PLAN Regrouper les idées en 2 ou 3 thèmes

1. . . . .
. . . .
2. . . . .
. . . .
3. . . . .
. . . .

ÉTAPE 5 ▸ Au propre sur la copie → Répondre au sujet

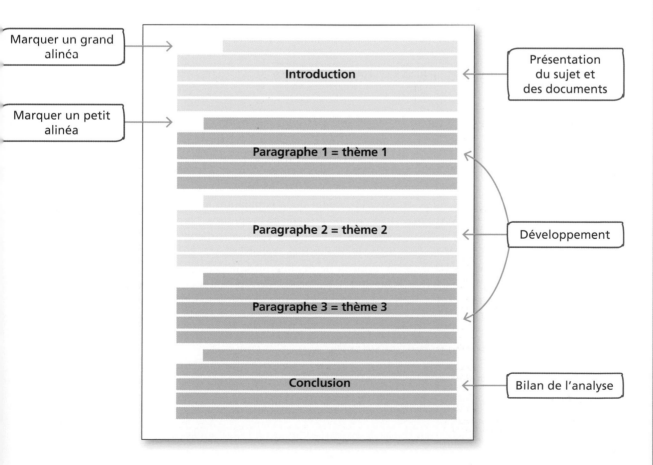

Marquer un grand alinéa

Marquer un petit alinéa

Introduction ← Présentation du sujet et des documents

Paragraphe 1 = thème 1

Paragraphe 2 = thème 2 ← Développement

Paragraphe 3 = thème 3

Conclusion ← Bilan de l'analyse

Vers le BAC

env. 1 h

Le croquis

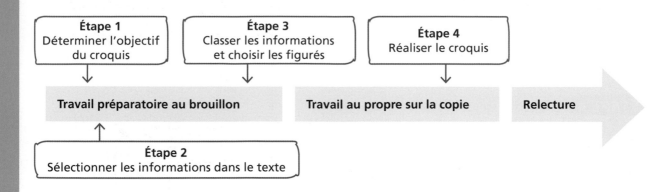

ÉTAPE 1 ▶ **Au brouillon** → Déterminer l'objectif du croquis

---

SUJET Dynamiques démographiques et inégalités des territoires en France

Notions à définir ← Espace à représenter

ÉTAPE 2 ▶ **Au brouillon** → Sélectionner les informations dans le texte

---

Le dynamisme démographique des territoires est contrasté.

    Le dynamisme démographique de la population française est variable selon les territoires. Le déclin démographique et le vieillissement de la population marquent principalement les territoires ruraux isolés et faiblement métropolisés comme l'intérieur de la Bretagne et la Normandie. Ce phénomène est particulièrement important dans les régions de montagne : les Ardennes, le massif central, les Pyrénées, le centre des Alpes, le centre de la Corse. En revanche, les régions littorales atlantiques et méditerranéennes sont caractérisées par une forte croissance démographique. Le reste du territoire se situe dans la moyenne nationale avec une croissance modérée de la population.

Les disparités socio-économiques sont importantes.

. . . .

Les territoires sont inégalement attractifs.

. . . .

> **Thèmes principaux indiquant les parties du plan**

> **Informations à représenter**

> **Les lieux concernés**

Respecter les règles
de la cartographie

Choisir des figurés
cohérents

Classer
les informations

Le langage cartographique

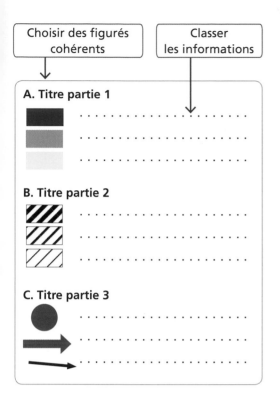

A. Titre partie 1

B. Titre partie 2

C. Titre partie 3

→ voir p. IV, à la fin du manuel.

→ **Donner un titre et soigner la réalisation.**

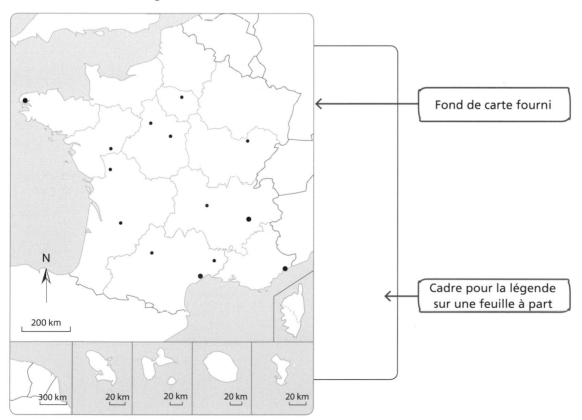

Fond de carte fourni

Cadre pour la légende
sur une feuille à part

N

200 km

300 km   20 km   20 km   20 km   20 km

Vers le BAC

env. 1 h

La réponse à une question problématisée

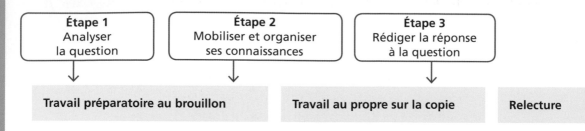

Étape 1
Analyser
la question

Étape 2
Mobiliser et organiser
ses connaissances

Étape 3
Rédiger la réponse
à la question

Travail préparatoire au brouillon

Travail au propre sur la copie

Relecture

ÉTAPE 1 **Au brouillon** → Analyser la question problématisée

SUJET

Notion à définir.
Analyser l'usage du pluriel.

Traiter les différentes échelles des
espaces concernés par les mobilités.

Comment les mobilités créent-elles des inégalités territoriales
en Afrique australe ?

Limites spatiales du sujet.

→ **La question constitue la problématique à laquelle le devoir doit répondre.**

→ **Le plan est donné dans la question.**

ÉTAPE 2 **Au brouillon** → Mobiliser et organiser ses connaissances

Mobiliser ses connaissances
Dresser une liste des connaissances
personnelles :
– Notions,
– Faits, idées,
– Données chiffrées,
– Exemples à utiliser.

Organiser

Construire le plan détaillé
1re idée clé
  – Arguments
  – Exemples et/ou schémas
2e idée clé
  – Arguments
  – Exemples
3e idée clé
  – Arguments
  – Exemples

**Le plan peut comporter 2 ou 3 parties,
en fonction de la question.**

ÉTAPE 3 ▶ **Au propre sur la copie** → Rédiger la réponse à la question

1 Rédiger l'introduction

Marquer un alinéa

→ L'Afrique australe, ensemble formé par l'Afrique du Sud et les six pays limitrophes, connaît une croissance économique qui la rend attractive pour les migrants ; la diversité des paysages y attire également de nombreux touristes. Mais ces mobilités ont des conséquences dans les espaces d'accueil.

Présenter le sujet

Comment les mobilités créent-elles des inégalités territoriales en Afrique australe ?

Énoncer la question problématisée

Énoncer le plan

→ Nous présenterons dans un premier temps les caractéristiques des flux migratoires et des mobilités touristiques en Afrique australe, puis nous montrerons qu'ils sont facteurs d'inégalités entre les territoires à différentes échelles.

2 Rédiger le développement (2 ou 3 paragraphes)

Marquer un alinéa

→ **Commencer par une phrase énonçant l'idée clé du premier paragraphe.**
Sous-partie 1 : annoncer l'argument n° 1 et l'illustrer par des exemples.
Sous-partie 2 : annoncer l'argument n° 2 et l'illustrer par des exemples.
Faire une transition

Sauter une ligne

→ **Commencer par une phrase énonçant l'idée clé du deuxième paragraphe.**
Sous-partie 1 : annoncer l'argument n° 1 et l'illustrer par des exemples.
…

Sauter une ligne

→ **Commencer par une phrase énonçant l'idée clé du troisième paragraphe.**
Sous-partie 1 : annoncer l'argument n° 1 et l'illustrer par des exemples.
…

3 Rédiger une courte conclusion

Bilan du développement

→ L'afflux de migrants et de touristes en Afrique australe favorise les territoires les plus dynamiques et les mieux intégrés à la mondialisation et renforce les contrastes avec les espaces périphériques.

Vers la spécialité

 env. 2 h

La composition

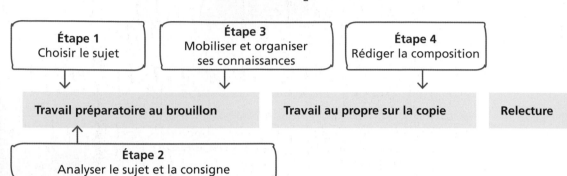

Étape 1
Choisir le sujet

Étape 3
Mobiliser et organiser
ses connaissances

Étape 4
Rédiger la composition

Travail préparatoire au brouillon

Travail au propre sur la copie

Relecture

Étape 2
Analyser le sujet et la consigne

ÉTAPE 1 ▶ **Au brouillon** → Lire les sujets et choisir entre le sujet 1 et le sujet 2

> **PREMIÈRE PARTIE**
>
> **Composition de géographie**
>
> Le candidat traite l'un des deux sujets suivants :
>
> **Sujet 1** : Valorisation et protection des milieux en France : comment valoriser les milieux tout en les protégeant ?
>
> **Sujet 2** : Quels sont les enjeux liés aux inégalités de développement dans le monde ?

ÉTAPE 2 ▶ **Au brouillon** → Analyser le sujet et la consigne

Mettre en valeur et protéger :
quoi ? Où ? Pourquoi ?

Thème central du sujet.
Notion-clé à définir

Les limites
spatiales du sujet

SUJET Valorisation et protection des milieux en France :
comment valoriser les milieux tout en les protégeant ?

Consigne :

Partie 1

Vous montrerez que l'exploitation des ressources en France conduit à des mises en valeur excessives des milieux et s'accompagne de politiques de protection afin d'assurer un développement durable.

Partie 2

→ Le plan du devoir est donné par la consigne.

ÉTAPE 3 ▶ **Au brouillon** → Mobiliser et organiser les connaissances

Mobiliser ses connaissances
Dresser une liste des connaissances personnelles :
– Notions,
– Faits, idées,
– Données chiffrées,
– Exemples à utiliser,
– Schémas à prévoir.

Organiser →

Construire le plan détaillé
1re idée clé
    – Arguments
    – Exemples et/ou schémas
2e idée clé
    – Arguments
    – Exemples
3e idée clé
    – Arguments
    – Exemples et/ou schémas

ÉTAPE 4 Au propre sur la copie → Rédiger la composition

1 Rédiger l'introduction

Marquer un alinéa → Sur ses 551000 km², le territoire français présente une grande diversité de milieux qui ont été transformés par les sociétés humaines au cours des siècles.

Présenter le sujet → Les aménagements dont ils font l'objet ont pour objectifs d'en exploiter les ressources et d'en surmonter les contraintes. Récemment, les sociétés humaines ont pris conscience de la nécessité d'une gestion plus raisonnée de ces milieux.

Énoncer la problématique → Comment valoriser les milieux en France tout en les protégeant ?

Énoncer le plan → Il s'agit d'abord de montrer que l'exploitation des ressources en France conduit à des mises en valeur excessives des milieux et s'accompagne de politiques de protection afin d'assurer leur développement durable.

2 Rédiger le développement

Marquer un alinéa → **Commencer par une phrase énonçant l'idée clé du premier paragraphe.**
Sous-partie 1 : annoncer l'argument n° 1 et l'illustrer par des exemples.
Sous-partie 2 : annoncer l'argument n° 2 et l'illustrer par des exemples.
Sous-partie 3 : annoncer l'argument n° 3 et l'illustrer par des exemples.
Faire une transition

Sauter une ligne → **Commencer par une phrase énonçant l'idée clé du deuxième paragraphe.**
Sous-partie 1 : annoncer l'argument n° 1 et l'illustrer par des exemples.
...

Sauter une ligne → **Commencer par une phrase énonçant l'idée clé du troisième paragraphe.**
Sous-partie 1 : annoncer l'argument n° 1 et l'illustrer par des exemples.
...

→ Insérer un ou plusieurs schémas (maximum un par paragraphe)

Schéma d'organisation spatiale

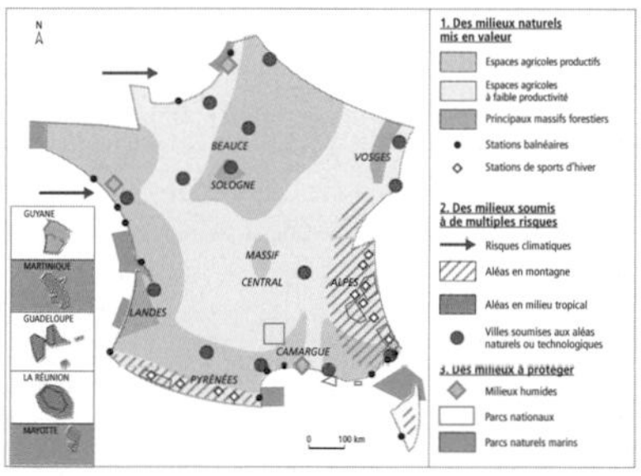

Schéma fléché

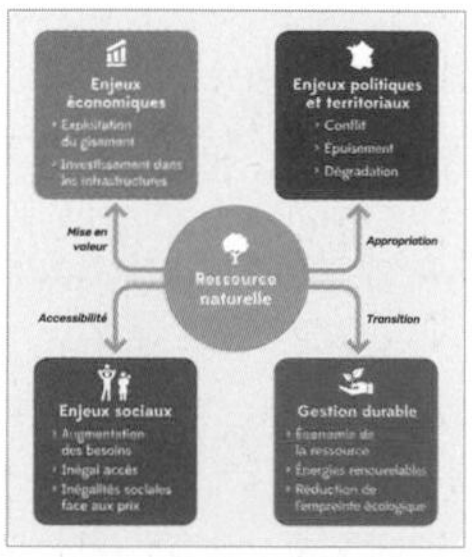

Graphique

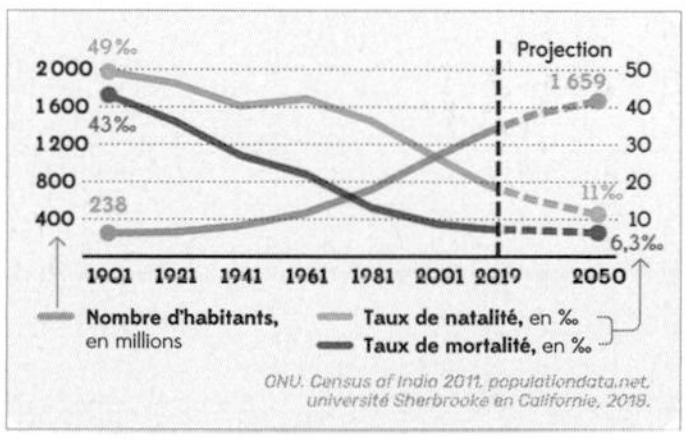

3 Rédiger la conclusion

Bilan du développement → En France, la diversité des milieux est un atout économique dont l'exploitation excessive a entraîné la mise en place de politiques de gestion raisonnées.

Ouverture du sujet vers un autre thème → Cependant un véritable développement durable des milieux nécessite aussi des mesures de prévention des risques.

Le relief dans le monde

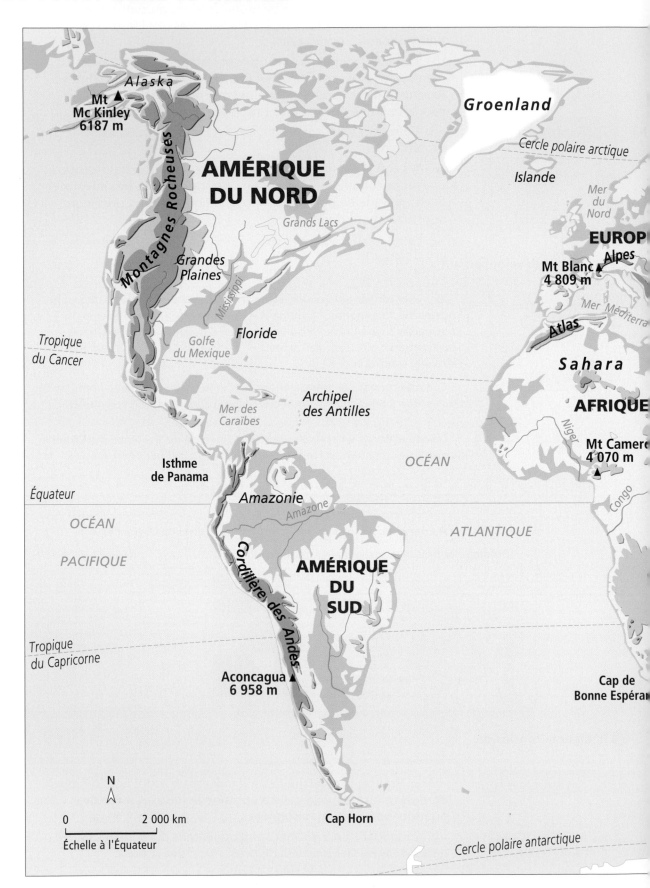

Alaska

Mt
Mc Kinley
6187 m

Montagnes Rocheuses

**AMÉRIQUE
DU NORD**

Grands Lacs

Grandes
Plaines

Mississippi

Floride

Golfe
du Mexique

Tropique
du Cancer

Mer des
Caraïbes

Archipel
des Antilles

Isthme
de Panama

Équateur

OCÉAN

PACIFIQUE

Amazonie

Amazone

Cordillère des Andes

**AMÉRIQUE
DU
SUD**

Tropique
du Capricorne

Aconcagua
6 958 m

N

0   2 000 km

Échelle à l'Équateur

Cap Horn

Groenland

Cercle polaire arctique

Islande

Mer
du
Nord

EUROP
Alpes

Mt Blanc
4 809 m

Mer Méditerra

Atlas

Sahara

AFRIQUE

Niger

Mt Camer
4 070 m

Congo

OCÉAN

ATLANTIQUE

Cap de
Bonne Espéra

Cercle polaire antarctique

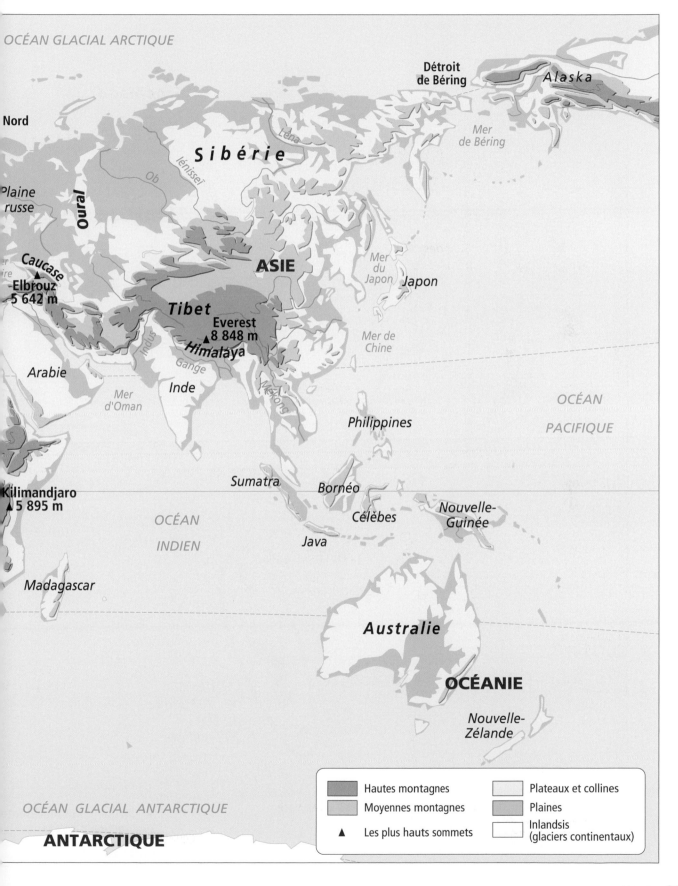

OCÉAN GLACIAL ARCTIQUE

Détroit
de Béring

Alaska

Nord

Mer
de Béring

S i b é r i e

Léna

Iénisseï

Ob

**Plaine
russe**

Oural

ASIE

Mer
du
Japon

Japon

Caucase
▲
Elbrouz
5 642 m

Tibet

Everest
▲8 848 m

Himalaya

Mer de
Chine

Indus

Gange

Mékong

Arabie

Mer
d'Oman

Inde

OCÉAN

PACIFIQUE

Philippines

Sumatra

Bornéo

Kilimandjaro
▲5 895 m

OCÉAN

INDIEN

Célèbes

Nouvelle-
Guinée

Java

Madagascar

Australie

OCÉANIE

Nouvelle-
Zélande

OCÉAN GLACIAL ANTARCTIQUE

ANTARCTIQUE

Hautes montagnes	Plateaux et collines
Moyennes montagnes	Plaines
▲ Les plus hauts sommets	Inlandsis (glaciers continentaux)

La population mondiale en 2019

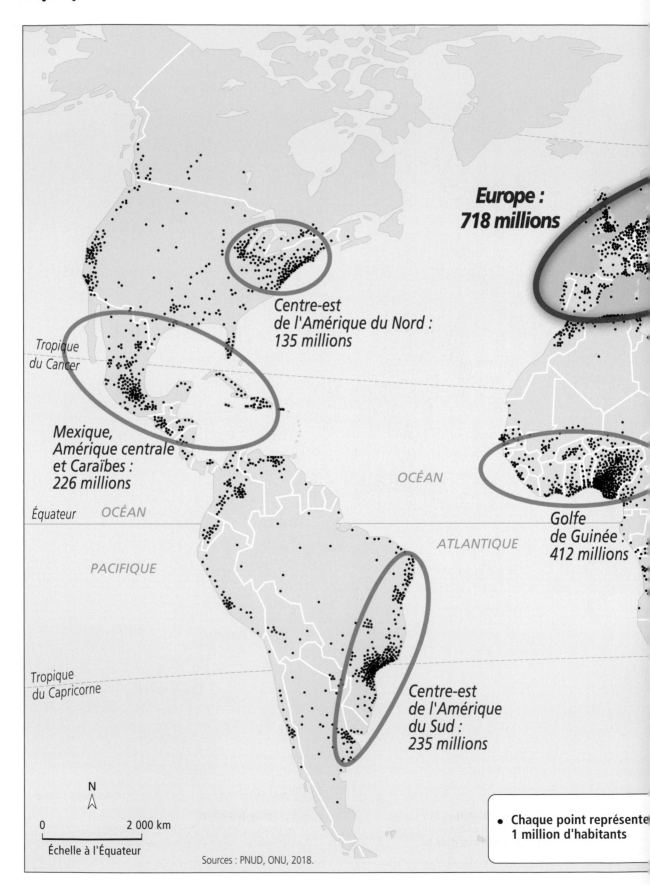

Europe :
718 millions

Centre-est
de l'Amérique du Nord :
135 millions

Tropique
du Cancer

Mexique,
Amérique centrale
et Caraïbes :
226 millions

Équateur   OCÉAN

PACIFIQUE

OCÉAN

ATLANTIQUE

Golfe
de Guinée :
412 millions

Tropique
du Capricorne

Centre-est
de l'Amérique
du Sud :
235 millions

N

0   2 000 km

Échelle à l'Équateur

Sources : PNUD, ONU, 2018.

● Chaque point représente
1 million d'habitants

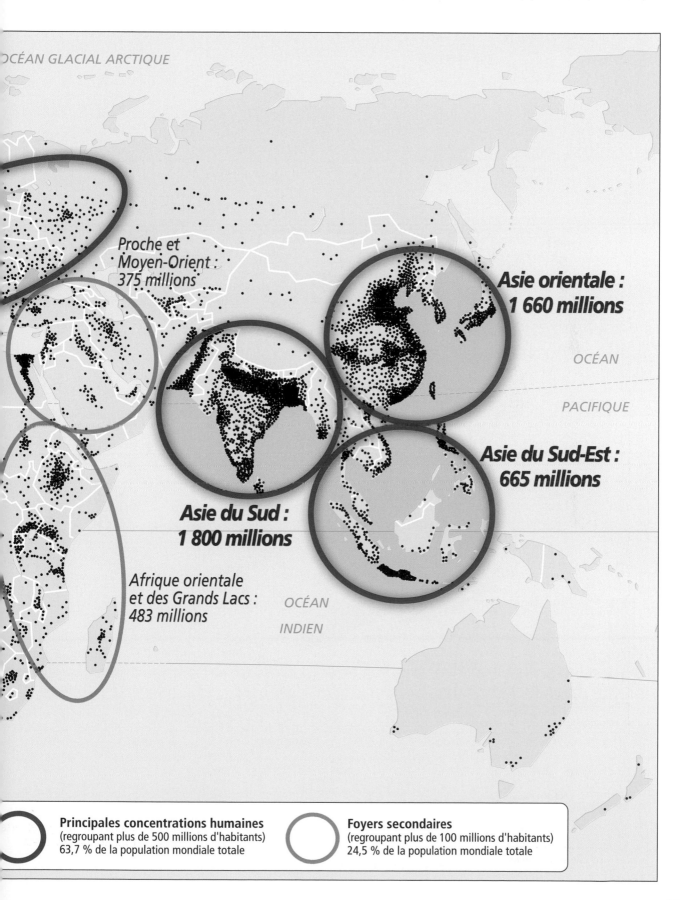

OCÉAN GLACIAL ARCTIQUE

Proche et
Moyen-Orient :
375 millions

Asie orientale :
1 660 millions

OCÉAN

PACIFIQUE

Asie du Sud :
1 800 millions

Asie du Sud-Est :
665 millions

Afrique orientale
et des Grands Lacs :
483 millions

OCÉAN

INDIEN

Principales concentrations humaines
(regroupant plus de 500 millions d'habitants)
63,7 % de la population mondiale totale

Foyers secondaires
(regroupant plus de 100 millions d'habitants)
24,5 % de la population mondiale totale

Le relief de la France

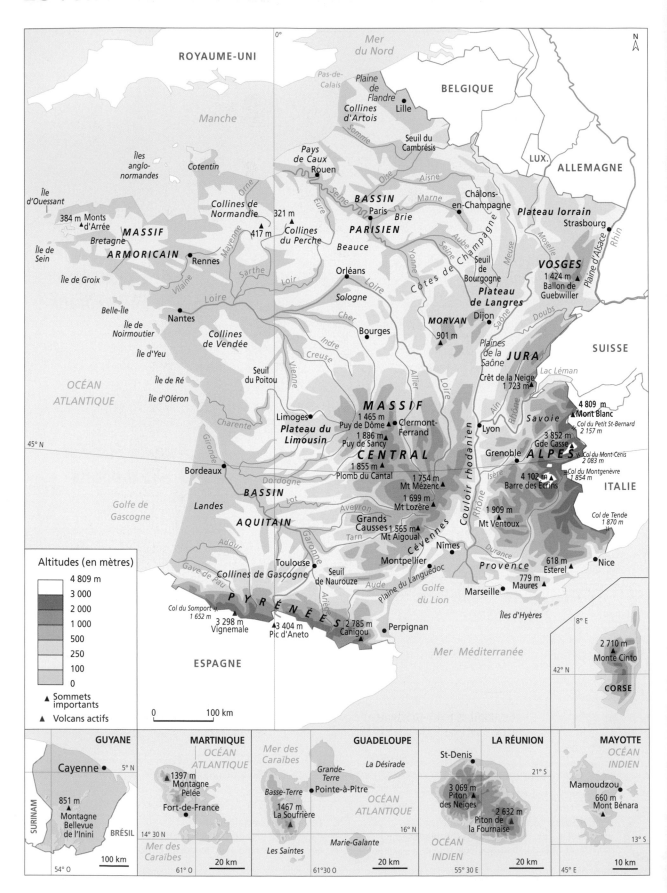

Les dynamiques démographiques en France

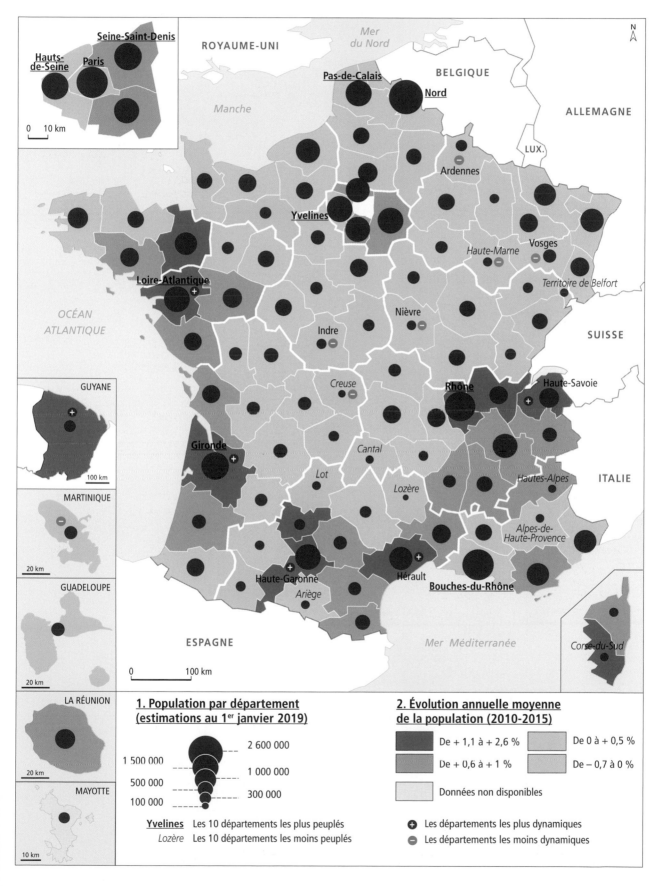

Carte : Hauts-de-Seine, Paris, Seine-Saint-Denis (encart)

ROYAUME-UNI · Mer du Nord · BELGIQUE · ALLEMAGNE · LUX. · SUISSE · ITALIE · ESPAGNE · Mer Méditerranée · Manche · OCÉAN ATLANTIQUE

Départements nommés : Pas-de-Calais, Nord, Ardennes, Yvelines, Haute-Marne, Vosges, Territoire de Belfort, Loire-Atlantique, Nièvre, Indre, Creuse, Rhône, Haute-Savoie, Gironde, Cantal, Lot, Lozère, Hautes-Alpes, Alpes-de-Haute-Provence, Haute-Garonne, Ariège, Hérault, Bouches-du-Rhône, Corse-du-Sud

Encarts : GUYANE (100 km), MARTINIQUE (20 km), GUADELOUPE (20 km), LA RÉUNION (20 km), MAYOTTE (10 km)

0 — 100 km

1. Population par département
(estimations au 1er janvier 2019)

2 600 000
1 500 000 — 1 000 000
500 000 — 300 000
100 000

Yvelines   Les 10 départements les plus peuplés
Lozère   Les 10 départements les moins peuplés

2. Évolution annuelle moyenne
de la population (2010-2015)

De + 1,1 à + 2,6 %   De 0 à + 0,5 %

De + 0,6 à + 1 %   De − 0,7 à 0 %

Données non disponibles

⊕ Les départements les plus dynamiques
⊖ Les départements les moins dynamiques

Les émissions de CO$_2$ dans le monde (2017)

1. Émissions de CO$_2$ par pays
(en millions de tonnes par an)

9 838
5 000
2 500
1 000
500
200
100

Seules les quantités supérieures
à 20 M de tonnes sont représentées

2. Émissions de CO$_2$ par habitant
(en tonnes, par an)

Moyenne mondiale : 4,8

Moins de 2

De 2 à 4,8

De 4,8 à 8

De 8 à 16

Plus de 16

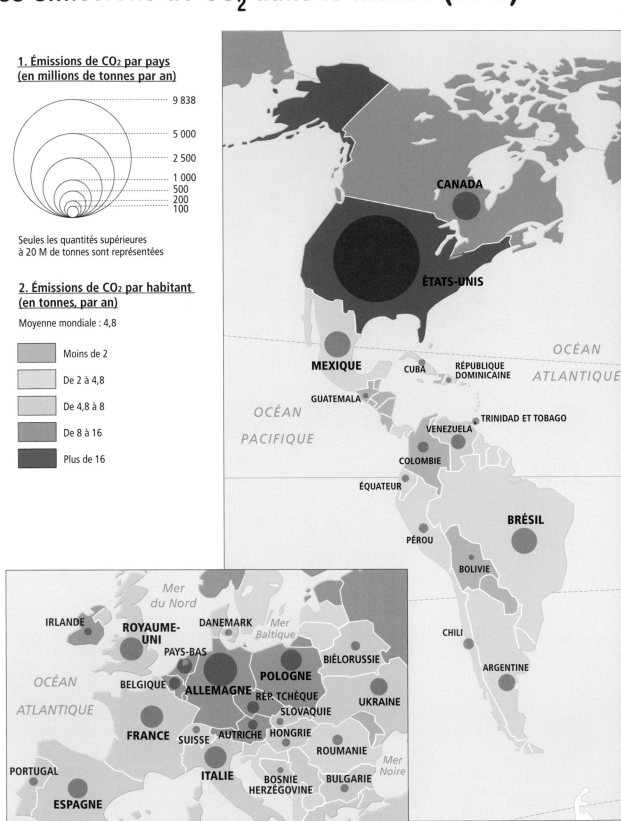

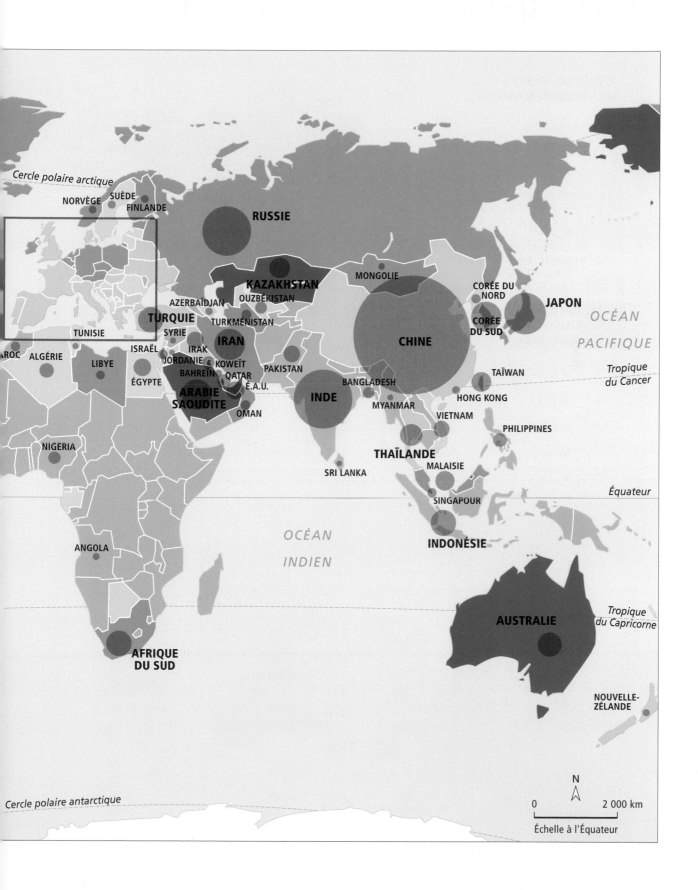

Cercle polaire arctique

NORVÈGE   SUÈDE
FINLANDE

RUSSIE

KAZAKHSTAN
OUZBÉKISTAN

MONGOLIE

CORÉE DU
NORD

JAPON

OCÉAN

PACIFIQUE

AZERBAÏDJAN
TURQUIE   TURKMÉNISTAN
TUNISIE   SYRIE
ROC   ALGÉRIE   ISRAËL   IRAK   IRAN
LIBYE   JORDANIE   KOWEÏT
ÉGYPTE   BAHREÏN   QATAR
                    É.A.U.
ARABIE
SAOUDITE
OMAN

CORÉE
DU SUD

CHINE

TAÏWAN

Tropique
du Cancer

PAKISTAN
BANGLADESH
INDE   HONG KONG

MYANMAR
VIETNAM

PHILIPPINES

NIGERIA

SRI LANKA

THAÏLANDE
MALAISIE

Équateur

SINGAPOUR

OCÉAN

INDIEN

ANGOLA

INDONÉSIE

AUSTRALIE

Tropique
du Capricorne

AFRIQUE
DU SUD

NOUVELLE-
ZÉLANDE

N

0   2 000 km

Échelle à l'Équateur

Cercle polaire antarctique

Les populations migrantes dans le monde (2017)

1. Nombre de résidents nés à l'étranger (par pays)

- ☐ Un carré = 1 M
- ☐ de 500 000 à 1 M
- ☐ de 200 à 500 000

Seules les quantités supérieures à 200 000 sont représentées

2. Part de la population née à l'étranger (en %)

- Plus de 40 %
- De 20 à 40 %
- De 10 à 20 %
- De 5 à 10 %
- De 2 à 5 %
- Moins de 2 %

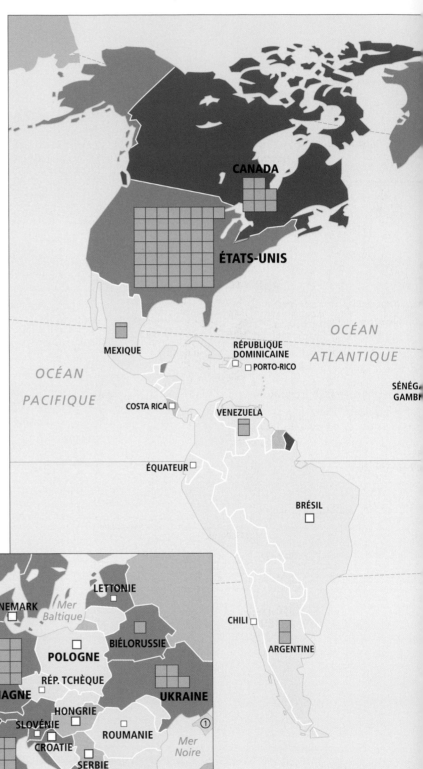

CANADA

ÉTATS-UNIS

MEXIQUE

RÉPUBLIQUE DOMINICAINE

☐ PORTO-RICO

OCÉAN ATLANTIQUE

OCÉAN PACIFIQUE

COSTA RICA ☐

VENEZUELA

SÉNÉGAL
GAMBIE

ÉQUATEUR ☐

BRÉSIL ☐

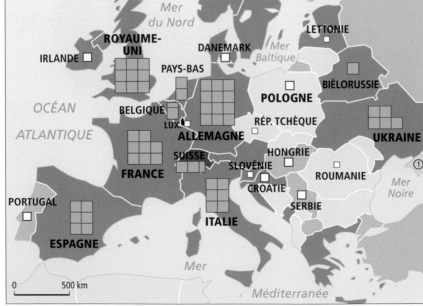

Mer du Nord

ROYAUME-UNI

IRLANDE ☐

DANEMARK

LETTONIE ☐

Mer Baltique

PAYS-BAS

BIÉLORUSSIE

OCÉAN ATLANTIQUE

BELGIQUE

POLOGNE

LUX.

RÉP. TCHÈQUE

UKRAINE

ALLEMAGNE

SUISSE

HONGRIE

SLOVÉNIE

ROUMANIE

①

FRANCE

CROATIE

Mer Noire

PORTUGAL ☐

SERBIE

ITALIE

ESPAGNE

Mer

CHILI ☐

ARGENTINE

Méditerranée

0   500 km

1. Crimée : région ukrainienne ayant proclamé son rattachement à la Russie par référendum au printemps 2014. Ce rattachement, validé par la Russie, n'est pas reconnu par les autorités ukrainiennes et la communauté internationale.

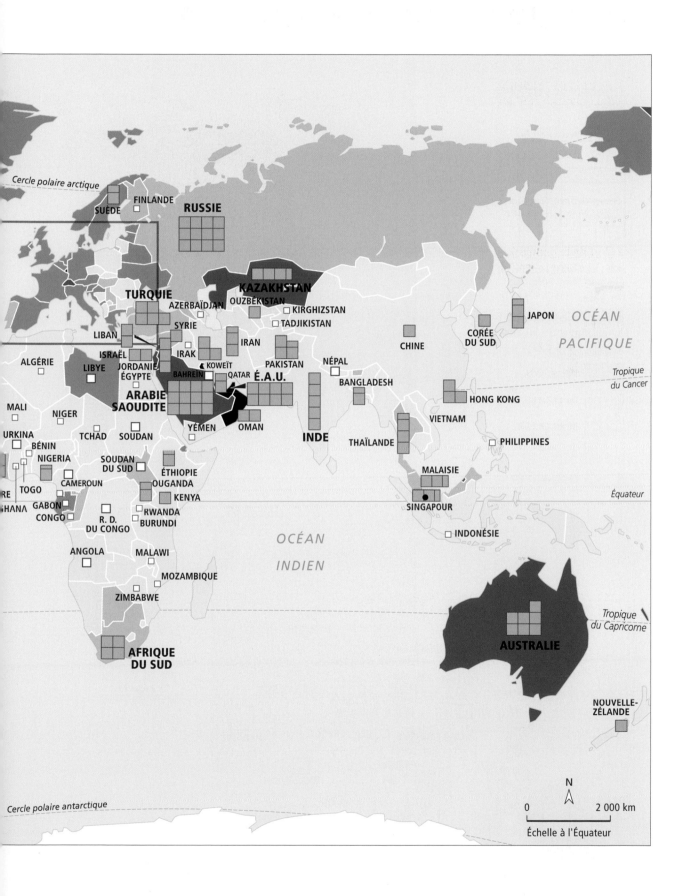

Cercle polaire arctique

SUÈDE FINLANDE **RUSSIE**

KAZAKHSTAN

TURQUIE AZERBAÏDJAN OUZBÉKISTAN KIRGHIZSTAN

SYRIE TADJIKISTAN

LIBAN IRAN

ISRAËL IRAK KOWEÏT PAKISTAN NÉPAL

ALGÉRIE JORDANIE BAHREÏN QATAR **É.A.U.** BANGLADESH

LIBYE ÉGYPTE YÉMEN OMAN

ARABIE SAOUDITE

MALI NIGER **INDE**

URKINA TCHAD SOUDAN

BÉNIN

NIGERIA SOUDAN DU SUD

TOGO CAMEROUN ÉTHIOPIE

HANA OUGANDA

GABON KENYA

CONGO R. D. DU CONGO RWANDA

BURUNDI

ANGOLA MALAWI

MOZAMBIQUE

ZIMBABWE

AFRIQUE DU SUD

JAPON OCÉAN

CORÉE DU SUD PACIFIQUE

CHINE

Tropique du Cancer

HONG KONG

VIETNAM

THAÏLANDE PHILIPPINES

MALAISIE

SINGAPOUR

Équateur

INDONÉSIE

OCÉAN

INDIEN

AUSTRALIE

Tropique du Capricorne

NOUVELLE-ZÉLANDE

N

0   2 000 km

Échelle à l'Équateur

Cercle polaire antarctique

Jeunes et anciens dans le monde

1. Nombre de personnes âgées de plus de 65 ans

En milliers

135 000
75 000
50 000
25 000
10 000
5 000
1 000

Seules les quantités supérieures à 1 M sont représentées

2. Part de la population ayant moins de 25 ans

Moyenne mondiale = 42,3 %

Plus de 60 %

De 42,3 à 60 %

De 30 à 42,3 %

De 16 à 30 %

Moins de 16 %

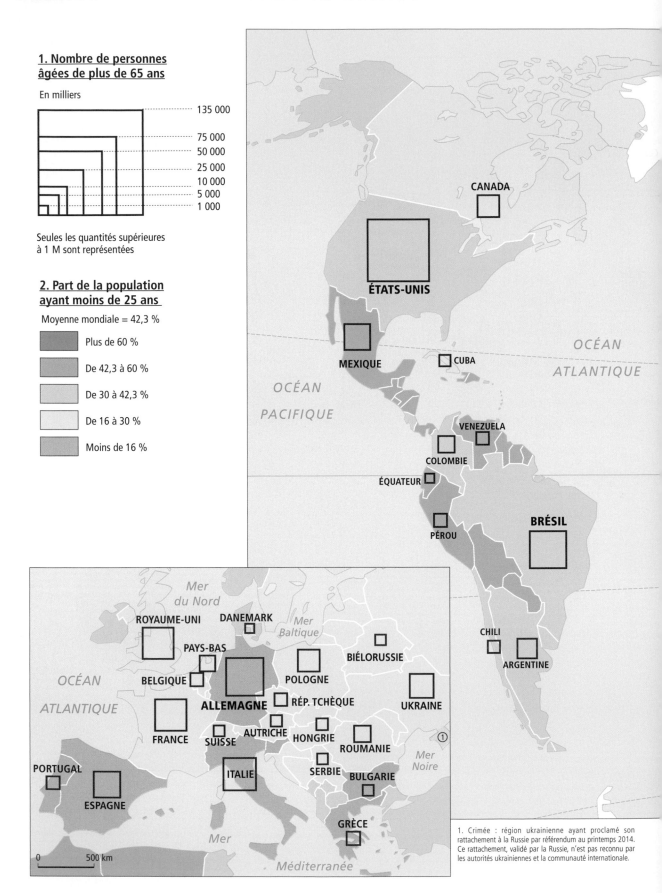

CANADA

ÉTATS-UNIS

MEXIQUE

CUBA

OCÉAN PACIFIQUE

OCÉAN ATLANTIQUE

VENEZUELA

COLOMBIE

ÉQUATEUR

PÉROU

BRÉSIL

CHILI

ARGENTINE

Mer du Nord

ROYAUME-UNI

DANEMARK

Mer Baltique

PAYS-BAS

BIÉLORUSSIE

BELGIQUE

POLOGNE

OCÉAN ATLANTIQUE

ALLEMAGNE

RÉP. TCHÈQUE

UKRAINE

FRANCE

SUISSE

AUTRICHE

HONGRIE

ROUMANIE

Mer Noire

PORTUGAL

ITALIE

SERBIE

BULGARIE

ESPAGNE

GRÈCE

Mer Méditerranée

0   500 km

1. Crimée : région ukrainienne ayant proclamé son rattachement à la Russie par référendum au printemps 2014. Ce rattachement, validé par la Russie, n'est pas reconnu par les autorités ukrainiennes et la communauté internationale.

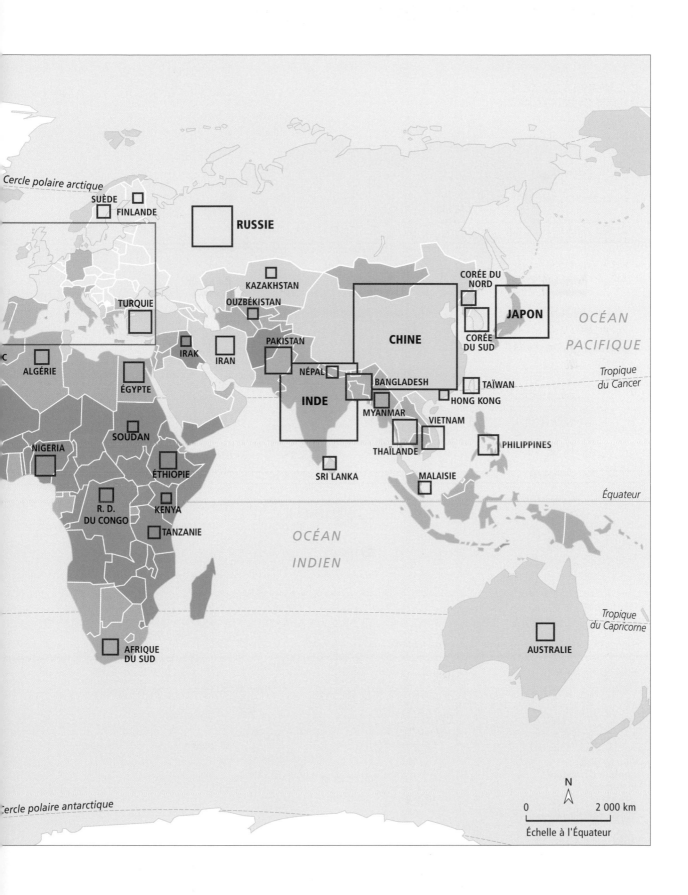

Cercle polaire arctique

SUÈDE
FINLANDE
RUSSIE

KAZAKHSTAN
OUZBÉKISTAN
CORÉE DU NORD
JAPON

TURQUIE
PAKISTAN
CHINE
CORÉE DU SUD

OCÉAN

PACIFIQUE

IRAK
IRAN
NÉPAL
BANGLADESH
TAÏWAN

ALGÉRIE
INDE
HONG KONG

Tropique du Cancer

ÉGYPTE
MYANMAR
VIETNAM

SOUDAN
THAÏLANDE
PHILIPPINES

NIGERIA
ÉTHIOPIE
SRI LANKA
MALAISIE

Équateur

R. D. DU CONGO
KENYA

TANZANIE

OCÉAN

INDIEN

Tropique du Capricorne

AFRIQUE DU SUD
AUSTRALIE

N

Cercle polaire antarctique

0   2 000 km

Échelle à l'Équateur

États et grandes métropoles en Afrique

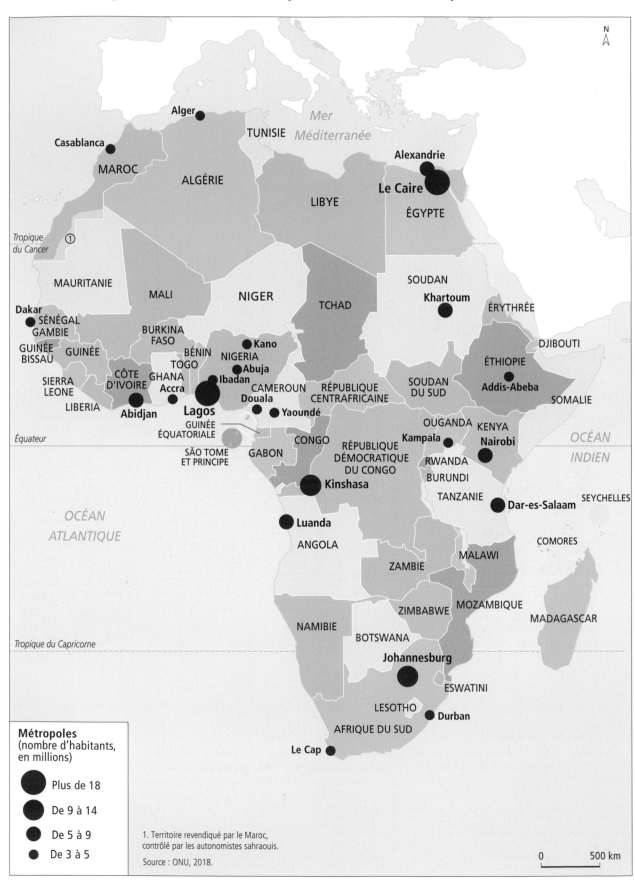

Alger

TUNISIE

Mer Méditerranée

Casablanca

Alexandrie

MAROC

ALGÉRIE

LIBYE

Le Caire

ÉGYPTE

Tropique du Cancer ①

MAURITANIE

SOUDAN

MALI

NIGER

TCHAD

Khartoum

ÉRYTHRÉE

Dakar

SÉNÉGAL

GAMBIE

BURKINA FASO

Kano

DJIBOUTI

GUINÉE BISSAU

GUINÉE

BÉNIN

NIGERIA

Abuja

ÉTHIOPIE

SIERRA LEONE

CÔTE D'IVOIRE

TOGO

GHANA

Accra

Ibadan

CAMEROUN

Douala

RÉPUBLIQUE CENTRAFRICAINE

SOUDAN DU SUD

Addis-Abeba

SOMALIE

LIBERIA

Abidjan

Lagos

GUINÉE ÉQUATORIALE

Yaoundé

OUGANDA

KENYA

Équateur

SÃO TOME ET PRINCIPE

GABON

CONGO

RÉPUBLIQUE DÉMOCRATIQUE DU CONGO

Kampala

RWANDA

BURUNDI

Nairobi

OCÉAN INDIEN

Kinshasa

TANZANIE

Dar-es-Salaam

SEYCHELLES

OCÉAN ATLANTIQUE

Luanda

ANGOLA

ZAMBIE

MALAWI

COMORES

ZIMBABWE

MOZAMBIQUE

MADAGASCAR

NAMIBIE

BOTSWANA

Tropique du Capricorne

Johannesburg

ESWATINI

LESOTHO

Durban

AFRIQUE DU SUD

Le Cap

Métropoles
(nombre d'habitants, en millions)

Plus de 18

De 9 à 14

De 5 à 9

De 3 à 5

1. Territoire revendiqué par le Maroc, contrôlé par les autonomistes sahraouis.

Source : ONU, 2018.

0   500 km

Les migrations intra-africaines

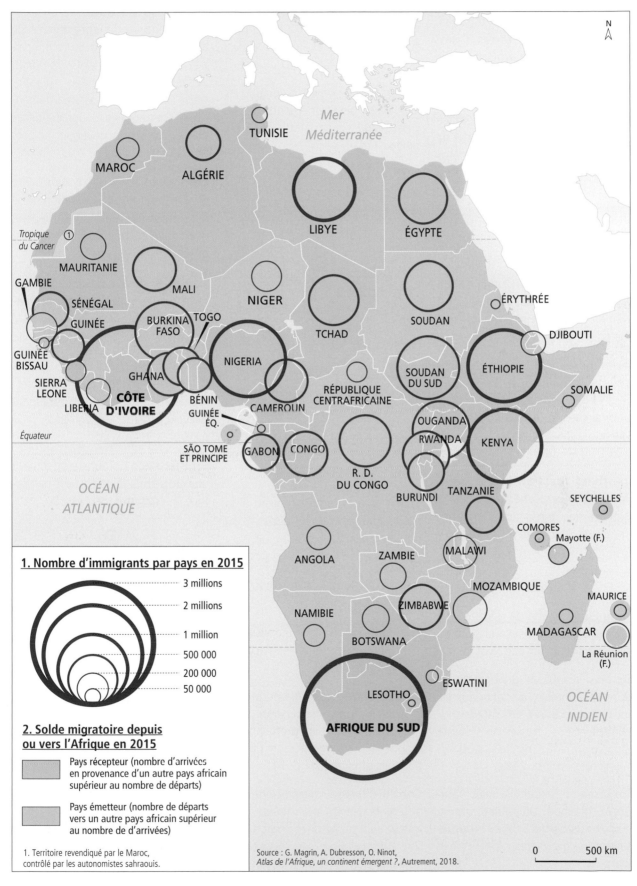

1. Nombre d'immigrants par pays en 2015

- 3 millions
- 2 millions
- 1 million
- 500 000
- 200 000
- 50 000

2. Solde migratoire depuis ou vers l'Afrique en 2015

Pays récepteur (nombre d'arrivées en provenance d'un autre pays africain supérieur au nombre de départs)

Pays émetteur (nombre de départs vers un autre pays africain supérieur au nombre de d'arrivées)

1. Territoire revendiqué par le Maroc, contrôlé par les autonomistes sahraouis.

Source : G. Magrin, A. Dubresson, O. Ninot, *Atlas de l'Afrique, un continent émergent ?*, Autrement, 2018.

0   500 km

A

Accaparement des terres : processus mondialisé d'acquisition de terres à l'étranger, essentiellement à des fins agricoles. (voir p. 260)

Accroissement naturel : différence entre le taux de natalité et le taux de mortalité d'une population au cours d'une année. Il peut être négatif ou positif. (voir p. 130)

Afrique australe : nom donné à la partie la plus au sud du continent africain. (voir p. 258)

Aléa : phénomène à l'origine d'un danger potentiel, plus ou moins fort selon sa fréquence et son intensité. (voir p. 60)

Aménagement du territoire : politique volontariste de développement et d'organisation de l'espace national menée par les acteurs publics (état, collectivités locales). (voir p. 214)

Apartheid (de l'afrikaans signifiant «développement séparé») : politique de ségrégation raciale en Afrique du Sud et en Namibie entre 1948 et 1991. (voir p. 260)

B

Banquise : couche de glace qui se forme à la surface de la mer suite au refroidissement de l'eau. (voir p. 42)

Big Five : surnom donné, depuis l'époque coloniale, aux animaux les plus recherchés lors des safaris touristiques et des chasses au trophée (lion, éléphant, buffle, léopard, rhinocéros). (voir p. 262)

Biomasse : ensemble des matiéres organiques utilisables comme sources d'énergie (bois, tourbe, matiéres premières agricoles). (voir p. 62)

Brain drain : littéralement « fuite des cerveaux ». Émigration des travailleurs les plus qualifiés. (voir p. 262)

BRICS : acronyme désignant les principaux pays émergents (Brésil, Russie, Inde, Chine, Afrique du Sud). (voir p. 124)

Bushmen : peuple indigène vivant depuis des dizaines de milliers d'années en Afrique australe. (voir p. 247)

C

Carte scolaire : découpage géographique permettant l'affectation d'un ou une élève dans un établissement scolaire. (voir p. 150)

Catastrophe : réalisation d'un risque entraînant des dégâts matériels et/ou humains. (voir p. 60)

Centre : lieu de concentration d'activités et de pouvoir de commandement. (voir p. 148)

Char : île mouvante au milieu d'un fleuve qui apparaît ou disparaît au gré des crues. (voir p. 38)

Choléra : grave infection diarrhéique provoquée par la consommation d'eau souillée. (voir p. 258)

Clandestin : migrant en situation irrégulière dans le pays d'accueil. (voir p. 200)

Concertation : conduite de projets impliquant une négociation avec des acteurs multiples préparant en amont la prise de décision par les pouvoirs publics. (voir p. 74)

Conflit d'usage : rivalités entre les différents usagers d'un même territoire ou d'une même ressource pour son appropriation, son exploitation ou sa gestion. (voir p. 62)

Conseil de gestion : instance locale composée de représentants de tous les groupes d'acteurs concernés (élus, représentants de l'état, pêcheurs, professionnels, plaisanciers, associations environnementales, scientifiques...) qui définit et met en œuvre la politique du parc naturel marin. (voir p. 74)

Contrainte : difficulté que présente un milieu pour son occupation ou sa mise en valeur. Sa maîtrise dépend des moyens techniques dont dispose une société. (voir p. 78)

Contrôle des naissances : ensemble des politiques gouvernementales, nationales ou étatiques, visant à la réduction de la fécondité d'un pays. (voir p. 120)

Croisière : voyage d'agrément effectué sur un paquebot ou sur un navire de plaisance (voilier...). (voir p. 194)

Croisièriste : 1. Touriste effectuant une croisière. 2. Entreprise organisatrice de croisières. (voir p. 194)

D

Décentralisation : transfert de compétences de l'état vers des acteurs locaux. (voir p. 148)

Demandeur d'asile : individu qui sollicite une protection internationale hors des frontiéres de son pays, mais qui n'a pas encore été reconnu comme réfugié. (voir p. 191)

Démarcation : processus qui consiste à délimiter et rendre inviolables les terres des indigènes. (voir p. 46)

Diaspora : dispersion d'une communauté (ethnique, religieuse...) dans le monde. Celle-ci parvient à conserver son identité culturelle en maintenant des liens de solidarité forts entre ses membres et avec le pays d'origine. (voir pp. 192 et 200)

E

Écotourisme : forme de tourisme pratiquée en milieu naturel dans le respect de l'environnement et contribuant au développement de l'économie locale. (voir p. 247)

Électrification : action d'électrifier, c'est-à-dire de doter un territoire d'un réseau électrique. (voir p. 249)

Émigration : fait de quitter (définitivement) son pays d'origine. (voir p. 197)

Émirat : état gouverné par un émir (« prince » en français). (voir p. 185)

Empreinte écologique : mesure créée par l'ONG WWF pour déterminer la pression exercée par les sociétés sur la planète (en hectare par personne). (voir p. 62)

Énergie fossile : énergie qui provient de la décomposition de végétaux (charbon) ou de planctons (hydrocarbures : pétrole et gaz). (voir pp. 62 et 89)

Énergie renouvelable : énergie existant en quantité illimitée fournie par le soleil (énergie solaire), le volcanisme (géothermie) et les grands cycles terrestres (biomasse, énergies hydraulique et éolienne). (voir p. 62)

Engagisme : type d'immigration qui se développa surtout après l'abolition de l'esclavage (1848), sous la forme de contrats de travail passés avec une main-d'œuvre peu rémunérée venue d'Inde, de Chine et de Madagascar. (voir p. 138)

Espace Schengen : espace géographique défini par la convention de Schengen garantissant depuis 1995 la libre circulation des marchandises et des individus. (voir p. 182)

Espéce endémique : espèce naturellement restreinte à un territoire limité. (voir p. 45)

Exil : obligation de quitter son pays et de séjourner dans un autre pour une durée indéterminée en raison d'un contexte de violence. (voir p. 252)

Exode rural : déplacement des populations des campagnes vers les villes. (voir p. 130)

F

Fécondité : nombre moyen d'enfants par femme en âge de procréer (15-49 ans). (voir pp. 130 et 158)

Flux : volume de marchandises, de personnes, de capitaux ou d'informations en circulation. (voir pp. 202 et 218)

Flux migratoire : ensemble des personnes en situation de migration. (voir p. 197)

G

Gauteng : province la plus peuplée et la plus urbanisée d'Afrique du Sud qui concentre le plus grand nombre de mines et de centres d'affaires du pays. Elle regroupe notamment Pretoria, sa capitale administrative, et Johannesburg, sa capitale économique. (voir p. 262)

Gérontocroissance : augmentation du nombre de personnes âgées dans un territoire donné. (voir p. 143)

Grand ensemble : quartier d'immeubles aménagé pendant les Trente Glorieuses afin d'héberger une population en forte croissance démographique. (voir p. 138)

Gulf Stream : courant océanique présent dans l'Atlantique nord. (voir p. 42)

H

Hostels : logements collectifs locatifs, organisés en dortoirs, destinés aux travailleurs migrants célibataires. (voir p. 262)

Hub : plate-forme ou nœud de correspondances qui concentre et redistribue les flux de marchandises et de personnes à différentes échelles. (voir p. 262)

Hydrocarbures : pétrole et gaz naturel. (voir p. 58)

Hydroélectricité : électricité produite par l'énergie hydraulique, qui provient de la force des eaux. (voir p. 45)

I

IDH (Indice de développement humain) : mesure globale du niveau de développement, il prend en compte le revenu par habitant (niveau de vie), l'espérance de vie (santé) et l'alphabétisation (deux indicateurs : durée moyenne et durée maximale de scolarisation). La valeur de l'IDH s'exprime de 0 à 1. (voir p. 132)

Immigration : fait de s'installer (définitivement) dans un pays autre que son pays d'origine. (voir p. 197)

Indice de Gini : indice mesurant les inégalités de revenus entre les habitants d'un état. Il varie de 0 (égalité parfaite) à 1 (inégalité absolue). (voir p. 108)

Indice de progrès social : il combine les « besoins humains fondamentaux » (alimentation, assainissement, logement, sécurité), les

« fondements du bien-être » (éducation, santé, environnement), les « opportunités » (droits sociaux, judiciaires, politiques ; libertés ; inclusion sociale ; enseignement supérieur). (voir p. 159)

Infrastructures : ensemble des installations nécessaires pour la réalisation d'activités (transport, hébergement, etc.) comme les aéroports, les ports, les complexes hôteliers... (voir p. 202)

Inlandsis : calotte de glace continentale très épaisse. (voir p. 42)

L

Labellisation : processus de reconnaissance de la qualité d'un produit ou de certification de son origine géographique au moyen d'un label. (voir p. 68)

Lignes bathymétriques : lignes d'égales profondeurs. (voir p. 91)

Lithium : métal utilisé dans la production des piles et batteries rechargeables. (voir p. 58)

M

Mangrove : forêt littorale quotidiennement inondée par la marée dans la zone intertropicale. (voir p. 258)

Mégapole : très grande agglomération qui dépasse 10 millions d'habitants (selon les critères de l'ONU). (voir p. 130)

Migrant international : individu quittant (plus ou moins) durablement son pays (émigration) pour se rendre dans un autre pays (immigration), de façon volontaire (activité professionnelle) ou forcée (guerre, pauvreté...). (voir p. 200)

Migration internationale : mobilité des individus quittant durablement leur pays d'origine (émigration) pour se rendre dans un autre pays (immigration), de façon volontaire (études, activité professionnelle) ou forcée (guerre, pauvreté, atteinte aux droits humains...), parfois en séjournant de façon plus ou moins temporaire dans différents pays dits de transit. (voir p. 197)

Mobilité touristique : déplacement hors de son domicile, pour des raisons personnelles (vacances, visite familiale, pélerinage...) ou professionnelles (congrès...), pour une durée supérieure à 24 heures et inférieure à une année. (voir p. 202)

Mobilités internationales : ensemble des déplacements (temporaires ou définitifs) des individus qui nécessitent de traverser une frontiére et de se rendre dans un pays tiers. (voir p. 201)

Mobilités pendulaires : déplacements quotidiens des individus entre leur domicile et leur lieu de travail. (voir p. 218)

Multimodalité : présence de plusieurs moyens de transports. (voir pp. 208 et 218)

N

Navetteur : habitant qui effectue des déplacements quotidiens (navettes) entre son domicile et son travail. (voir p. 218)

P

Pandémie : diffusion d'une épidémie sur une grande surface et à un grand nombre d'individus. (voir p. 60)

Parc national : territoire dans lequel le milieu naturel présente un intérêt particulier, tant par ses paysages que par la flore et la faune qu'il abrite, ce qui explique sa protection ainsi que son attrait touristique. (voir pp. 78 et 247)

Parc naturel marin : outil de gestion du milieu marin ayant pour objectif de contribuer à la connaissance du milieu marin, à la protection de la biodiversité et au développement durable des activités liées à la mer. (voir p. 75)

Parc naturel régional : territoire de projet régi par une charte et créé à l'initiative des communes, des départements ou des régions. Il a une double vocation de protection et de développement économique local. La protection y est moins stricte que dans un parc national. (voir p. 78)

Parc transfrontalier : parc naturel géré conjointement par plusieurs états voisins. (voir p. 247)

Pauvreté : insuffisance de revenus entraînant des privations et l'incapacité pour une population de satisfaire ses besoins. Dans le cas de l'extrême pauvreté, il s'agit des besoins essentiels : se nourrir, accéder à l'eau potable, se loger, se soigner, s'éduquer. (voir pp. 108 et 122)

Pays de transit : nom donné à un pays-étape dans le parcours migratoire d'un individu. (voir p. 201)

Pays émergent : pays en développement dont la croissance est forte et dont les conditions de vie des habitants s'améliorent, mais qui est encore marqué par de fortes inégalités socio-spatiales. (voir p. 132)

Pays enclavé : pays ne disposant d'aucun accès à la mer. (voir p. 260)

Pénurie d'eau : situation d'insuffisance en eau caractérisée par une disponibilité inférieure à 1 000 m³ par an et par habitant. (voir p. 62)

Pergélisol : sol gelé toute l'année. (voir p. 42)

Périphérie : espace dépendant d'un centre entretenant des relations de plus ou moins grande complémentarité avec lui. (voir p. 148)

Périurbanisation : extension des espaces urbains en périphérie des agglomérations. (voir p. 148)

PIB (Produit intérieur brut) : ensemble des richesses produites dans un pays en un an. Le PIB est exprimé en dollars. (voir p. 132)

Plan de prévention des risques (PPR) : document d'urbanisme émanant de l'autorité étatique qui vise à limiter l'exposition aux risques majeurs en informant, en organisant les secours et en réglementant l'utilisation des sols d'une commune. (voir p. 73)

Planification familiale : ensemble de moyens permettant aux populations de contrôler les naissances grâce aux méthodes contraceptives et au traitement de l'infécondité. (voir p. 120)

PMA (Pays les Moins Avancés) : pays cumulant de nombreux handicaps qui empêchent ou freinent leur développement (faible espérance de vie, pauvreté, déficiences en termes d'éducation et de santé). (voir pp. 124 et 132)

Politique antinataliste : politique visant à réduire le nombre de naissances dans une population donnée. (voir p. 130)

Processus de Kimberley : programme international visant à interdire les « diamants du sang », c'est-à-dire le commerce illicite de diamants bruts alimentant des guerres civiles. (voir p. 244)

Programme Erasmus : programme d'échange d'étudiants et d'enseignants entre les universités, les grandes écoles européennes et des établissements d'enseignement, créé en 1987. (voir p. 182)

R

Récif corallien : formation sous-marine construite par des animaux, les coraux, et caractérisée par une forte biodiversité (poissons, tortues, algues…). (voir p. 258)

Réforme agraire : processus de redistribution des terres en vue d'une répartition plus équitable. (voir p. 260)

Réfugié : personne reconnue en danger dans son pays d'origine et qui obtient le droit de s'installer dans un autre pays. (voir p. 201)

Régions ultrapériphériques : territoires ultramarins faisant partie de l'Union européenne. Ce statut repose sur plusieurs critères dont les contraintes de l'éloignement, de l'insularité et de la dépendance économique. (voir p. 147)

Remises : ensemble des capitaux transférés par les migrants travaillant à l'étranger à leurs proches restés dans le pays d'origine. (voir pp. 192 et 201)

Réseau : ensemble de voies de communication connectées entre elles et desservant un même territoire. (voir p. 218)

Réseaux numériques de communication : maillage composé de lignes téléphoniques, de câbles ou de fibres optiques et de relais de téléphonie mobile pour desservir un territoire. (voir p. 214)

Réserve naturelle : territoires locaux protégés pour leur richesse naturelle (intérêt géologique ou biodiversité). (voir p. 91)

Ressources halieutiques : ressources vivantes des milieux aquatiques marins. (voir p. 58)

Revenu médian : valeur du revenu séparant en deux moitiés égales une population donnée. Le nombre d'individus disposant d'un revenu inférieur au revenu médian est égal au nombre d'individus disposant d'un revenu supérieur à ce même revenu médian. (voir p. 128)

S

Sanctuarisation : protection totale d'un espace de toute action humaine pouvant porter atteinte à l'environnement. (voir p. 78)

Savane : formation végétale composée de hautes herbes et plus ou moins parsemée d'arbres, caractéristique des régions tropicales à longue saison sèche. C'est un milieu riche en animaux. (voir p. 258)

Ségrégation : mise à l'écart volontaire imposée à un groupe selon différents critères (économiques, sociaux ou ethniques par exemple). Elle crée une séparation nette dans l'espace entre des groupes sociaux différents. (voir p. 150)

Seuil de pauvreté : revenu minimal en dessous duquel une personne (ou une famille) est considérée comme pauvre. Ce seuil varie car il est souvent déterminé par les autorités de chaque pays. (voir p. 128)

Seuil d'extrême pauvreté : niveau au-dessous duquel une personne est considérée comme extrêmement pauvre. Ce seuil, actuellement fixé à 1,90 dollar par jour, est réguliérement relevé par la Banque mondiale. (voir pp. 128 et 132)

Silver économie : ensemble des activités économiques et de service déterminé par la forte proportion de personnes âgées sur un territoire donné. (voir p. 143)

Site Ramsar : zone humide reconnue pour l'originalité et la fragilité de sa biodiversité. Ces sites bénéficient d'un périmètre de protection. La convention sur les zones humides a été signée à Ramsar (Iran) en 1971, et ratifiée par la France en 1986. (voir p. 77)

Site Seveso : site industriel dangereux, surveillé par les autorités publiques par le biais des plans de prévention des risques technologiques. Cette surveillance fait suite à une grave pollution chimique dans la ville de Seveso, en 1976, en Italie. (voir p. 77)

Southern African Development Community (SADC) : organisation économique visant à renforcer l'intégration entre les pays d'Afrique australe et centrale (libre échange, réseaux de transport internationaux). (voir p. 262)

Surtourisme : nom donné au tourisme de masse, qui entraîne la saturation des espaces d'accueil et provoque parfois des dégradations des lieux et des bâtiments. (voir p. 202)

T

Terres rares : éléments métalliques dont les propriétés sont très recherchées dans la fabrication des hautes technologies. (voir p. 58)

Township : quartier de relégation des populations noires à l'époque de la ségrégation raciale dans les villes d'Afrique du Sud, de Namibie et du Zimbabwe. (voir p. 260)

Trajectoire démographique : évolution des différentes composantes d'une population (fécondité, mortalité, vieillissement...). (voir p. 130)

Transition démographique : période de forte croissance de la population, qui est due à la diminution massive de la mortalité et à l'allongement de l'espérance de vie, alors que la natalité reste élevée. La transition s'achève quand la natalité a baissé à son tour et rejoint le niveau de la mortalité. (voir p. 126)

Transition écologique : ensemble des principes et des pratiques ayant comme objectif le développement durable. (voir p. 218)

Transition énergétique : passage d'une production et d'une consommation reposant essentiellement sur des énergies fossiles, polluantes et en voie d'épuisement, à un modèle de développement fondé sur les ressources renouvelables. (voir p. 60)

Transition urbaine : processus au cours duquel une population, initialement rurale, devient majoritairement urbaine. (voir p. 130)

Trypanosomiase : maladie du sommeil transmise aux hommes et au bétail par la mouche tsé-tsé. (voir p. 258)

V

V20 : groupe des 20 pays les plus vulnérables au monde face au changement climatique. (voir p. 60)

Veld : étendue herbeuse des plateaux de l'intérieur de l'Afrique australe. (voir p. 258)

Vieillissement : trajectoire démographique d'une population dont l'âge moyen augmente. (voir p. 148)

Vulnérabilité : expression du niveau d'exposition à un aléa. Elle est variable selon la capacité de la société ou des individus à réagir face à un risque et dépend de facteurs sociaux, économiques, culturels, historiques et politiques. Les lieux de forte concentration de population présentent une vulnérabilité élevée. (voir pp. 60 et 73)

X

Xénophobie : hostilité manifestée à l'égard des étrangers. (voir p. 252)

Z

Zone économique Exclusive (ZEE) : espace large de 200 milles nautiques à partir du littoral, qui accorde à l'état riverain la souveraineté sur les ressources qui s'y trouvent. (voir pp. 42 et 78)

Zone Natura 2000 : label concernant des sites naturels européens, terrestres et maritimes, identifiés pour la rareté ou la fragilité de leur flore ou de leur faune et de leurs habitats. (voir p. 78)

Changement climatique

Processus de modification durable de l'environnement climatique planétaire.
(voir p. 85)

Ressource naturelle

Richesse potentielle exploitée et transformée par les sociétés humaines. Pour être exploitée, elle doit être accessible et rentable. Elle dépend donc des capacités techniques des sociétés à l'exploiter.
(voir p. 85)

Environnement

Combinaison des éléments naturels (eau, relief, sol, végétation, animaux), sociaux, économiques et culturels qui entourent les groupes humains et avec lesquels ils interagissent. Il ne comporte pas de limites spatiales et peut être envisagé à différentes échelles.
(voir p. 86)

Milieu

Ensemble des conditions naturelles propres à un espace donné. Il constitue le cadre de vie d'acteurs spatiaux qui entretiennent de multiples interactions avec lui. Chaque milieu présente des caractéristiques climatiques, géophysiques et biologiques qui définissent ses spécificités. On peut donc parler de milieu montagnard, littoral, forestier, marin, tropical.
(voir p. 86)

Risque

Résulte de la conjonction d'un événement naturel (l'aléa) et de l'exposition de biens et/ou de personnes (l'enjeu ou la vulnérabilité). Le risque se définit donc par la probabilité que survienne un événement potentiellement dangereux (catastrophe).
(voir p. 87)

Croissance

Augmentation (dans le cas d'une croissance positive) ou diminution (dans le cas d'une croissance négative) d'une donnée chiffrée, pendant une période donnée. En matière économique, la croissance est estimée par l'évolution de la production (PIB) d'un pays.
(voir p. 155)

Développement

Processus de transformation politique, économique et sociale déterminée par une redistribution harmonieuse des bénéfices d'une croissance. Il se traduit généralement par une amélioration des conditions de vie des individus.
(voir p. 155)

Développement durable

Mode de développement dont l'objectif est de concilier à la fois progrès économique, harmonie sociale et culturelle et préservation de l'environnement.
(voir p. 155)

Émergence

Processus de croissance économique forte et prolongée, liée en particulier à la bonne intégration d'un pays aux échanges mondiaux. Le niveau de vie des pays émergents converge vers celui des pays développés, mais plusieurs défis subsistent : PIB/habitant et IDH plus faibles, fortes inégalités socio-spatiales, démocratisation incomplète, etc.
(voir p. 156)

Inégalité

Différence entre individus, groupes sociaux ou territoires qui entraînent une hiérarchie entre ces individus et ces territoires, voire un sentiment d'injustice. Les inégalités peuvent se mesurer en termes de revenus, d'éducation, d'emploi, de conditions de vie, d'accès aux logements, etc.
(voir p. 156)

NOTIONS

Population

Ensemble des personnes habitant un territoire (pays, région, villes), déterminées par des caractéristiques propres (âge, niveau de formation, niveau de développements) et affectées par des dynamiques (mobilités). L'ensemble de ces composantes peut être soit homogène (population d'un quartier), soit hétérogène (population d'un vaste État très peuplé). **(voir p. 157)**

Peuplement

Répartition de la population sur un territoire. Il se caractérise par des localisations, des densités (nombre d'habitants au km^2), une plus ou moins grande régularité de l'installation des sociétés humaines. **(voir p. 157)**

Migration

Déplacement d'individus quittant (plus ou moins) durablement leur région d'origine pour une autre région. Lorsque cette migration s'effectue au sein du même pays, on parle de migration intérieure (exode rural, changement de résidence...). Lorsque cette migration s'effectue du pays d'origine (émigration) vers un autre pays (immigration) on parle de migration internationale. **(voir p. 226)**

Mobilité

Ensemble des déplacements de personnes qui entraînent un changement de résidence (migration économique ou politique, changement de logement...) ou non (mobilité quotidienne, touristique). **(voir p. 225)**

Tourisme

Activité qui consiste à quitter son domicile pour des raisons personnelles (détente, visite familiale, pèlerinage...) ou professionnelles (congrès...), pour une durée supérieure à 24 heures et inférieure à 1 an. On parle de tourisme international lorsqu'un touriste traverse une frontière et passe du temps dans un autre pays que le sien. **(voir p. 199 et 227)**

Transition

Processus de transformations majeures qui affectent les sociétés et leurs espaces. La transition correspond à un passage progressif d'un état à un autre, d'une situation à une autre. Elle accompagne le bouleversement des sociétés en mobilisant les acteurs spatiaux (États, entreprises, individus...) au moyen de politiques inscrites dans l'ensemble des espaces, à toutes les échelles. Elle est une clé d'analyse des grands défis contemporains. **(voir rabat de couverture VI)**

CRÉDITS ICONOGRAPHIQUES

Compléments aux sources des textes présents dans le manuel

43-4 E. Quillérou et al., « Arctique : opportunités, enjeux et défis », Océan et climat, [en ligne], 2017, p. 55-67, http://www.ocean-climate.org/ ; **49-3** « Les Alpes, laboratoire climatique », CIPRA International, 31 octobre 2018, [en ligne] http://www.cipra.org ; **49-5** E. George, C. Achin, H. François, P. Spandre, S. Morin, D. Verfaillie, « Les enjeux du tourisme alpin », dans M.-P. Arlot et D. Piazza-Morel (dir.), Impacts du changement climatique et adaptation en territoire de montagne. Projet AdaMont, Institut national de recherche en sciences et technologies pour l'environnement et l'agriculture (IRSTEA), Centre National de Recherches Météorologiques (CNRM), 2018, p. 62-66 ; **72-2** F. Vinet, F. Leone, G. Lahache et P. Cancel, « La protection du bâti individuel et des commerces contre l'inondation. Opportunités et obstacles », Norois, n° 236, 2015, © Presses Universitaires de Rennes, https://youtu.be/AY-kif-fqPi8 ; **81-5** Association Pays de l'ours - Adet [en ligne], http://www.paysdelours.com/fr/ours/questions-reponses/la-restauration-de-la-population-dours.html, consulté en mars 2019 ; **135-4** T. Piketty, « Combattre l'idéologie de l'inégalité », Le Monde (Blog), 20 septembre 2018, [en ligne] http://piketty.blog.lemonde.fr/2018/09/20/contre-lideologie-de-linegalite/ ; **140-6** M. Golla et C. Maligorne, « Coût de la vie à La Réunion : quels écarts avec la métropole ? », Le Figaro, 29 novembre 2018, http://www.lefigaro.fr/ ; **178-1** Catherine Wihtol de Wenden, « Les migrations en Méditerranée », Annuaire de l'Institut européen de la Méditerranée (IEMed), 2015, p. 137-142 ; **180-7** S. Petite, « Le Maroc, l'autre gendarme contre l'immigration vers l'Europe », avec l'aimable autorisation de Le Temps, quotidien Suisse édité à Lausanne, septembre 2018 ; **182-1** Catherine Wihtol de Wenden, Atlas des migrations, cartographie Madeleine Benoît-Guyod © Éditions Autrement, 2018 ; **190-1** Qu'est-ce qu'un réfugié ?, CIRÉ (Coordination et Initiatives pour Réfugiés et Étrangers), Bruxelles, novembre 2018, disponible sur www.cire.be ; **221-5** https://www.fnaut.fr/images/docs/communiques/180913gtcu.pdf

Passerelle Saint Georges-Abbé Paul Couturier
sur la Saône entre le quai Fulhiron
(5ᵉ arrondissement) et le quai Tilsitt
(2ᵉ arrondissement), Lyon.
Photographie prise en 2017.

Quartier de Bo-Kaap (qui signifie « Au-dessus du Cap »
en afrikaans), Le Cap (Afrique du Sud).
Photographie aérienne prise depuis un hélicoptère en 2015.

Édition : Émeline Marx, avec l'aide de Séverine Bulan,
Lucile Foucher et Mathilde Boisserie

Direction éditoriale : Carole Greffrath

Conception graphique (intérieur et couverture) : Élise Launay

Responsable artistique : Pierre-Yves Skrzypczak

Mise en page : Joëlle Parreau et Évelyne Boyard

Iconographie : Maryse Hubert

Cartographie : AFDEC – Bertrand de Brun

Charte graphique des schémas : WeDoData

Infographies, schémas, graphiques : Renaud Scapin

Relecture : Marjolaine Revel

Fabrication : Adeline Caillot

Contenus éditoriaux fournis par l'ONISEP (p. 14-15 et p. 20-21) : Rédaction : Séverine Maestri ;
Coordination : Emmanuel Percq ; Édition : Isabelle Dussouet ; Infographie : WeDoData

N°de projet: 10242294 –
Dépot légal: Juillet 2019
Achevé d'imprimer,
en Allemagne, en Juillet 2019,
par Mohn Media Mohndruck GmbH